LES ANGES GARDIENS - 1

Témoin en détresse

Roxanne
ST. CLAIRE

LES ANGES GARDIENS – 1
Témoin en détresse

Traduit de l'anglais (États-Unis)
par Guillaume Le Pennec

Titre original :
EDGE OF SIGHT

Published by Forever,
an imprint of Grand Central Publishing.

Pour mon neveu, le capitaine Anthony Roffino,
qui incarne tout ce qu'il y a d'extraordinaire
et de remarquable chez un authentique héros
des Rangers… et bien plus encore.
Je suis fière d'être ta tante Rocki.

Remerciements

Comme toujours, je dispose d'une armée d'individus remarquables prêts à m'aider de manière enthousiaste pour s'assurer que mes livres soient les plus exacts possibles. Mes sources en matière de recherche sont généreuses et patientes et si ces pages contiennent des erreurs, ce sera ma faute et non la leur.

Je fais appel à une équipe de spécialistes pour chaque roman et serais bien perdue sans eux. On compte dans leurs rangs : l'officier de police de Los Angeles Kathy Bennett, ma référence en matière de procédure policière ; Roger Cannon, le « mec aux flingues » qui s'assure que mes personnages tirent droit ; et l'ancien agent du FBI Jim Vatter qui m'apporte le « Bureau » sur un plateau presque quotidiennement.

Certaines personnes m'ont offert une aide particulièrement précieuse pour ce récit : l'officier de l'armée américaine Jessica Scott, l'héroïne qui a donné de son temps pour répondre à mes questions dans le domaine militaire alors qu'elle-même était plongée en pleine guerre ; ma chère amie et fan Rossella Re qui m'a donné accès au monde italien – *grazie amica mia !* Je prévois de te dédier une branche entière dans l'arbre généalogique des Angelino et des Rossi.

Et salutations particulières à l'impressionnant groupe d'avocats et de spécialistes des affaires publiques du Projet Innocence, avec toute ma gratitude pour vos vérifications et les informations détaillées au sujet des témoins, de l'acquittement et de la loi.

Merci à tous mes amis écrivains, trop nombreux pour les nommer tous (chanceuse que je suis), mais tout particulièrement à Kresley Cole, Louisa Edwards et Kristen Painter, qui me permettent de rester saine d'esprit, concentrée et d'humeur rieuse. Et pas toujours dans cet ordre.

Toute l'équipe des professionnels de l'édition chez Grand Central Publishing et spécialement mon éditrice Amy Pierpont qui me tend une pelle, me force à creuser plus profondément… et réussit pourtant à me convaincre que je m'amuse.

Enfin, à tout jamais et pour toujours, mon amour et ma gratitude les plus profonds vont à mon mari Rich et à nos enfants, Dante et Mia. Vous me rappelez tous les trois chaque jour qu'il n'y a pas de destination, seulement un voyage… et que le nôtre est le meilleur qui soit.

1

— Je crois comprendre que vous avez été admise dans cette petite université de droit de l'autre côté de la rivière ?

Samantha Fairchild récupéra les cocktails sur le bar et décocha un sourire à l'homme qui la suivait discrètement du regard derrière ses lunettes sans montures.

— Notre barmaid bien-aimée a encore vanté mes mérites, commenta-t-elle.

Derrière le bar, Wendy agitait un shaker de martini comme s'il s'agissait d'une baguette à étincelles, une lueur amusée dans les yeux.

— Rien qu'un peu, Sam. Tu es notre seule serveuse à avoir un ticket pour Harvard.

Sam fit un petit signe de tête au gentleman blond, sans envie réelle d'entamer la conversation alors que la salle du restaurant *Chez Paupiette* était pleine à craquer en ce samedi soir. Et puis il n'était pas son genre. Trop pâle, trop blond, trop… inoffensif.

— Aucune honte à avoir un diplôme de droit de Harvard, dit-il. D'ailleurs, c'est mon cas.

— Vraiment ? Et qu'est-ce que vous en faites ?

Le sourire de l'homme s'élargit.

— Je m'en sers pour faire du fric, comme vous le ferez aussi.

Le discours typique du diplômé de droit de Harvard.

— L'argent ne m'intéresse pas plus que ça, dit Sam. J'ai d'autres plans pour l'avenir.

Elle doutait qu'un type en Armani et Rolex apprécie les plans en question. À moins qu'il soit avocat de la défense. Elle s'apprêtait à l'étudier d'un peu plus près quand deux mains atterrirent par-derrière sur ses épaules.

— J'ai installé Joshua Sterling et son groupe dans ta section.

La voix douce de Keegan Kennedy contenait un grondement de mise en garde. Sans doute parce que Sam flirtait avec un avocat au bar pendant que ses tables étaient toutes occupées.

— Je m'attends à un petit bonus en retour, ajouta-t-il.

— Ça me paraît fair-play, répondit Sam.

Elle échappa à sa prise d'un haussement d'épaules, sans déséquilibrer son plateau à cocktails.

— Je parie qu'il est généreux sur les pourboires, Sam, dit l'avocat.

Il posa deux billets de vingt dollars sur le bar accompagnés d'un petit geste du poignet qui enjoignait la barmaid à garder la monnaie.

— Vous en aurez besoin, ne serait-ce que pour les bouquins de droit constitutionnel.

Elle le gratifia d'un sourire pensif, pas trop encourageant mais sans aller jusqu'au rejet.

— Merci... ?

— Larry, répondit-il. Peut-être que je repasserai avant le début des cours, avec quelques conseils utiles pour la première année.

— Super, Larry. Ça m'intéresserait.

Elle força un peu plus son sourire. Il avait l'air d'un type sympa. Aussi excitant qu'une biscotte mais lui au moins ne lui piétinerait pas le cœur à coups de... rangers.

Elle se tourna pour jeter un coup d'œil à la salle principale et aperçut un groupe de six personnes escortées par l'adjoint du chef de salle.

La chevelure argentée propre à Joshua Sterling, grisonnante avant l'âge et terriblement séduisante, luisait sous les spots halogènes. Installé de façon à mettre en valeur la haute cuisine du lieu, l'éclairage créait un parfait halo au-dessus de ce client particulier.

Le pourboire n'était pas la seule chose à intéresser Sam. La dernière fois que le chroniqueur préféré de Boston avait dîné sur place, elle et lui s'étaient lancés dans un débat animé à propos de la Mission Innocence, après quoi il avait écrit un article complet dans le *Globe* au sujet de cette association à but non lucratif. Le bureau de Boston, où Sam faisait du bénévolat, avait reçu un énorme afflux de liquidités grâce à cet article.

Sam gratifia d'un sourire reconnaissant le chef de salle qui oscillait entre l'emmerdeur et l'homme providentiel depuis ses débuts quelques mois plus tôt.

— Beau travail, Keegan. Tu peux tabler sur dix pour cent.

Keegan déposa une carte des vins sur le plateau de Sam, mettant en péril le délicat équilibre des verres à martinis hauts sur pied.

— Il est généreux en pourboire sur les vins, alors tâche de le convaincre de commander quelque chose à la cave. Monte ma part à quinze pour cent et je te promets qu'on ne sera pas à court de tartare. C'est le plat préféré de Sterling.

— Marché conclu, Irlandais rusé que tu es ! lança Sam avec un grand sourire.

Après avoir porté les cocktails jusqu'à une autre table, elle se dirigea vers le groupe qui venait de s'asseoir, non sans faire un signe de tête à un client qui demandait sa note par geste ni oublier de déboucher le chardonnay Cakebread de deux amoureux dans leur coin. Pendant ce temps, elle prit soin d'observer ceux que Joshua Sterling invitait ce soir.

À sa gauche se trouvait sa superbe épouse, une mondaine aux pommettes saillantes du nom de Devyn, dont la chevelure d'or retombait sur ses épaules sculptées par des heures de cours particuliers. Deux autres couples complétaient la petite assemblée classieuse. Alors qu'ils s'asseyaient, l'une des femmes termina de raconter une histoire animée et ponctua sa phrase finale d'un doigt pointé droit sur Joshua qui déclencha l'hilarité chez les autres. À l'exception de Devyn, qui s'appuya contre le dossier de sa chaise, l'air impassible, tandis qu'on déposait un menu devant elle.

Joshua passa gentiment la main dans le dos de sa femme tout en faisant un petit signe à quelqu'un à l'autre bout de la salle. Il murmura quelque chose à Devyn puis fit un grand sourire en voyant Sam approcher de la table.

— Bonjour, Samantha.

Il se rappelait d'elle, bien sûr. C'était son don et ce qui faisait en partie son charme.

— Prête à affronter *Hah-vahd* ? demanda-t-il avec un accent de Boston volontairement exagéré.

— Les cours commencent dans deux mois, dit-elle en lui tendant la carte des vins ouverte à la page des bouteilles les plus coûteuses. Alors je suis prête, mais nerveuse.

— D'après ce que vous m'avez dit de vos activités de bénévole, je suis sûr que vous avez plus d'expérience et de connaissances juridiques qu'une bonne moitié des élèves de première année. Vous allez cartonner là-bas.

Il ajouta un sourire à son regard bleu perçant. Un regard dont le temps de présence sur le petit écran ne cessait d'augmenter au fil de ses interventions progressistes sur les chaînes d'infos du câble.

Personne ne doutait que Joshua Sterling pourrait un jour décrocher le gros lot en descendant sur New York.

Sam fit un pas de côté pour permettre à l'adjoint du chef de salle de déplier une serviette de table noire sur le pantalon de couleur sombre de Devyn Sterling.

— J'espère que vous avez raison, dit-elle. Sinon j'abandonnerai tout pour revenir à la pub.

— Ne doutez pas de vos capacités, l'avertit Joshua avec un regard intense. Vous avez la tête bien trop pleine pour vendre des ordinateurs ou des hamburgers. Vous devez sauver les victimes innocentes de ce système déréglé.

Sam répondit par un petit sourire de gratitude ; elle aurait aimé pouvoir afficher la même confiance dans ses capacités. D'un autre côté, il avait aussi un don pour raconter n'importe quoi d'un air convaincu.

— Vous célébrez une occasion particulière ? demanda-t-elle, désireuse d'orienter la conversation vers une somptueuse commande de boissons plutôt que sur sa carrière.

Joshua désigna la brune qui racontait son histoire un peu plus tôt.

— Nous fêtons l'anniversaire de Meredith.

— Bon anniversaire ! dit Sam avec un hochement de tête à l'intention de la femme. Il nous reste deux bouteilles de Taittinger 94.

— Bon choix de champagne, répondit Joshua. Mais je pense que nous avons plutôt affaire à des amateurs de vin. Tu aimes le bordeaux, n'est-ce pas, Meredith ?

La femme se pencha en avant, un coude posé sur la table, et un sourire se forma lentement sur ses lèvres comme elle le regardait.

— Quelque chose de complexe et d'élégant, dit-elle.

Sam attendit un instant tandis que les yeux de la femme restaient braqués sur son hôte. Devyn s'agita sur son siège et Sam perçut la tension grandissante autour de la table.

— Laissez-moi vous appeler le sommelier, s'empressa-t-elle de suggérer. Je suis certaine qu'il a le bordeaux qu'il vous faut.

— Aucun doute là-dessus.

Joshua lui rendit la carte des vins sans même la regarder.

— Dites à René que nous voudrions deux bouteilles de Château Haut-Brion 1982.

— Excellent choix. (Le contraire aurait été étonnant.) Pendant que je vais les chercher, pouvons-nous vous proposer des bouteilles d'eau plate ou gazeuse ?

Ils firent leur choix, que Sam rapporta à un commis avant de filer vers l'étroit passage reliant la salle aux cuisines. Ses chaussures rebondirent sur le linoléum comme elle s'éloignait du brouhaha des conversations et de la musique de la salle pour retrouver les cliquetis métalliques et les grésillements des cuisines.

— Où est René ? demanda-t-elle, accueillie par une odeur de beurre à l'ail et de viande saisie sur le grill.

— Je suis là !

Les portes de la cave s'ouvrirent pour laisser débouler le sommelier massif, les bras chargés de bien trop de bouteilles. Deux autres serveurs arrivaient derrière lui, tout aussi encombrés.

— René, il me faut deux bouteilles de Haut-Brion 82, rapido, dit Sam.

— Dès que j'aurai fini avec le groupe à l'étage, répondit-il du tac au tac.

— Alors donne-moi la clé et dis-moi en gros où je peux les trouver.

René déposa habilement ses bouteilles sur le plan de travail et répondit sans prendre la peine d'employer le faux accent français qu'il utilisait avec les clients.

— Je ne te laisserai pas toucher aux 82, sœurette. Une maladresse et tu nous coûteras un mois de salaire à tous les deux.

— Allez, René. Je suis quand même capable de porter deux bouteilles de vin !

— Tu peux attendre, comme tout le monde, Sam.

Il commença à distribuer ses bouteilles à une autre serveuse, qui décocha à Sam un petit sourire de victoire narquois.

Les portes donnant sur la salle principale s'ouvrirent et Sam scruta le couloir du regard, juste à temps pour apercevoir Joshua qui traversait la pièce pour saluer un superbe ex-mannequin et son compagnon assis à une table pour deux près du bar. Il n'était donc pas spécialement pressé de recevoir son vin. Elle jeta un coup d'œil au passe-plat en inox et calcula le temps dont elle disposait pour faire verser ce vin avant que ses quatre commandes pour les vieux notables de la table dix soient prêtes.

Pas beaucoup. Elle voulait servir le Haut-Brion en premier, sans quoi elle perdrait complètement la cadence.

Un autre commis remonta de la cave, plusieurs bouteilles à la main.

— Ce sont les derniers, René. Faut juste que je redescende pour refermer.

— Je m'en occupe, dit Sam en s'emparant des clés.

— Non ! lança René d'un ton tranchant. Je vais aller te les chercher, Sam. Cinq minutes, c'est tout.

— S'il te plaît, René.

Les battants des portes pivotèrent de nouveau et Keegan entra d'un pas vif.

— Sterling veut son vin, annonça-t-il en fusillant René du regard.

— Alors toi va le chercher, répondit celui-ci. Mais pas Sam.

Mais celle-ci s'était déjà mise en route.

— Merci Keegan, souffla-t-elle discrètement au passage. Tu sais que tu vas crouler sous mes pourboires ce soir.

En ouvrant la porte, elle s'adressa à René par-dessus son épaule.

— Les bordeaux sont dans les casiers du fond et le Haut-Brion dans la moitié inférieure, c'est ça ?

— Sam, si tu fais une connerie…

— Je vais épousseter les bouteilles ! Tu pourras regarder la vidéo demain, ajouta-t-elle en riant.

Comme si cette caméra préhistorique servait encore à quoi que ce soit.

— Tu ne crois pas si bien dire ! lui cria René. Je viens de mettre une cassette neuve.

Elle descendit en hâte les escaliers mal éclairés et frôla l'un des sous-chefs qui remontait un sac de farine du garde-manger. Arrivée au bas des marches, la température était nettement plus basse. Sam sentit le froid qui émanait des murs de pierre au moment de tirer la lourde porte donnant sur la cave à vin.

Un courant d'air agita les mèches de cheveux qui s'étaient échappées de sa queue-de-cheval. Sam marqua un temps d'arrêt et se retourna pour scruter le couloir plongé dans la pénombre. La sortie de secours était-elle encore ouverte ? Les commis n'arrêtaient pas de l'emprunter pour aller fumer, mais ils n'avaient pas intérêt à être en train de soigner leurs poumons alors que *Chez Paupiette* était bondé.

Des odeurs d'estragon et de romarin provenaient du garde-manger mais leurs arômes acidulés se dissipèrent dès qu'elle actionna la poignée de cuivre de la cave à vin. Les gonds craquèrent et grincèrent à son entrée. La petite pièce poussiéreuse et mal éclairée ne sentait que le musc et la terre battue.

Elle alluma le plafonnier mais l'unique ampoule nue n'illuminait pas grand-chose de la longue cave étroite ni des casiers qui s'élevaient à plus d'un mètre cinquante pour former une sorte de labyrinthe. Elle trouva son chemin jusqu'au fond de la salle, ses semelles de crêpe tout à fait silencieuses sur le sol de pierre. La poussière lui chatouillait les narines et l'air à quatorze degrés achevait le travail : elle ne chercha même pas à réprimer son envie d'éternuer mais parvint à sortir un mouchoir à temps pour étouffer le bruit.

Arrivée à la rangée du fond, elle se faufila dans le coin où l'on conservait les vins les plus chers et se mit à souffler et à épousseter les bouteilles. Elle trouva presque immédiatement l'étiquette blanche et or distinctive du Haut-Brion.

Elle tira la bouteille vers elle et l'épousseta pour lire l'année : 2000. Au sein de ces casiers classés par ordre chronologique, cela la plaçait dix-huit ans trop loin. Elle toussa un peu à cause de la poussière coincée dans sa gorge. Une fois accroupie, elle sortit une autre bouteille. 1985. On se rapprochait. Les fesses au ras du sol, ses doigts se refermèrent sur une troisième bouteille juste au moment où la porte s'ouvrait ; le cliquetis de la poignée en cuivre résonna à travers la cave. Elle s'apprêta à se redresser mais la voix chuchotante d'un homme l'arrêta.

— J'y suis.

Immobile, Sam tenta en vain d'identifier la voix. Elle était grave, rauque, masculine.

— Maintenant.

Il y avait comme une urgence dans son ton. Quelque chose qui incita Sam à se figer.

Elle attendit d'entendre son pas. S'il s'agissait d'un autre serveur, il se dirigerait vers l'un des casiers pour récupérer le vin qu'il cherchait. Si c'était René, il allait l'appeler, sachant qu'elle était là. Et si c'était quelqu'un d'autre...

Personne d'autre n'aurait dû se trouver là.

Son pouls s'accéléra tandis qu'elle attendait d'entendre quelque chose. Un frisson de malaise remontait le long de son échine.

Personne ne bougea. Personne ne dit rien.

Priant pour que ses genoux ne craquent pas, au risque de la faire repérer, elle se redressa très légèrement pour regarder par-dessus le casier. Au même moment, la poignée cliqueta de nouveau et cette fois le grincement des gonds s'étira longuement, comme si quelqu'un ouvrait la porte avec la plus grande prudence. Sam se releva un peu plus pour jeter un coup d'œil au-dessus des râteliers.

Un homme se tenait plaqué contre le mur, une main glissée à l'intérieur de sa veste, le visage tourné vers la porte. Dans l'ombre, elle discernait à peine son profil, vêtu qu'il était d'une chemise noire, doté d'une chevelure sombre qui se confondait avec la paroi derrière lui. Ce n'était pas un serveur. Et elle ne l'avait jamais auparavant.

Il demeura parfaitement immobile tandis que la porte s'ouvrait plus grande et Sam se força à détourner les yeux de l'inconnu pour observer le nouvel arrivant. L'ampoule au plafond capta les reflets d'argent de cheveux grisonnants immédiatement reconnaissables. Que diable venait faire Jo... ?

Le mouvement fut si rapide que Sam vit à peine l'homme retirer la main de sous sa veste. Elle laissa échapper un hoquet de surprise à la vue d'un pistolet incroyablement long mais sa voix fut noyée dans une détonation étouffée, comme un coup de poing dans un oreiller.

L'instinct de préservation poussa Sam à s'accroupir de nouveau derrière le casier. La tête lui tournait, électrifiée par un tel tourbillon de pensées qu'elle était incapable de se concentrer sur une seule. Il n'y avait plus que cette image de Joshua Sterling prenant une balle en pleine tête.

Elle ferma les yeux mais la vision ne disparut pas. Elle semblait gravée à l'arrière de ses paupières, marquée au fer rouge dans son cerveau.

Quelque chose racla par terre et tout son être se contracta. Elle resserra sa prise sur le goulot de la bouteille et planta ses deux pieds au sol, prête à bondir sur quiconque s'approcherait.

Elle pourrait l'aveugler avec la bouteille. Lui écraser sur le crâne. Gagner du temps pour aller chercher de l'aide. Mais personne n'émergea de derrière les râteliers. Au lieu de quoi, elle entendit un frottement métallique, suivi d'un cliquetis et d'un grognement sourd issu de l'entrée de la cave. Que se passait-il ?

Toujours prête à se battre pour sauver sa peau, elle se redressa une fois de plus, juste assez pour apercevoir l'homme debout sur un bidon, occupé à retirer la caméra de surveillance.

La caméra de surveillance *orientée droit vers les casiers du fond.*

Sam se baissa, mais il était trop tard. Elle l'entendit détacher les vis dans le mur et tenta de mémoriser son apparence. Un nez patricien surmonté d'une petite bosse. Un front haut. Des marques d'acné mal cicatrisée sur la partie inférieure de sa joue.

De la poussière dansait dans l'air et remontait dans les narines de Sam qui sentit monter en elle le picotement annonciateur d'un nouvel éternuement. Oh, par pitié, *non*.

Elle retint son souffle comme la caméra se détachait de la paroi et que les pieds de l'homme retombaient à terre. Une seconde plus tard, la porte grinça avant de se refermer lourdement. Il était parti.

Joshua pouvait-il être encore en vie ? Elle devait l'aider. Elle attendit pendant très exactement cinq battements de cœur angoissés avant de contourner les casiers et de s'élancer en courant dans l'allée centrale.

Des yeux bleus sans vie lui rendirent son regard. Le visage de Joshua était devenu très pâle et du sang rouge sombre s'échappait d'un unique impact à la tempe. La bouteille s'échappa des mains de Sam ; elle entendit à peine l'explosion du verre, le regard fixé sur l'homme assassiné.

Mon Dieu, non. *Non. Non.* Pas encore.

Avec un gémissement d'incrédulité, elle se laissa tomber à quatre pattes en luttant contre son envie de tendre la main pour toucher celui qui, quelques minutes auparavant, riait avec ses amis, expliquait une plaisanterie à sa femme et commandait un vin de Bordeaux aussi rare que coûteux.

Ce n'était pas possible. *Pas possible*.

Le sang formait une flaque près de la joue du mort, à laquelle se mélangeait à présent le vin. L'odeur retourna l'estomac de Sam, qui s'étrangla comme la bile lui remontait dans la gorge. Elle sentit le verre brisé lui entailler les genoux et les paumes.

Pour la deuxième fois de sa vie, elle avait vu un homme ôter la vie à un autre. Sauf que cette fois-ci, le visage de Sam avait été filmé.

2

Sam conçut l'intégralité de son plan d'évasion depuis l'intérieur du placard de sa chambre. C'est là, équipée de son ordinateur portable et de son téléphone, qu'elle avait déterminé comment se fabriquer un déguisement et sortir de chez elle au milieu de la nuit pour, avec un peu de chance, éviter de se faire capturer et tuer sur place. Avec un peu de chance.

Jusqu'à cet instant, cela dit, elle n'avait pas su où elle irait une fois dehors. Elle avait besoin d'un coup de main amical, c'était certain, mais plus encore, elle avait besoin de quelqu'un capable de l'aider à découvrir si la police était sur la piste de l'assassin de Joshua Sterling. Car il était clair qu'ils ne lui diraient rien.

Et puis, tandis qu'elle examinait les articles correspondants sur son ordinateur – cachée dans le placard d'un appartement à la porte barricadée – elle tomba sur un nom et su immédiatement qu'elle avait trouvé sa réponse.

Vivi Angelino. En temps normal, elle n'aurait pas figuré parmi les amis – ou anciens amis à vrai dire, vu comme elles s'étaient éloignées durant les trois dernières années – susceptibles d'aider Sam à se sortir de ce pétrin. Mais la découverte de sa signature sur l'article en page d'accueil du site Web d'investigation *Boston Bullet* catapultait Vivi en tête de liste.

Vivi, infatigable journaliste dotée d'un flair certain pour l'info et d'un caractère inquisiteur qui ne connaissait pas le sens des mots « sans commentaire », était la personne parfaite à appeler à la rescousse. Elle saurait ce qui se passait au sein de la police de Boston, elle saurait s'ils avaient des suspects en détention ou sous surveillance et elle comprendrait exactement pourquoi les autorités ne lui proposaient aucune protection en tant que témoin oculaire.

Elle connaissait l'historique de Sam avec les flics du coin. Elle connaissait aussi… Non, elles allaient *le* tenir à l'écart de tout ça. Il avait déjà fait assez de tort comme ça à l'amitié qui liait Vivi et Sam. Elle n'allait pas laisser la douleur que lui causait le simple fait d'entendre son nom l'empêcher d'obtenir l'appui dont elle avait besoin.

Elle ouvrit son téléphone et fit défiler la liste des appels récents. Elle comprenait désormais pourquoi Vivi l'avait contactée deux fois dans la semaine écoulée après plusieurs mois sans même un bonjour. Sam n'avait pas envisagé de rappeler ; elle n'avait pas vraiment parlé à quiconque à part la police durant les sept derniers jours. Mais si elle couvrait l'affaire, Vivi voulait sans doute interroger les employés de *Chez Paupiette*. Eh bien, Sam allait lui offrir le scoop de sa vie… si Vivi lui fournissait en échange des infos confidentielles sur l'enquête.

Elle tapota sur le clavier de son téléphone et écrivit.

Salut. Vu ton article sur Boston Bullet. *T'es chez toi ?*

C'était suffisamment passe-partout au cas où quelqu'un espionnerait ses appels ou ses SMS.

Elle appuya sur « Envoyer » puis son regard s'attarda sur le gros titre.

« Affaire Sterling : la police dans une impasse. »

La migraine qui avait commencé dans la cave à vin une semaine plus tôt se mit à marteler les tempes de Sam avec de plus en plus de force au fil des mots écrits par Vivi.

« Aucune piste dans cette affaire.

Aucune indication sur la raison du crime.

Pas de preuves, pas de mobile, pas de suspect... pas de témoins. La police craint l'œuvre d'un tueur professionnel. »

Trois mots retinrent toute l'attention de Sam. *Pas de suspect*. Ce qui signifiait que la police n'avait toujours pas communiqué sur l'existence d'un témoin oculaire. Au moins avaient-ils tenu parole sur ce point.

Quelles autres informations gardaient-ils pour eux ? Il fallait que Sam apprenne s'ils avaient arrêté quelqu'un ou s'ils disposaient d'une liste de suspects. Et, malgré l'homme qui s'était interposé entre elles, Vivi était clairement la bonne personne pour l'aider à le découvrir.

Mais Sam ne pouvait pas prendre le risque d'avoir cette conversation au téléphone. Il faudrait qu'elles se rencontrent en personne.

Ce qui nécessitait que son plan de fuite fonctionne.

Entre ses mains, le BlackBerry vibra, affichant le nom de Vivi, telle une planche de salut.

Waouh. Ça fait longtemps. Comment ça va ?

Ouais, vraiment longtemps.

Comment répondre ? Comment allait-elle ? Morte de peur, désespérée, vivant dans une quasi-clandestinité ? Elle opta pour une demande directe. *Je peux passer ?*

Elle serra le téléphone entre ses doigts, priant pour que Vivi comprenne qu'elle voulait dire *maintenant* et qu'elle ne demande pas pourquoi.

Bien sûr. Passe donc.

Elle contempla la réponse, le cœur gonflé d'affection et de reconnaissance. Ça, c'était une véritable amie. D'accord sans poser de questions : un petit miracle si l'on tenait compte du fait qu'il s'agissait de Vivi Angelino dont chaque phrase commençait par qui, quoi, quand, où et pourquoi.

Merci, répondit Sam. Puis elle éteignit son téléphone avant que l'écran ne s'illumine sous une avalanche de questions. Sam répondrait de vive voix. Si elle avait les réponses.

Restant baissée afin de ne pas projeter d'ombre, elle rampa à travers sa chambre pour récupérer la perruque et les tennis. Elle avait trouvé la perruque noire au fond du placard, relique d'une fête costumée d'Halloween où elle s'était déguisée en Cléopâtre.

Bon, Cléo allait permettre à Sam de prendre l'air et de récupérer des informations. Et surtout, espérait-elle, la dissimulerait aux yeux de quiconque l'observait. Et de *lui* en particulier.

En imaginant qu'il soit là, dehors. Elle devait considérer que c'était le cas ; c'était le seul moyen de rester en vie.

Elle fourra ses cheveux sous la perruque qui la démangeait aux endroits où le filet bon marché lui griffait le crâne. En prenant toujours soin de ne pas apparaître à la fenêtre, elle glissa ses pieds dans une paire de Nike, noua les lacets et se dirigea à croupetons vers la porte de la chambre. Elle se glissa en silence dans le couloir sans fenêtre puis rampa à travers le salon et sur le linoléum posé devant la porte de la cuisine.

Les difficultés commençaient. Elle allait devoir s'enfuir par la porte de derrière depuis le premier étage de la maison... sans escalier de secours.

Aussi discrètement que possible, elle posa les pieds sur la petite corniche de bois surplombant la cour clôturée des Brody. Depuis le jour où elle avait loué l'appartement, M. B. n'avait cessé de lui promettre de bâtir une petite cage d'escalier pour que Sam puisse accéder à leur cour. Il n'avait pas eu l'occasion de s'y mettre mais Sam savait que son propriétaire remuerait ciel et terre pour elle. Surtout après ce que Mission Innocence avait fait pour son cousin en Arizona. En apprenant que Sam travaillait comme bénévole dans l'organisation, il était même allé jusqu'à baisser son loyer.

Mais il n'avait toujours pas construit l'escalier, alors qu'il savait très bien que l'endroit n'était pas aux normes en matière de prévention des incendies. Quiconque aurait décidé de surveiller son domicile se concentrerait sur la façade avant, unique accès de l'appartement du premier.

Personne ne regarderait la cour clôturée ou le porche branlant de l'étage qui accueillait ses plantes et lui servait parfois à bronzer un peu. Personne n'irait imaginer qu'elle enfilerait une perruque et des vêtements sombres, sauterait depuis la corniche à quatre mètres cinquante du sol, puis disparaîtrait par une ouverture secrète dans la clôture avant d'emprunter la ruelle transversale jusqu'au coin de Prospect et Somerville Avenue où des taxis patientaient tous les samedis soir pour ramener chez eux les fêtards ivres.

Personne ne s'attendait à la voir s'éclipser. Et surtout pas cet homme avec son nez cassé, ses joues marquées et son redoutable pistolet, qui, à cet instant, pouvait très bien être garé de l'autre côté de la rue.

Elle rampa jusqu'à la balustrade en jetant des coups d'œil aux maisons de chaque côté, toutes deux plongées dans l'obscurité pour la nuit. À vrai dire, le quartier de Somerville tout entier était plutôt calme ; c'était l'été et la plupart des locataires étudiants étaient désormais partis.

Penchée par-dessus la rambarde, Sam jaugea de la distance jusqu'au sol. Peut-être pas quatre mètres cinquante, plutôt trois et demi et, si elle se suspendait au rebord, moins de deux mètres jusqu'aux plates-bandes herbeuses en contrebas. Une opération un peu risquée, mais on était loin d'un saut de haute voltige sans parachute.

L'autre option consistait à se servir de la gouttière et du rebord de la fenêtre, ce qui semblait carrément facile dans les films mais serait sans doute moins évident dans la vraie vie. Et puis Mme Brody avait le sommeil léger et il s'agissait de la fenêtre de leur salle de bains. Assez proche de la chambre pour qu'on l'entende. Les lumières s'allumeraient ; on lui poserait des questions. Alerte rouge immédiate pour le guetteur.

Elle opta pour le saut suspendu au balcon. Au moment où elle s'accrochait au rebord après avoir enjambé la balustrade, une écharde de bois s'enfonça dans son doigt. Ignorant la piqûre, elle baissa les yeux vers le sol, le souffle court.

Elle risquait de se casser une jambe.

Bon sang, Sam, arrête de douter et bouge-toi.

Une voiture remontait Loring. La lumière de ses phares éclaboussant la cour et le flanc de la maison. Le véhicule se déplaçait lentement. Bien trop lentement. Assez pour prendre des photos de sa maison, peut-être ? Histoire de planifier la meilleure façon de s'y introduire pour tirer une balle dans la tête du témoin ?

Ouais, c'était tout à fait ça.

Elle lâcha prise et, l'espace d'une seconde, chuta comme dans un ralenti irréel, l'air sifflant à ses oreilles, manquant lui arracher sa perruque. Elle atterrit avec un bruit mat, roula sur la droite puis s'arrêta, parfaitement immobile, dans l'attente de la douleur perçante indiquant un os brisé.

Tous ses membres bougeaient normalement. Repoussant quelques mèches qui s'étaient échappées de sa fausse chevelure, elle fila vers le fond de la cour, jusqu'aux planches fendues que les enfants des voisins lui avaient révélées malgré eux durant une partie de cache-cache quelques semaines plus tôt. À la bonne vieille époque où elle pouvait s'asseoir sur son balcon sans craindre de recevoir une balle de tireur embusqué…

Les planches se relevèrent sans mal, comme elles l'avaient fait pour les enfants. De l'autre côté, la ruelle n'offrait guère plus que les clôtures des maisons de la rue adjacente, un endroit pour stocker les poubelles et les bennes à ordures, à peine assez large pour laisser passer une voiture. Elle s'élança à un pas de course modéré, pas assez vite pour attirer l'attention, pas assez lentement pour se faire tirer dessus.

Suivant l'itinéraire qu'elle avait établi mentalement, elle traversa rapidement la première intersection, même s'il n'y avait aucune voiture en vue. Les réverbères de l'artère principale brillaient tels des phares et elle laissa échapper un « oui ! » de satisfaction entre ses dents en apercevant l'arrière d'un taxi jaune.

Comme elle se rapprochait, le conducteur se redressa sur son siège, en se réveillant sans doute d'une petite sieste. Lorsqu'elle ouvrit la porte et qu'il se tourna vers elle, l'espace d'une terrifiante seconde elle s'attendit presque à le découvrir *lui*. Nez crochu. Cicatrices aux joues. Pistolet à silencieux.

Mais seul un Noir à l'air endormi l'accueillit d'un regard placide avant de hocher la tête comme elle s'installait à l'arrière et claquait la portière.

— Je vais à Brookline. Au croisement de Tappan et Beacon sur Washington Square.

Elle s'enfonça profondément sur son siège, comme pour se fondre dans l'obscurité.

— Vous fuyez quelqu'un ou quoi, mademoiselle ?

Quelqu'un.

— Allez-y, s'il vous plaît. Je suis pressée.

Il avait compris le message et descendit silencieusement Mass Avenue au-dessus de la rivière Charles, où les battements du cœur de Sam parurent se caler sur le bruit des roues heurtant le pont. Lorsqu'ils atteignirent la rive du côté de Boston, son pouls avait repris un rythme un peu plus normal.

Elle posa la main sur le téléphone dans sa poche mais résista à l'envie de le sortir, de l'allumer et de lire les textos que Vivi aurait pu lui envoyer. Elle lui raconterait tout une fois sur place. Pour le moment, elle devait rester parfaitement vigilante.

À chaque changement de direction, elle regardait derrière eux, les voies parallèles à la leur et la circulation venant d'en face.

— Personne ne nous suit, promis, affirma le conducteur avec un sourire. Sérieusement. Vous pouvez vous détendre. Vous êtes en sécurité.

Se détendre ? En sécurité ? S'il avait su.

Elle ne serait jamais détendue ni en sécurité jusqu'à ce qu'ils attrapent, condamnent et enferment le type qui avait tué Joshua Sterling. Et tant qu'*elle* était le seul témoin vivant, la moitié des flics de Boston se moquerait bien que le tueur fasse d'elle sa prochaine victime. Cette histoire les faisait mourir de rire ; elle en avait la certitude.

De tous les gens présents, il avait fallu que ce soit justement *elle* qui soit témoin d'un meurtre.

Le taxi passa en grondant au-dessus de la voie ferrée et des dos-d'âne en brique de Beacon Street avant de longer ce qui était sans doute le dernier tramway de la soirée sur la ligne verte. La rame s'immobilisa à l'arrêt de Tappan, les empêchant de tourner.

Sam se pencha en avant et plissa les yeux pour observer, un peu plus loin sur le pâté de maisons, la résidence de briques rouges où elle avait autrefois habité. Une vague de nostalgie s'empara d'elle. Elle avait connu des bons moments dans cet appartement, à l'époque de l'agence de pub. Elle s'y était fait des amis, Vivi notamment. Elle s'était rendue aux fêtes que Vivi organisait…

Ne commence pas avec ça, Sam.

Mais n'était-ce pas la raison pour laquelle elle n'était pas revenue voir son amie depuis si longtemps ? Et c'était injuste. Elle n'aurait pas dû laisser ce qui s'était passé – ou pas passé – s'immiscer entre elles. Et vu qu'elle l'avait quand même fait, Vivi était un ange de lui ouvrir sa porte à une heure du matin.

Toutes ces vieilles histoires n'étaient que cela… le passé. Les femmes ne devraient jamais renoncer à une amitié à cause d'un homme. Peu importe qui il était et ce qu'il faisait.

Alors que le tramway s'éloignait, un homme titubant tourna au coin de la rue en agitant désespérément les bras vers l'arrière de la rame puis manqua s'étaler par terre.

— Mon prochain client, annonça le chauffeur de taxi. Même s'il n'a pas un sou.

Sam sourit. Il restait encore des gens bien dans ce monde.

— Alors laissez-moi ici, dit-elle. Je vais juste là, dans le premier immeuble. Comme ça vous pourrez le prendre.

Elle plongea la main dans sa poche et en tira un petit porte-monnaie de cuir. Elle lui tendit deux billets de vingt, soit deux fois le montant de la course.

— De quoi couvrir aussi son trajet, dit-elle.

— Merci. (Il se retourna vers elle, son air endormi remplacé par une expression chaleureuse.) J'espère que ce salopard ne vous retrouvera pas.

— Moi aussi.

— Tenez, dit-il en lui tendant une carte. Appelez-moi si vous avez besoin d'aller autre part cette nuit. Je ne serai pas loin.

Elle la prit avec un hochement de tête puis se décala jusqu'à la portière et l'ouvrit. Après avoir laissé passer une voiture, elle traversa Beacon sous la lumière rassurante des réverbères et à portée de regard des lumières rouges et vives du supermarché Star Market.

L'entrée de l'appartement de Vivi se trouvait à moins de trente mètres plus haut sur la rue, mais Sam avait l'impression que l'obscurité s'intensifiait un peu plus à chaque pas. Elle parcourut le reste de la distance à petites foulées et leva les yeux vers le domicile de Vivi, au coin du troisième étage. Pas de lumière visible.

Son cœur se serra. Vivi ne l'avait pas attendue ?

Elle sortit son téléphone et toucha l'écran pour l'activer. Aucun message.

Ralentissant l'allure, Sam envisagea différentes possibilités. Vivi s'était endormie. Vivi n'était pas seule. Oh, elle n'y avait pas pensé.

La façade du bâtiment était toujours plongée dans la pénombre mais Brookline était un quartier tellement sûr que ça n'avait jamais eu d'importance auparavant. À présent, les ombres paraissaient sinistres, menaçantes, guère dissipées par une pathétique petite lueur provenant du hall d'entrée fermé à clé. Arrivée devant l'interphone, elle chercha V. Angelino, appartement 414.

Au moment où son doigt effleurait le plastique, une main se referma sur la sienne. Le corps d'un homme s'écrasa contre son dos, lui arrachant un hoquet de stupeur. Sa perruque lui fut brusquement retirée et des doigts puissants se glissèrent dans sa chevelure.

— Une perte de temps cette perruque, Sam.

Son souffle était aussi chaud que sa voix.

— Je reconnaîtrais ce cul n'importe où, souffla-t-il.

3

— Ça veut donc dire que tu n'es pas mort.

Il la serra d'un peu plus près.

— C'est ce que tu pensais ?

— Une fille a bien le droit de rêver.

— Non. Pas mort.

Loin de là. À vrai dire, l'être tout entier de Zach semblait crépiter d'énergie tandis que le corps de Samantha Fairchild se moulait de nouveau au sien. Il lutta contre l'embrasement et la maintint piégée dans cette position, en prenant soin de l'empêcher de se retourner. Non pas qu'il se soit attendu à la voir lui sauter au cou pour l'accueillir en héros, mais il devait garder un certain contrôle de la situation.

— Eh bien c'est dommage, dit-elle avec froideur. Ça aurait été une excellente excuse pour ton comportement impardonnable.

Waouh. Il ne lui avait pas fallu longtemps.

— Navré de te décevoir, Sammi. Je suis toujours… (Il passa son pied botté par-dessus la cheville de Sam comme pour lui dire qu'il la tenait dans ses filets. *De nouveau.*) debout.

— Qu'est-ce que tu fais là ? voulut-elle savoir.

Ses muscles s'étaient tellement contractés à chaque mot qu'elle avait l'impression que son corps tomberait en pièces s'il relâchait sa prise. Mais il ne céda pas d'un pouce, son visage pressé contre les cheveux soyeux de

Sam où se mêlaient des odeurs d'agrumes et de sueur. Et d'autre chose qu'il ne reconnut que trop bien. La peur ?

— Je rends visite à Vivi. Tout comme toi.

— Comment tu sais ce qui m'amène ici ? demanda-t-elle.

— J'ai reçu tes textos.

— Ils ne t'étaient pas destinés, gronda-t-elle.

— Elle a oublié son téléphone.

Et tandis qu'il faisait défiler les SMS pour essayer de découvrir où diable Vivi avait pu aller, le petit appareil s'était illuminé avec le nom de Sammi Fairchild, de la même façon que sa présence illuminait tous les lieux où elle se rendait. Un bon millier de watts, vibrant d'énergie, de talent, d'envies et d'assurance.

À une heure du matin, seul dans l'appartement de Vivi, Zach avait succombé à la tentation que représentait Sam. Mais la réalité reprenait ses droits. Elle était sur le point de le voir et ses fantasmes nocturnes de plan cul paraissaient soudain franchement stupides. La partie inférieure de son corps, par contre, trouvait l'idée excellente et se raidissait contre le fessier le plus merveilleux du monde.

— Lâche-moi, Zach.

Elle se débattit de nouveau, à présent plus en colère qu'effrayée.

— Pas encore.

Il appuya un peu plus la joue contre sa chevelure et faillit gémir sous l'effet d'un mélange de plaisir, de réconfort et de douceur apaisante.

— Oublie, dit-elle. Moi c'est ce que j'ai fait.

— Je n'en doute pas.

C'était exactement ce qu'il avait voulu. Non ? Oublier. L'oublier elle. Les oublier eux.

Comme si c'était possible. Il recula et l'attira avec lui au cœur de l'ombre.

— Qu'est-ce que tu fais ?

Le soupçon de panique dans la voix de Sam lui fit l'effet d'un coup-de-poing à l'estomac.

— Je m'éloigne juste de la lumière.

— Pourquoi ?

Bonne question. Mais il ne répondit pas car lui signifier « je t'emmène dans le coin le plus sombre pour ne pas t'horrifier plus que nécessaire » n'aurait sûrement pas eu l'effet escompté.

— Tu verras, dit-il.

Et bien trop tôt au goût de Zach.

— Je dois parler à Vivi, dit Sam.

Elle avait du mal à maintenir le calme dans sa voix mais restait remarquablement maîtresse de son corps.

— Elle n'est pas là.

— Et tu m'as dit de passer ? (Déjà paniquée, Sam devint incrédule.) Après trois ans de silence radio ? Tu me dis simplement de passer sans même m'avertir que tu seras là ?

— Tu ne serais jamais venue.

— Oh, tu crois ? cracha-t-elle. (La colère lui donnait une telle force qu'elle réussit presque à se retourner.) Lâche-moi ! C'est quoi ton problème, Zach ?

— La liste est longue, Sammi.

Il desserra sa prise pour la laisser respirer. Il s'attendait à ce qu'elle fasse volte-face mais ce ne fut pas le cas. Sans un bruit, il effleura sa chevelure du bout des lèvres et l'embrassa si doucement qu'elle ne pouvait l'avoir senti. Juste une fois, pour se souvenir. Une toute dernière fois.

Enfin, il la relâcha et recula lentement, puis descendit deux marches de pierre afin qu'ils se retrouvent au même niveau, face à face. Leurs yeux à la même hauteur. Le moment était venu.

— Retourne-toi, Sam.

Elle obtempéra et eut un mouvement de recul, bouche bée.

— Oh.

Ouais, *oh*.

Sa réaction confirmait deux choses : d'abord que Vivi avait tenu parole et n'avait rien dit à Sam, ensuite que sa gueule était encore plus ignoble qu'il le pensait. Sans quoi, cette unique petite syllabe qui entrouvrait les lèvres de Sam comme elles en avaient l'habitude quand elle l'embrassait n'aurait pas été emplie d'autant de pitié. Ni de surprise. Ni – et merde – de déception.

— Content de voir que tu n'as pas changé autant que moi, Sam.

Il ne pouvait pas s'en empêcher. Il tendit la main pour caresser sa peau veloutée, au risque de se brûler les doigts sur le souvenir de ce beau visage.

— Tu... Tu as été blessé... là-bas.

Elle avait levé la main pour imiter son geste mais il s'écarta instinctivement et les doigts de Sam vacillèrent dans le vide. Son expression laissait entendre qu'elle interprétait à tort sa réaction comme de la honte.

— Je suis désolée, ajouta-t-elle.

— Ce n'est qu'un œil, et j'en ai deux, se hâta-t-il de répondre. Crois-moi, j'ai vu des types perdre bien plus que ça.

Elle contempla le bandeau, puis la cicatrice sur sa joue avant de braquer toute son attention sur son œil valide.

— C'est pour ça que tu n'as jamais rappelé ?

— Entre autres.

Les autres raisons étaient tellement tordues qu'il préférait les garder pour lui. Mieux valait qu'elle mette ça sur le compte de la vanité.

— Je me suis dit... que trop de temps avait passé, ajouta-t-il simplement.

Elle ne répondit pas mais son expression était suffisamment éloquente. Dégoût, défiance, désarroi. C'était en tout cas ce qu'il lisait sur son visage et il avait patienté suffisamment longtemps dans le noir pour faire confiance à sa vision nocturne, malgré le bandeau qui obstruait la moitié de son champ visuel. Il n'avait aucun mal à distinguer les mèches dans sa chevelure d'or brun rassemblées en une queue-de-cheval hâtive, la pâleur de sa peau, les marques d'insomnies sous ses yeux indigo.

Une voiture passa dans le dos de Zach et elle recula un peu plus au sein de l'obscurité, son attention soudain divisée entre le visage de son interlocuteur et la rue derrière. La tension et la peur déformaient ses traits fins.

— Qu'est-ce qui se passe, Sam ?

La lumière des phares s'évanouit comme la voiture disparaissait sur Beacon Street mais Sam demeura crispée.

— Je te l'ai dit. Il faut que je parle à Vivi.

— À une heure du matin, avec un déguisement.

— C'est compliqué.

— Apparemment.

Elle jeta un coup d'œil vers la rue, visiblement hésitante.

— Quand est-ce qu'elle va rentrer ?

— Aucune idée. Je ne sais même pas où elle est.

Elle fronça les sourcils.

— Tu habites ici ?

— Je squatte en attendant de trouver un nouvel appart, répondit-il avec un haussement d'épaules.

Deux étudiants sortirent d'une voiture et se dirigèrent vers le Star Market au coin de la rue. La posture de Sam se modifia subtilement, plus prudente et méfiante que jamais. Le magasin fermait à minuit, alors que faisaient-ils là ?

— Bon, j'imagine qu'il vaut mieux que j'y aille, dit-elle.

— Ton taxi est parti.

— Tu me *surveillais* ? lança-t-elle avec un regard acéré.

— Je t'attendais.

— Pour me tendre une embuscade ?

— Quand j'ai su que tu venais, je me suis dit que ce serait plus poli de t'accueillir à la porte.

— Par-derrière, fit-elle remarquer, acerbe.

— Tu aimais bien ça, avant.

Une lueur passa dans le regard de Sam. Ce n'était ni de l'indignation, ni de la colère mais de la peur.

— Tu étais là à m'attendre et je ne t'ai même pas vu.

Elle semblait plus fâchée contre elle-même que contre lui.

— Tu aurais pu être n'importe qui, reprit-elle. Tu aurais pu être…

Elle sursauta violemment en entendant claquer une portière. Zach avait déjà vu cette réaction face à un bruit soudain. Il avait déjà *eu* cette réaction.

— Viens. À l'intérieur.

Et merde, que pouvait-il faire d'autre ? C'était lui l'imbécile qui lui avait dit « passe donc ».

Mais elle avait sorti son téléphone.

— Je vais appeler un taxi.

L'écho de désespoir dans sa voix fendit le cœur de Zach. Il la poussa gentiment vers la porte.

— Range ton téléphone et entre. Je ne sais pas ce qui te fait flipper à ce point mais ça ne t'atteindra pas ici.

— Vraiment, je… Je ne peux pas.

Les deux hommes qui venaient de sortir d'un pick-up remontèrent directement sur Tappan. Ils arrivèrent à portée de vue et ne manquèrent pas de regarder droit vers Sam.

— D'accord, allons à l'intérieur, dit-elle.

Elle avait parlé à toute vitesse en bondissant vers la porte. Elle s'arrêta une seconde à peine pour récupérer la perruque que Zach avait fait tomber et la fourrer dans la poche de son sweat.

— Tu vas me dire ce qui t'est arrivé pour être comme ça ? demanda-t-il en déverrouillant l'entrée.

Elle leva les yeux vers lui et son regard courut le long de la cicatrice qui barrait sa joue. La chair de Zach le brûlait un peu plus à chaque seconde de cet examen. La cicatrice le piquait en permanence, ne cessait jamais d'être douloureuse. Mais ce genre d'attention ne faisait que rendre cette souffrance plus intense.

La lumière du hall aurait aussi bien pu être constituée d'un millier de soleils inondant son visage, accentuant les crevasses et éclairant l'œuvre d'une grenade qu'il avait méritée par pure stupidité.

— Et toi, tu vas me dire ce qui t'est arrivé pour être comme ça ? rétorqua-t-elle.

Il resta silencieux l'espace d'une seconde, luttant contre son instinct qui le poussait à tourner les talons.

— Mauvais moment, mauvais endroit.

Les secondes s'écoulèrent tandis qu'il soutenait son regard. C'était marrant : il n'aurait peut-être pas reconnu son visage aussi aisément que son corps. C'était Sam, bien sûr, le même nez droit et fier, la lèvre inférieure pulpeuse qui semblait toujours rose, comme si elle venait de la mordiller. Ou comme si lui l'avait fait.

Elle n'avait jamais été très portée sur le maquillage, juste jolie à sa manière, désarmante de simplicité. Mais ce soir son teint avait quelque chose de cireux et ses sourcils étaient suffisamment froncés pour creuser une ride là où il n'y aurait pas dû en avoir sur une jeune femme de trente ans.

Elle ne paraissait pas plus vieille mais plus mûre, plus expérimentée, peut-être un peu moins... sûre d'elle. Ce n'était plus la jeune carriériste insouciante qu'il avait rencontrée à une fête chez sa sœur trois semaines avant de décoller.

Sam donnait l'impression d'avoir mené ses propres guerres tandis que lui participait à celle de son pays. Pendant une fraction de seconde, il ressentit une violente poussée de culpabilité avant de se reprendre et de se diriger vers les escaliers au fond du hall en s'attendant à ce que Sam le suive.

Ce n'était pas sa faute si elle allait mal. Il n'avait fait aucune promesse non tenue. Il n'avait fait aucune promesse tout court. Pas de déclarations durant des adieux pleins de larmes. Il n'avait donc aucune raison de se sentir coupable. Aucune raison de ressentir quoi que ce soit : son état d'esprit de prédilection.

— Que ce soit bien clair, lui dit-elle en lui emboîtant le pas, je n'ai aucune intention de reprendre les choses là où nous les avions laissées.

— Je ne me souviens pas où nous les avions laissées.

Menteur, menteur.

— Alors peut-être devrais-je te le rappeler. (Elle l'agrippa par le coude et le força à se retourner pour lui faire face.) J'étais allongée sur le dos, position dans laquelle j'avais passé l'essentiel des trois semaines suivant la nuit où je t'ai rencontré jusqu'au matin où tu es parti. Si je me souviens bien, tu glissais tes pieds dans une paire de rangers. Et je t'ai dit que je t'aimais.

Ouais. C'était bien là qu'ils en étaient restés. Il se contenta de la regarder sans rien dire.

— Et c'est exactement ce que tu as répondu, poursuivit-elle avec un petit rire sans joie. Rien du tout. Ni sur le moment, ni quand tu es arrivé là-bas, ni quand tu... (Elle leva un doigt vers sa cicatrice, ce qui le fit grimacer.) Pas un coup de fil, Zach. Pas un e-mail. (Elle enfonça son doigt dans son épaule.) Pas une lettre. (Un autre petit coup.) Pas même une putain de carte postale. (Un coup, deux coups, trois coups.) Rien du tout.

Il referma sa main sur le doigt de Sam et l'écarta comme s'il tirait un couteau hors d'une plaie.

— Il n'y avait rien à dire.

Rien qu'elle ait envie d'entendre en tout cas.

Et ça n'avait pas changé en trois ans.

Rien à dire ?

Elle le regarda traverser le couloir, vaguement consciente que sa mâchoire devait être tombée à peu près au niveau de sa poitrine. Rien à dire ?

Pourquoi ? Parce qu'une fois terminées les trois semaines de sexe à vous liquéfier de plaisir… il en était de même pour leur relation ? Apparemment. De toute évidence c'était le cas, et Sam ne pouvait pas se permettre de l'oublier.

Serrant les dents, elle garda ses distances et se força à respecter la décision qu'elle venait de prendre. Non, elle n'avait pas envie de suivre Zaccaria Angelino dans un appartement vide – le lieu précis où elle l'avait rencontré avant d'entamer cet inoubliable interlude de désirs et de délires. Cependant, ces types dans la rue lui avaient fait peur et pour l'heure Zach semblait constituer le moindre mal. Mais il restait dangereux.

Et son *visage*. Elle avait senti ses tripes se nouer à la vue de la cicatrice déchiquetée qui courait sous l'inquiétant bandeau noir et lui fendait la pommette, avant de disparaître au sein d'une barbe de trois jours. Seigneur, pourquoi Vivi ne lui avait-elle pas dit qu'il avait été blessé en Irak ? Ou en Afghanistan. Ou quel que soit l'endroit où il était allé.

Parce que Vivi et Sam s'étaient à peine parlés durant l'année écoulée, leur amitié aussi endommagée que ce visage. Vivi avait toujours été loyale envers son frère jumeau et jamais, même dans les premiers mois de son déploiement, elle n'avait mentionné quoi que ce soit au sujet du lieu où il se trouvait, de ce qu'il faisait ou de quand il rentrerait. Elle avait seulement précisé : « C'est confidentiel », ce que Sam avait fini par interpréter comme « il a perdu tout intérêt pour toi dès qu'il a posé le pied dans cet avion pour le Koweït ».

De là où il se trouvait, elle n'apercevait que son profil droit – qui était toujours aussi foutrement parfait que dans son souvenir – et les longues boucles de cheveux noirs qui retombaient en bataille dans son cou.

C'était lui, Zach Angelino, le sergent de première classe, le Ranger, le héros militaire, l'amant torride qui l'avait mise à genoux dès son premier baiser ? Non pas qu'il ne puisse plus faire flageoler les jambes des filles. Il était musclé de manière troublante, mais à présent, un tatouage agressif noir et violet hérissé d'épines encerclait l'un de ses épais biceps. Il était toujours aussi exceptionnel mais l'homme charmeur, audacieux et délicieux qui l'avait suivie dans la salle de bains durant la fête et plaquée contre le mur pour lui faire perdre la tête à coup de baisers… n'était plus là.

À sa place se tenait quelqu'un de sombre, ténébreux et dangereux. La guerre pouvait-elle à ce point changer un homme ? Ou avait-elle simplement fait ressortir un aspect de lui qu'elle n'avait pas voulu ou pas su voir, trop occupée à se pâmer de désir et à tomber si vite amoureuse ?

Quelque chose lui disait qu'il ne répondrait pas à ces questions. Aussi opta-t-elle pour une autre, plus inoffensive.

— Tu es revenu depuis combien de temps ? demanda-t-elle tandis qu'ils grimpaient les escaliers.

— Un moment.

Elle ralentit le pas, toujours occupée à digérer l'ampleur du changement chez lui. S'agissait-il bien de l'homme qui pouvait lui donner un orgasme rien que par sa voix ? Et l'avait fait. À de multiples occasions.

Il se retourna et lui fit partiellement face. Du côté sans cicatrice.

— Tu viens ?

Comme si elle avait le choix, désormais.

Arrivé au troisième étage, il déverrouilla la porte de chez Vivi, derrière laquelle retentissait un bruit de grattement.

— C'est seulement Gros Tony, dit-il en posant une main sur l'épaule de Sam. Le chat de Vivi.

— Je me souviens de lui, dit-elle. J'ai rencontré Vivi juste après qu'elle l'a adopté. Je voulais la convaincre de l'appeler Croquette ou Moustache.

Il émit un reniflement moqueur.

— Avec Vivi ? Bon courage. Réjouis-toi simplement qu'il ne s'appelle pas Aerosmith.

Lorsqu'il ouvrit la porte, un chat noir et blanc leva les yeux et ronronna brièvement, visiblement déçu qu'ils ne soient pas celle qu'il attendait.

Gros Tony, qui n'était pas si gros, se dirigea tranquillement vers Sam pour renifler son jean. Elle se pencha pour lui gratter le cou tandis que Zach s'engouffrait dans le couloir étroit de l'entrée et disparaissait à gauche, au sein du salon plongé dans le noir. Sam le suivit, dépassant la chambre de Vivi d'un côté, et de l'autre, un bureau occupé par un matelas gonflable recouvert d'un amas de draps et de couvertures.

La tête de Sam lui tourna brièvement en imaginant Zach couché dans ce lit de fortune, enveloppé dans des draps couverts de sueur, et son corps à *elle* contre le sien. La nuit où ils s'étaient connus, elle avait fini dans cette même chambre d'amis. C'était un duvet à l'époque, pas un matelas gonflable, qui constituait sa couche provisoire en attendant son déploiement. Le lendemain, l'action avait repris à l'étage dans l'ancien appartement de Sam et sur un vrai lit. Parfois, elle avait l'impression qu'ils y étaient restés les trois semaines entières avant qu'il s'en aille.

Et puis il était parti. Jusqu'à ce soir, où elle se retrouvait complètement démunie face au choc émotionnel que constituait son retour.

Dans le salon, il s'était installé sur un sofa bleu marine appuyé contre le mur, les pieds posés sur une table basse où s'entassaient courriers, magazines, articles de presse et documents divers. Une montagne de journaux se dressait au bord d'une table d'appoint, se disputant l'espace avec la collection de photos encadrées que Vivi consacrait à leur immense famille adoptive, les Rossi.

— Quel genre d'ennuis tu as, Sam ?

Il avait posé la question d'une manière très claire qui sous-entendait : *fini les conneries, on est à l'intérieur maintenant*.

— Rien qui te regarde.

Puisque rien dans la vie de Sam ne le regardait. Il s'en était assuré, non ?

Elle se percha sur l'accoudoir d'un siège afin d'éviter d'être trop à l'aise et détendue, tout en profitant du soulagement procuré par la sécurité. Pour la première fois depuis une semaine, elle avait l'impression d'avoir trouvé un sanctuaire, un lieu sûr.

Certes, la compagnie de Zach n'était pas vraiment sûre... mais de ceux qui voulaient sa mort, personne ne savait où elle se trouvait ce soir. Elle était tellement reconnaissante qu'elle décida de se montrer cordiale.

— Quand penses-tu que Vivi va revenir ?

— Aucune idée.

Le seul éclairage provenait de la lueur dorée d'un lointain réverbère qui filtrait par la fenêtre arrondie surplombant Tappan Street et Beacon Street. Depuis cet angle, la cicatrice de Zach était plongée dans l'ombre et Sam devinait à peine les contours de son bandeau. Il la suivait néanmoins du regard, un regard aussi noir que ses cheveux. Un regard deux fois plus intense que par le passé, malgré sa diminution.

Sam sentit néanmoins quelque chose en elle se briser. Les dommages que Zach avait subis étaient de toute évidence irréparables et permanents, privant le monde de l'un des plus incroyables visages qui soient.

— Ça ne lui ressemble pas de sortir sans son téléphone, dit-elle en désignant du menton le BlackBerry posé sur la table basse qui les séparait.

— Ouais, ça m'a surpris de le voir là. Mais si tu dis qu'elle a publié un article, c'est qu'elle a son ordinateur portable. Tu pourrais lui envoyer un e-mail ou…

— Non. C'est… (*Trop risqué*) pas une bonne idée.

Il se pencha en avant. Une menace différente de ce qu'elle avait pu ressentir à l'extérieur émanait de lui.

— Pourquoi ça ?

— C'est comme ça, c'est tout.

Elle se leva, croisa les bras et se mit à faire les cent pas, en évitant les fenêtres par habitude. Elle coula plusieurs regards en biais dans sa direction, toujours incapable de réconcilier l'image de l'homme devant elle et celle de celui qu'elle avait connu si brièvement.

— Tu n'es plus dans l'armée ?

— Non. Ne change pas de sujet. Qui est-ce que tu fuis ? Un petit ami ? Un amant ? Un mari ? demanda-t-il, lèvres presque retroussées.

Elle ne répondit pas.

— Tu es mariée ?

S'agissait-il d'une note de déception dans sa voix ? Il ne manquait vraiment pas d'air.

— Non. S'il te plaît, arrête de me poser des questions.

Du genre, comment je vais. Si tu m'as manqué. Et si j'ai attendu un signe de ta part qui n'est jamais venu.

— Tu sais, Sam, j'ai passé beaucoup de temps à la guerre et ça n'a fait qu'aiguiser ma capacité à capter les signaux, subtils ou non. Chez toi je sens carrément de la terreur. Qu'est-ce qui se passe, bordel ?

Elle posa les yeux sur le téléphone de Vivi, son écran noir surmonté d'une diode rouge qui clignotait pour indiquer un message et les bords d'un autocollant noir et blanc – probablement le logo d'une marque de skateboard ou de guitare – recourbés autour du plastique.

— Peut-être que je devrais lui envoyer un mail et utiliser ce téléphone au lieu du mien.

— Vas-y, je t'en prie. (Il se cala contre le dossier du sofa et se mit à gratter les oreilles du chat qui était grimpé près de lui et se frottait contre sa cuisse.) Après, si elle ne revient pas…

Elle refusait de passer la nuit seule avec lui dans cet appartement. Elle prendrait le risque et rentrerait chez elle.

— Je déciderai de ce qu'il faut faire, termina-t-elle.

Il haussa une épaule indifférente.

— Comme tu veux.

Sam se sentit blessée par son détachement. Mais à quoi s'était-elle attendue ? « Oh, Sammi, je t'en supplie reste ici et parlons de tout ce qui s'est passé durant tout ce temps où nous avons été séparés » ?

Arrête de délirer, Sam Fairchild. Il n'était pas intéressé. Il n'était pas en train de tenter quoi que ce soit ; il ne l'avait même pas regardée de près, sauf dehors, où il n'avait fait que scruter ses traits défaits. Jamais il n'avait tenté de la joindre après ces trois incroyables semaines. *Cette occasion s'est envolée, sœurette, et elle a même carrément disparu dans les nuages.*

— Pourquoi as-tu besoin de la voir au point que ça ne peut pas attendre le matin ? voulut savoir Zach.

Sam continua à faire les cent pas, en détournant la tête au cas où la peine serait visible sur son visage.

— Parce que je pense que c'est la seule à pouvoir obtenir ce dont j'ai besoin, répondit-elle.

— À une heure du mat' ?

Elle lui jeta un coup d'œil, tentant d'interpréter la note de tristesse dans sa voix.

— Oui, à une heure du mat'.

— Alors tu dois avoir besoin d'informations, la spécialité de Vivi.

— En effet. Et urgemment.

Il croisa les mains derrière la tête, une position qui laissait entrevoir des biceps bien dessinés. Elle laissa son regard descendre le long de son ventre, toujours plat et musclé, puis le long de son jean serré et porté pile comme il fallait, jusqu'à ses pieds nus posés sur la table basse.

Elle avait la bouche sèche et sentit quelque chose d'éminemment féminin s'éveiller au creux de ses reins.

Bon Dieu, était-elle incapable de se trouver ne serait-ce que dans la même pièce que lui ? Était-elle faible à ce point ?

— Même si ça me fait mal de l'admettre… commença-t-il avant de marquer une pause juste assez longue pour qu'elle s'inquiète de ce qui allait suivre… parfois ma sœur ne rentre pas de la nuit.

Sam fronça les sourcils.

— Elle a quelqu'un ?

Aux dernières nouvelles, Vivi était célibataire et joyeusement occupée à alimenter son CV en tant que journaliste d'investigation.

— Mariée à son boulot, plutôt.

— Et ça la force à sortir toute la nuit ?

Sam cessa de marcher pour retourner s'installer sur le siège face à lui. Mais elle se laissa cette fois tomber dessus, vaincue par cette semaine d'angoisse et l'idée qu'elle allait peut-être devoir rester un long moment dans cet appartement, seule avec Zach.

Il se releva avec lenteur, jusqu'à la dominer de toute sa taille, ses genoux près des siens, ses hanches et cette bosse dans son jean juste sous le nez de Sam. Qu'est-ce qu'il essayait de faire ? Mettre sa détermination à l'épreuve ?

L'abruti. Il croyait quoi, qu'elle ne pourrait pas lui résister ?

— J'aime bien l'accompagner quand elle sort la nuit, raconta-t-il. Mais elle dit que j'effraie ses sources.

— C'est sûrement vrai.

Il se rapprocha d'un centimètre.

— Je te fais peur ?

Les mots lui manquaient pour dire à quel point.

— Pas le moins du monde.

Il posa les mains sur les accoudoirs de la chaise pour la piéger avec son propre corps, les genoux de Sam pris entre les siens, et se pencha vers elle.

— Parce que t'as l'air d'avoir un peu peur.

— Pas de toi, rétorqua-t-elle.

— T'es sûre ?

À cet instant, elle n'était plus sûre de rien, si ce n'était que l'odorat était clairement le déclencheur de souvenirs le plus puissant du corps humain. Et à chaque inspiration lente et vacillante, l'air imprégné de l'odeur de Zach charriait dans son esprit des images… de plus en plus coquines.

Zach qui l'allongeait… qui s'agenouillait au-dessus d'elle… son érection dressée et prête à l'action… qui se baissait pour se lancer dans quelque chose qu'ils semblaient toujours incapables d'arrêter.

— Évidemment que je suis sûre.

Le visage de Zach n'était qu'à quelques centimètres du sien, son corps tout aussi proche. Il n'aurait eu qu'à fléchir les genoux pour se retrouver plaqué contre elle.

Ils l'avaient fait sur une chaise, un jour.

L'espace d'une folle seconde, elle eut peine à se rappeler ce dont ils parlaient. Voilà l'effet qu'il avait sur elle. Chaque fois qu'elle le regardait, le bon sens et l'intelligence cédaient sous l'assaut des hormones. Mais elle ne pouvait se permettre que ça se reproduise.

Elle appuya sa paume sur la poitrine de Zach, et n'aurait su dire ce qui la surprit le plus : à quel point celle-ci était dure, ou les battements de son cœur qui martelait derrière ces muscles ?

— Écarte-toi, dit-elle avec froideur. Je ne suis pas intéressée.

— Moi non plus, dit-il sans toutefois bouger. J'essaie juste de découvrir ce qui cloche chez toi.

— Tu m'étouffes, voilà ce qui cloche, répondit-elle en le repoussant avec force.

C'était vrai. Elle ne pouvait pas respirer. En tout cas pas sans inhaler de nouveaux souvenirs d'un érotisme sauvage.

— Bouge-toi. Je m'en vais, dit-elle.

Il se releva d'un coup.

— Tu pars ?

L'espace d'une nanoseconde, il parut déçu ; puis sa gestuelle de désintérêt reprit le dessus et il s'éloigna en direction de la cuisine.

— Je lui dirai que tu es passée.

Comme ça, hop. *À la prochaine, Sammi.*

Elle empoigna la chaise avec plus de force que nécessaire pour se relever. Depuis la cuisine, elle l'entendit ouvrir une bouteille de bière.

— Tu veux une Sam Adams ? demanda Zach. C'est ta préférée.

Le cœur de Sam se serra. Il se souvenait de ça ?

— Plus maintenant. Je suis passée à autre chose, dit-elle à mi-voix en tirant la perruque de la poche de son sweat-shirt.

Sans ajouter un mot, elle se dirigea vers le couloir et ajusta la chevelure de Cléopâtre par-dessus ses oreilles. Elle avait les doigts sur la poignée quand une main lui toucha le dos.

— T'as oublié de dire au revoir.

Elle ferma les yeux, déglutit et se retourna.

— Toi t'as oublié d'appeler et d'écrire. Alors on est quittes.

— Je t'avais dit que je ne pouvais pas communiquer avec le monde extérieur.

C'était ça, son excuse ? Quel genre d'homme était incapable de dire simplement « hé, c'était juste du sexe » ? Crac-boum-hue.

Elle haussa les épaules pour échapper à son contact et ouvrit la porte.

— Salut.

Elle claqua le battant derrière elle sans lui laisser le temps de répondre et se précipita vers les escaliers avant qu'il se lance à sa poursuite.

Ouais, c'est ça, continue à rêver Sam. Te courir après pour te supplier de lui donner une deuxième chance, c'est vraiment pas son truc. Elle descendit les marches, les yeux brûlants de larmes. Bon Dieu, n'avait-elle pas assez pleuré à cause de Zach Angelino ?

Après avoir essuyé une larme du bout de sa manche, elle atteignit le rez-de-chaussée et s'en voulut d'hésiter avant d'agripper la poignée de la porte. D'hésiter... et de tendre l'oreille. Était-il en train de dévaler les escaliers pour l'empêcher de partir ?

Silence.

Bien sûr que non. Et elle allait rentrer chez elle de la même manière qu'elle était arrivée jusqu'ici. Elle parlerait à Vivi dans la matinée. Le risque en valait la peine, juste pour s'éloigner de lui.

Elle émergea de la cage d'escaliers et sortit de sa poche la carte du chauffeur de taxi.

— S'il vous plaît l'ami, murmura-t-elle en composant le numéro du bout de ses doigts honteusement tremblants, dites-moi que vous n'êtes pas en train de raccompagner un mec bourré dans le nord de la ville.

Un homme répondit dès la première sonnerie.

— Bonsoir, j'ai besoin d'un taxi à Brookline. Croisement de Tappan et Beacon. Vous m'avez déposée un peu plus tôt, vous vous souvenez ?

— Faut que j'envoie quelqu'un, ma jolie. Redonnez-moi l'adresse.

Elle obtempéra.

— Ça va prendre combien de temps ?

— Cinq à dix minutes. Patientez juste un peu.

— Je serai dans le hall d'entrée, dit-elle en se dirigeant vers celui-ci.

Une fois de plus, elle jeta un coup d'œil vers la porte. Elle s'en voulait d'espérer que Zach se lance à sa poursuite et lui en voulait plus encore de ne pas le faire. Évidemment, ce dernier l'avait laissée sortir toute seule alors qu'il était évident qu'elle était terrifiée et qu'elle avait des ennuis. Seul le sexe lui aurait permis d'obtenir l'asile auprès de ce salaud. Si tant est qu'il ait encore envie de ça avec elle.

S'assurant que la perruque était bien enfoncée sur son crâne, elle se dirigea vers les portes d'entrée pour patienter. Elle s'appuya contre le mur, dans l'ombre, et attendit. Qu'allait-elle faire une fois de retour chez elle ? Il n'y avait qu'un seul moyen d'accéder à son appartement. Une porte sur la façade principale de la maison, qui permettrait à n'importe qui garé dans la rue de la repérer.

Qu'est-ce qui lui avait pris de quitter l'appartement de Vivi ?

Il lui avait pris qu'après une minute de plus piégée entre les bras de Zach, elle aurait pu…

Non. Plus jamais. Jamais plus jamais elle ne recommencerait.

Et puis, même en admettant qu'elle accepte d'oublier ce qui, au final, revenait à une histoire d'un soir étendue sur trois semaines, il ne voulait plus d'elle.

Un taxi jaune remontait lentement Tappan Street. Sam posa la main sur la barre qui actionnait l'ouverture de la porte, en attendant d'être certaine qu'il s'agissait bien du sien. Le taxi passa devant l'immeuble et poursuivit sa route, toujours très lentement, comme s'il cherchait la bonne adresse.

Il continua à remonter la colline.

Bon sang, il allait passer sans s'arrêter ? Elle ouvrit la porte pour voir où il allait, mais sans prendre le risque de se retrouver coincée dehors. Elle se pencha suffisamment vers l'extérieur pour apercevoir le conducteur qui baissait la vitre pour mieux lire les numéros. Ouais, c'était forcément son taxi. Et sinon, elle le prendrait quand même.

Elle sortit et laissa le battant se refermer derrière elle. En haut des marches du perron, elle agita les bras en essayant de rester dans la lumière afin qu'il puisse la voir. Mais il mit les gaz et disparut vers les hauteurs.

Merde.

Plus énervée qu'inquiète, elle était en train de pianoter sur son téléphone pour rappeler le premier chauffeur quand une voiture de patrouille noir et blanc apparut sur sa gauche, au sommet de la colline, descendant à faible allure vers Beacon Street. Pendant un moment, Sam crut que le flic s'était arrêté, mais il reprit un peu de vitesse et se rapprocha suffisamment pour qu'elle puisse distinguer les couleurs et l'inscription sur le flanc du véhicule.

Dieu merci, ce n'était pas un officier de Boston mais un flic de Brookline. S'il lui demandait sa carte d'identité, peut-être que ce gars-là ne la reconnaîtrait pas comme *persona non grata* au sein de la police. Elle se précipita vers la rue afin de lui faire signe mais au moment où elle rejoignait le trottoir, il alluma son gyrophare et la sirène retentit. Surprise, Sam fit un pas en arrière. Le policier lui passa devant sans la voir, sa voiture bondissant au-dessus des rails du tram pour tourner sur Beacon Street à la poursuite de quelque délinquant.

— Han !

Frustrée, Sam abattit son poing contre sa cuisse. L'espace d'une seconde de désarroi, elle envisagea de rappeler le téléphone de Vivi pour demander à Zach de la laisser revenir.

Mais non. Elle avait sa fierté.

Malheureusement, ce n'est pas ça qui la ramènerait chez elle. Elle traversa la rue, téléphone à la main, et se dirigea vers les lumières du Star Market. Même si l'endroit était fermé, il s'y trouverait des employés occupés à nettoyer et renouveler les stocks. Au moins serait-elle relativement en sécurité sous l'éclat des néons du bâtiment pour attendre son taxi.

Ce n'était pas le pire endroit de la ville, mais pas le plus sûr non plus. Le cœur battant, elle se dirigea vers un sentier qui descendait la colline depuis Tappan jusqu'à la place du marché, un itinéraire qu'elle avait effectué mille fois à l'époque où elle vivait dans l'immeuble qu'elle venait de quitter. Il y avait une portion plongée dans l'ombre parmi les arbres, mais c'était plus rapide, plus simple et bien plus discret que de faire tout le chemin jusqu'à Beacon pour rejoindre la place depuis cette rue. Elle doutait qu'on l'ait suivie jusqu'ici mais n'avait pas envie de prendre de risques.

Néanmoins, son cœur se mit à battre au même rythme que ses foulées nerveuses tandis qu'elle traversait la rue en courant et se glissait sous les branches d'un chêne pour rejoindre le sentier. Elle se faufila dans le tronçon où les arbres bloquaient l'essentiel de la lumière et pencha la tête pour voir l'enseigne du Star Market puis...

Boum.

Un coup s'abattit dans son dos avec une force et une rapidité telles qu'elle en eut le souffle coupé et tomba à genoux.

Une main se plaqua contre sa bouche ; le corps d'un homme se pressa contre le sien.

Désorientée, elle crut l'espace d'une seconde qu'il s'agissait de Zach. De sa version d'une...

— Tu es plutôt loin de chez toi, n'est-ce pas, Samantha ?

Ce n'était pas Zach. C'était *lui*. Il l'avait retrouvée.

4

Bordel, il avait vraiment de la veine. Tout était une question de timing, et Teddy Brindell avait le don pour se trouver au bon endroit au bon moment. Il abandonna son tablier sale dans la panière du fond, jeta un coup d'œil circulaire aux cuisines pour s'assurer qu'il n'y avait personne dans les parages puis tira le rouleau de billets de la poche de son uniforme de serveur.

Putain ! L'argent poussait comme des fruits sur les arbres *Chez Paupiette* ce soir, et c'était lui qui avait fait la récolte. Parler aux flics : se faire emmerder et emmener au poste. Parler aux journalistes : se faire un max de blé. Qui aurait cru que quelques infos confidentielles pouvaient rapporter aussi gros ?

Il passa son pouce sur la tranche des billets et un sourire satisfait s'agrandit sur ses lèvres. Il y avait carrément des fafiots de cent dans la liasse. Dans l'obscurité de la salle de restaurant, il s'était dit qu'ils lui glissaient des billets de vingt, pas plus, chaque fois qu'un nouveau client lui faisait signe d'approcher et prétendait l'interroger sur les plats du jour.

Mais la seule spécialité du samedi soir à laquelle ils s'intéressaient était celle qui avait fait feu dans la cave à vin une semaine plus tôt. *Vous l'aviez servi ce soir-là ? Vous avez vu le corps ? Comment s'est comportée sa femme ? Elle a pété les plombs ? Qu'est-ce qu'il mangeait ? Qu'est-ce que vous savez ?*

Et il n'avait encore raconté à personne un seul fait « réel ». Pas encore. Les infos dont il disposait, ce qu'il savait de source sûre, super-fiable, les trucs qu'il avait entendus de ses propres oreilles, étaient trop précieuses pour être divulguées à un client à la noix. Non, il attendait le bon journaliste, quelqu'un qui comptait en milliers de dollars plutôt qu'en centaines.

Il sortit trois billets de vingt et un de dix à déclarer comme pourboires et, à l'instant où il fourrait le reste dans sa poche, les portes des cuisines s'ouvrirent pour laisser entrer le trio des connards : chef cuisinier, chef de salle et sommelier. Ils étaient déjà en train de fumer et s'apprêtaient à taper la discute autour d'un verre de vin.

Le petit chef de salle s'approcha de Teddy et le dévisagea d'un air accusateur.

— Quoi ? demanda Teddy. Je ne suis pas en train de piquer un truc, je compte seulement mes pourboires pour calculer ton pourcentage, dit-il en agitant les soixante-dix dollars.

Keegan lui arracha l'argent des mains.

— Ça fera l'affaire, dit-il.

— Hé !

Teddy tenta de récupérer son argent mais Keegan était trop rapide.

— Il t'en reste dix fois plus en réserve, dit-il en fixant la poche du pantalon de Teddy. À moins que tu sois simplement content de me voir ?

Teddy aurait voulu écraser ce sale petit ver de terre, mais c'était Keegan qui établissait les plannings. Et Teddy voulait de bons horaires.

— Bon, t'as qu'à tout garder alors, mec, dit-il avec un bref sourire. Tu m'as donné de bonnes tables ce soir. Et, heu, vu que mon poste est propre, je peux y aller ?

René s'était approché, ses lunettes de lecture perchées au bas de la piste de ski qui lui servait de nez.

— Tu parles pas aux clients, hein ?

Teddy prit son air le plus crétin.

— Seulement à propos des plats du jour, monsieur.

Keegan s'avança du côté opposé.

— Tu sais où il veut en venir. À propos de… l'incident.

— Oh non, non. Je leur explique seulement que je ne peux rien dire. Et c'est ce que je fais.

Mais René plissait les yeux dans une expression de défiance.

— Je t'ai vu te montrer drôlement volubile avec les clients ce soir.

— Je faisais juste mon boulot, répondit Teddy avec son meilleur sourire de boy-scout.

— Tu connais la règle, reprit Keegan. Si tu parles de l'incident, t'es viré. Nous n'avons aucune intention de profiter de cette tragédie.

C'est ça. Comme si le restaurant n'était pas bourré de clients curieux.

— Bien sûr, monsieur.

— Tu as quelqu'un pour te ramener ? demanda brusquement Keegan. Il n'y a plus de tram à cette heure et je n'ai pas vu ton père devant le restaurant.

Teddy détestait la façon dont son visage s'empourprait presque autant que le fait que son père doive toujours l'emmener au boulot et venir le chercher. En effet, il n'avait pas de voiture et vivait toujours chez ses parents à Chestnut Hill. Mais avec la bonne personne prête à payer pour les infos qu'il détenait, tout ça pourrait changer.

— Ça va. Je vais prendre un taxi.

Son paternel avait paru un peu saoul quand il l'avait appelé, alors Teddy se disait qu'il allait dépenser l'un de ses billets de vingt récemment acquis pour se payer un trajet confortable en taxi, ça changerait.

Mais, bon Dieu, il avait vraiment besoin d'une bagnole.

— À demain, dit Keegan.

Il hocha la tête pour leur dire au revoir, même si le chef cuisinier et René étaient déjà en pleine conversation.

Mais il avait capté le message de ce bref échange : ils l'avaient à l'œil.

Peut-être qu'il ne pourrait pas garder ses infos beaucoup plus longtemps. Peut-être que demain soir il irait retrouver ce mec du *Herald*. Ils aimaient bien les histoires scabreuses, là-bas. Ou alors cette meuf canon de...

Et voilà qu'elle était là, comme s'il l'avait invoquée par la pensée. La petite mignonne avec le diamant dans le nez qui était passée au bar ce soir-là. Ils ne s'étaient pas parlés, mais Wendy lui avait dit qu'elle bossait pour un site d'investigation. Et Wendy connaissait tout et tout le monde. Il ne doutait pas que la barmaid se soit fait autant de fric avec de fausses infos que lui, ce soir.

Mais Wendy ignorait *le* truc que lui savait.

Il examina la jeune femme d'un peu plus près et ce qu'il vit lui plut. Ses cheveux noirs de rock star étaient coupés de manière si nette qu'on risquait presque de se blesser avec... si par exemple il lui prenait la tête à deux mains pour qu'elle le suce.

Ouais. Le fric n'était pas tout.

Comme il se rapprochait, elle pivota vers lui. Elle avait des yeux sombres, vifs, et la peau pâle. Un skateboard était calé sous son bras.

Putain, c'était franchement sexy.

Ce n'était pas non plus une gamine. Plutôt pas loin de la trentaine, mais super-canon. Et bordel, un truc lui disait qu'elle était prête, ouverte et n'attendait plus que lui.

— Hé ! lança-t-il avec un sourire paresseux. Je me souviens de vous.

Elle inclina la tête sur le côté, avec un bref petit sourire en retour.

— Je m'en doutais. (Elle lui tendit la main :) Vivi Angelino, je bosse pour *Boston Bullet*.

— Vous faites pas très journaliste, dit-il en la détaillant ostensiblement du regard. Trop mignonne pour être une vraie reporter.

— Il ne faut pas se fier aux apparences, rétorqua-t-elle en le fusillant des yeux.

Elle s'avança sous la lumière d'un lampadaire et il put distinguer clairement son corps. Mince, athlétique, sans doute pas plus d'un mètre soixante-cinq. Elle portait un pantalon baggy taille basse et un tee-shirt blanc, moulant sans être vulgaire. Pas franchement une tenue qui criait « je veux du sexe », mais cette petite touche d'indifférence était plutôt excitante, en fait.

— Alors qu'est-ce que tu fais sur St. Botolph Street à deux heures du matin, mademoiselle « Faut pas se fier aux apparences » ?

Elle fit passer sa planche sous son autre bras.

— Je voulais qu'on discute.

Ah, ouais. On progresse !

— Alors toi aussi tu m'as remarqué ? dit-il en se laissant aller à sourire. Je pensais bien que nos yeux s'étaient croisés plus tôt dans la soirée.

— Pas exactement. J'ai cru comprendre que tu travaillais la nuit où Sterling a été tué.

Ah, elle allait se la jouer difficile. Pas de problème. Elle s'adoucirait en découvrant ce qu'il savait.

— Ouaip. Mais je suis pas censé en parler.

Il entreprit de descendre la rue en direction des boutiques de luxe de l'hôtel Colonnade, juste pour voir si elle le suivrait. Ce qu'elle fit.

— Ça ne t'a pas empêché de raconter à M. Alvechio que la femme de Sterling semblait en colère contre lui.

Teddy ralentit le pas.

— Alvechio ?

— Le mec d'âge mûr à la table près de la fenêtre, celui qui sirotait un gin-tonic et n'a pris qu'une entrée. Et qui bosse pour *Boston Magazine*.

— Ah, lui. Ouais. Bon, j'ai dû mentionner le fait qu'elle n'avait pas l'air, disons, de s'éclater, ce soir-là.

— Et quand tu as dit à cette gentille dame attablée seule près du pupitre de l'hôtesse d'accueil que

M. Sterling était plus ou moins ivre et bruyant ce soir-là ? Ça aussi ça compte comme « ne pas en parler » ?

— Elle était de CNN, dit-il.

— Sûrement pas, rétorqua-t-elle. Juste une curieuse de plus. Combien ?

Il mit les mains dans ses poches et ses doigts se refermèrent sur sa liasse de billets.

— Combien de quoi ?

— Combien elle a payé pour cette info ?

Il s'arrêta, juste sous un réverbère dont l'éclat fit scintiller ce fameux petit diamant. Elle en avait d'autres aux oreilles et une petite chaîne avec un *charm* en forme de guitare électrique. Le plan était en train de foirer, et s'il ne commençait pas à la travailler au corps, il allait se retrouver dans un taxi direction papa et maman. Seul.

— Tu joues de la guitare ? demanda-t-il en laissant son regard s'attarder sur la breloque et les petits seins fermes en dessous.

— Un peu.

Il se sentit durcir légèrement en matant sa poitrine.

— Tu veux que je te dise un truc, Vivi ?

Vi-vi. Le prénom était agréable sur la langue.

— C'est pour ça que je te traque, mec. Tu as quelque chose à me dire que tu n'as pas encore vendu au plus offrant ?

Il lui décocha ce qu'il espérait être un sourire sexy mais qui n'était sans doute que mignon, comme le lui disait sa mère.

— Ça dépend.

— De quoi ?

Elle n'avait pas l'air amusée.

— De ce que tu offres.

— Je ne paie pas pour mes infos, désolée.

Il laissa ses yeux redescendre vers ses seins.

— Pas forcément en liquide.

— Oublie, mon vieux. Wendy la barmaid m'a dit que tu t'étais comporté de manière plutôt louche le soir du meurtre.

Il fit un pas en arrière, traversé par un sentiment très différent du précédent.

— C'est quoi ces conneries ? Tu penses que c'est moi qui ai fait le coup ?

— Je n'ai pas dit ça. Elle a dit que pendant que les flics étaient là et qu'ils interrogeaient tout le monde, tu agissais... bizarrement. Comme si tu savais quelque chose. Tu sais quelque chose, Teddy ?

Wendy avait remarqué ça ? Pourquoi ne lui avait-elle rien dit ?

— Possible.

— Et ce que tu sais, tu l'as dit à quelqu'un ?

À une personne, mais le mec avait démissionné le lendemain. Comme Samantha Fairchild et quelques autres serveurs flippés qui ne voulaient pas bosser dans un endroit où quelqu'un avait été tué. Teddy, lui, y voyait une occasion en or qu'il avait bien l'intention d'exploiter à fond.

— Non, mentit-il. Mais à toi, je peux le dire.

Elle le regarda droit dans les yeux et, pour la première fois, elle lui sourit. Et putain, ça la rendait franchement jolie.

— D'accord.

— Si tu baises avec moi.

Elle émit un petit grognement et plissa légèrement les yeux.

— Un bon point pour ton honnêteté mais, non, désolée, je ne peux pas faire ça non plus. Tu es trop jeune pour moi.

— J'ai vingt ans, rétorqua-t-il.

— Et moi trente et un. Écoute, Teddy, dis-moi ce que tu sais. Je ne citerai pas ton nom.

Il réfléchit un instant.

— T'as pas l'air d'avoir trente et un ans.

— Comme je te l'ai dit…

— Je sais, les apparences sont trompeuses.

Il rit de sa propre blague, mais elle non.

— Désolé, reprit Teddy, mais j'ai un truc qui vaut quelque chose et je ne vais pas le donner gratuitement. Quelqu'un paiera pour ces informations.

Il se dirigea vers Huntington Street, plus embarrassé qu'irrité, en annonçant :

— Je vais prendre un taxi à l'hôtel Colonnade.

Mais elle le suivit. Il n'était pas assez bête pour s'imaginer qu'elle pourrait changer d'avis au sujet du sexe. Il avait simplement agité cette carotte pour voir sa réaction.

— Et ce truc que tu sais, ça m'apprendrait qui a tué Sterling ?

— Ça, personne le sait, dit-il.

— Quelqu'un le sait forcément, rétorqua-t-elle du tac au tac.

— Je croyais que t'étais au courant de l'histoire, dit Teddy. Le tueur était un pro ; en tout cas c'est ce que dit la police.

— Spéculations, répondit Vivi. Et ils ne laissent pas filtrer beaucoup d'infos sur cette affaire, surtout si l'on considère que la victime faisait partie des médias.

Elle avait dit ça comme s'ils formaient une caste spéciale.

— C'était un tueur à gages, affirma Teddy, incapable de cacher la certitude dans sa voix.

— Personne n'en est sûr.

— Moi si.

Merde, il en avait trop dit.

Elle resta à sa hauteur pendant qu'ils traversaient le parking situé derrière le Colonnade en direction de la zone couverte du côté de l'entrée. Plus loin, un seul taxi patientait sur la voie réservée.

— Comment est-ce possible, Teddy ? Comment le sais-tu ?

Il lui jeta un coup d'œil en biais et lutta pour dissimuler un sourire tandis qu'il lui passait la main dans le dos.

— Je le sais, c'est tout.

Elle s'écarta en douceur de son contact et fit passer le skate dans son autre main ; elle manipulait l'encombrante planche comme s'il s'agissait d'une extension de son bras.

— J'essaie simplement d'écrire un article et d'y inclure un renseignement qui n'ait pas encore été publié mille fois. Tu as quelque chose ? demanda-t-elle.

— Et une petite pipe, c'est possible ?

Elle parut presque amusée.

— Et si tu me disais ce que tu sais, Teddy ? Comme ça je n'aurai pas à informer tes patrons que tu monnaies ces informations pour du sexe et de l'argent.

Le sourire de Teddy s'évanouit.

— Je ne te révélerai pas tout, seulement un truc. Et si ça te conduit dans la bonne direction, tu coucheras avec moi ?

Elle inclina la tête et ferma un œil pour mieux l'examiner.

— Tu sais, t'es un gamin plutôt mignon. De beaux yeux, un joli sourire et de l'argent plein les poches. Cette ville est pleine d'étudiantes. Tu n'auras pas de mal à tirer ton coup, Teddy. Tu te sous-estimes.

Des mots qui visaient juste ; il sentit sa gorge se serrer. Il était foutrement content d'entendre ça, et de la part de quelqu'un qui visiblement ne racontait pas de conneries.

— Retrouve-moi ici demain.

Elle poussa un soupir et secoua la tête, prête à larguer sa planche au sol.

— Laisse tomber…

— Je te raconterai demain.

Elle laissa son skateboard retomber sur l'asphalte et posa un pied dessus, puis jeta un coup d'œil par-dessus son épaule avant de s'élancer.

— Merci quand même, gamin.

— Taylor Sly ! lança-t-il.

Elle plaqua son pied au sol pour immobiliser la planche, puis la ramassa et fit volte-face.

— Quoi ?

— T'as bien entendu. Demain soir.

Il s'éloigna au pas de course en direction du taxi ; une minute de plus et elle lui aurait fait cracher toute l'histoire. Arrivé à la voiture, il ouvrit la portière puis coula un bref regard vers Vivi. Elle était toujours debout et le fixait.

Il grimpa dans le taxi et claqua la portière.

— Chestnut Hill.

Le conducteur alluma le compteur et mit le cap sur Huntington tandis que Teddy résistait à une féroce envie de se retourner pour l'observer une dernière fois.

Mais le conducteur appuya sur les freins, les yeux braqués sur le rétroviseur.

— Heu, monsieur, on dirait que quelqu'un veut partager le taxi avec vous.

Un sourire se dessina lentement sur le visage de Teddy. Bingo. Mais il refusait de donner à Vivi la satisfaction de le voir se retourner vers elle avec impatience. Ça ne serait pas cool.

— D'accord. Vous pouvez vous arrêter et la laisser monter.

La portière s'ouvrit et Teddy leva la tête en s'attendant à découvrir deux yeux bruns pétillants ; au lieu de quoi, il se retrouva face au visage d'un inconnu.

Il ouvrit la bouche pour protester mais l'individu s'était déjà glissé sur la banquette, un pistolet pointé vers le ventre de Teddy.

— Prenez la 93 vers le sud, ordonna l'homme au conducteur.

Celui-ci paraissait perplexe. Sans avoir conscience de la présence de l'arme, il haussa les sourcils à l'intention de Teddy pour avoir sa permission.

— C'est bon, dit-il lentement.

— Qu'est-ce que tu viens de dire à la fille ?

Dans la pénombre, Teddy ne distinguait qu'un regard froid comme la glace.

— Rien. Je lui ai rien dit du tout.

— Ça ne donnait pas cette impression. On aurait plutôt cru que tu avais vu quelque chose que tu n'aurais pas dû voir.

— J'ai tout inventé. Je pensais qu'elle serait, heu, impressionnée. Vous voyez, quoi...

— Ah ouais.

Ce n'était pas une question. S'agissait-il de l'homme qu'il avait vu dans la cave ? Celui qui avait parlé à cette fille, le mannequin, dans le couloir où se trouvaient les toilettes ? Teddy ne s'en souvenait pas. C'était la vérité. Il avait à peine remarqué le type, et ce n'était que quelques minutes plus tard, quand la panique s'était déclenchée, qu'il avait fait le lien et s'était rappelé ce mec aux cheveux bruns qui avait jailli de la cave et failli le renverser pendant sa pause clope.

— Qu'est-ce que tu as vu exactement cette nuit-là, Teddy ?

Celui-ci sentit ses tripes se liquéfier alors que le chauffeur s'engageait vers la voie rapide sud-est. Où est-ce qu'ils pouvaient bien aller ?

— Rien. J'ai rien vu, promis.

Une sueur glacée ruisselait sur son front. Le mec ne bougeait pas. Il était comme une putain de statue avec son flingue. Ils étaient sur la voie rapide et la peur de Teddy allait grandissant à chaque kilomètre et chaque minute écoulée.

— Où est-ce qu'on va ?

— Voir des amis.

Ça ne présageait rien de bon. Les kilomètres et les minutes défilaient. Teddy transpirait plus que jamais. Personne ne disait rien.

— Sortez ici, dit l'homme au chauffeur.

Teddy regarda le nom de la sortie. Putain de merde, c'était le pire coin de South Dorchester. Ce type allait le déposer là ? Il serait mort en moins d'une heure.

— Ici ce sera bien, indiqua l'inconnu.

Il s'agissait d'un passage souterrain sous la voie rapide, sorte de tunnel envahi par les ténèbres.

— Ici ? s'inquiéta le conducteur en scrutant les alentours avec nervosité.

— Paie-le, ordonna le type en utilisant le pistolet pour désigner le chauffeur. Tout de suite.

Affolé, Teddy plongea la main dans sa poche et tenta de ne récupérer que le billet du dessus. Mais le rouleau tout entier en sortit et se dispersa entre ses doigts tremblants. Sans regarder le montant, il fourra le premier billet au travers du petit trou dans la paroi de plastique renforcé.

— Donne-moi le reste.

Teddy tendit l'argent à l'inconnu armé.

— Écoutez. Me... me laissez pas ici, mec. C'est un coin craignos.

— Très craignos. (Il lui planta le pistolet entre les côtes et Teddy se prépara à mourir.) Sors !

Il obéit et fut surpris de voir le type le suivre. À la seconde où il referma la portière, le taxi détala. Qu'est-ce qui se passait, bordel ?

Dans l'ombre, quelque chose bougea. Un bruit de pas. Puis un autre. Les cheveux sur la nuque de Teddy se dressèrent en voyant des hommes émerger de chaque coin d'ombre. Deux, trois, quatre, qui l'encerclaient.

— Il y a un prix à payer pour ce que tu n'aurais pas dû voir, Teddy. Et c'est toi qui vas régler la note.

L'homme tendit l'argent à l'un de ses acolytes.

— Occupez-vous de lui.

Puis il s'éloigna en direction du 4 × 4 noir garé à quelques mètres. Il ouvrit la portière arrière et lança un dernier regard à Teddy avant de disparaître.

Comme le cercle se formait et se resserrait autour de lui, Teddy se mit à pleurer.

5

Le corps de Zach se glaça en entendant le cri étouffé de Sam. Il ne pouvait pas la voir mais son ouïe, par contre, était parfaite. Et elle avait capté le son d'un corps heurtant le sol.

Il bondit hors de sa cachette près de l'immeuble et traversa la rue jusqu'au passage entre les arbres.

— À l'aide !

L'appel de Sam lui valut pour toute réponse le bruit mat d'un poing heurtant la chair. Suffisant pour guider Zach sur le sentier. Il aperçut une silhouette sombre au-dessus de la jeune femme. L'homme lui tenait la tête et lui murmurait quelque chose à l'oreille.

Une onde de fureur traversa le corps de Zach. Il plongea en grondant, frappa l'agresseur à la tête et roula avec lui un peu plus loin.

— Cours, Sam ! ordonna-t-il en préparant déjà sa prochaine attaque.

Le type était rapide. Il avait fait un roulé-boulé et s'était relevé. Une cagoule de ski lui recouvrait le visage. Zach lui décocha un coup de pied à l'estomac qui le fit se plier en deux, ce qui lui permit de lui écraser le nez avec son genou puis de le frapper de nouveau à la tempe.

Ce fut suffisant pour le faire tituber en arrière sur le flanc de la colline, pratiquement à genoux. Zach jeta un coup d'œil par-dessus son épaule pour voir Sam qui contemplait la scène avec horreur, clouée sur place.

— Va-t'en ! dit-il. Cours !

— Il… Il… (Elle pointa son doigt vers l'homme.) Chope-le, Zach. On doit l'arrêter !

Mais son agresseur avait repris ses esprits et s'enfuyait à toute vitesse ; il avait déjà atteint le parking du supermarché.

— Attrape-le ! insista-t-elle.

Elle courut vers Zach et le poussa hors de son chemin. Mais il l'agrippa par l'épaule et la maintint sur place, stupéfait par la bêtise de sa demande et la force de sa détermination.

— T'es dingue ou quoi ? Laisse-le filer !

Elle secoua la tête, les yeux écarquillés.

— C'était lui ! s'exclama-t-elle. C'était…

Elle regarda l'homme masqué s'évanouir au bout du parking, derrière une résidence d'une dizaine d'étages.

— Qui ? demanda Zach sans la lâcher. Tu connais ce type ?

— Lui me connaît, répondit-elle d'une voix rendue rauque par les accents de la défaite. Il me connaît.

Non, pas la défaite. C'était une peur glacée qui faisait trembler sa voix. Une peur également visible dans ses yeux quand elle détourna enfin son regard du parking pour dévisager Zach.

— Il m'a retrouvée.

L'instinct de Zach avait vu juste. Les problèmes de Sam allaient plus loin qu'une dispute avec un petit ami ou un autre truc du genre. Ce sixième sens qui lui soufflait qu'elle était en danger était la seule raison pour laquelle il s'était faufilé dehors par la sortie de secours avant de remonter la ruelle latérale pour s'assurer qu'elle prendrait bien son taxi. La seule raison qui l'avait poussé à la suivre alors que tout son être lui criait de *la laisser partir*.

— Heureusement que je t'ai suivie.

— Ouais, mais tu l'as laissé s'échapper.

Il poussa un soupir, l'air vaguement dégoûté.

— Hé, de rien, je t'en prie.

— Et les flics. Ils étaient juste là...

Elle regarda dans la direction où la voiture de patrouille était partie.

— Et ils ont été super-utiles.

Les épaules de Sam s'affaissèrent.

— Ils ne le sont jamais quand je suis impliquée.

— Et dans quoi es-tu impliquée exactement, Sam ?

Elle poussa un soupir puis mordilla cette lèvre pulpeuse, au point que Zach faillit oublier la douleur brute dans son regard.

— Un meurtre.

L'espace d'une seconde, il en eut le souffle coupé.

— Quoi ?

— T'as bien entendu.

Elle passa devant lui pour regagner la rue.

— Je vais devoir passer la nuit ici, dit-elle. Et crois-moi, je n'en ai aucune envie.

— Moi non plus.

— Bien reçu, Zach. Cinq sur cinq.

Il ignora ce commentaire et posa une main dans le dos de la jeune femme en scrutant les deux côtés de la rue tandis qu'ils traversaient.

— T'as intérêt à t'expliquer.

— Je ne te dois aucune explication.

Il se retint d'enfoncer la porte de verre d'un coup de pied furieux et tourna la clé dans la serrure pour la faire entrer dans le hall.

— Je viens de te sauver la mise. Tu me dois bien ça.

Sam se dirigea vers les escaliers, les épaules redressées, le menton levé. Elle regardait à gauche et à droite chaque fois qu'ils dépassaient une porte, comme si son agresseur était susceptible de bondir sur eux à tout moment.

Elle se recoiffa et ramena ses cheveux en arrière, mais ne vit pas la feuille d'arbre qui dépassait, collée à ses mèches. Sans qu'il puisse dire pourquoi, cette feuille fit bouillir Zach. Elle aurait pu être tuée. Si une intuition bizarre ne l'avait pas incité à sortir…

Il tendit la main pour se saisir de la feuille ; le mouvement fit sursauter Sam.

— Tu veux la garder en souvenir ?

Elle la lui arracha des mains et la jeta à terre, sans un mot. Elle demeura muette jusqu'à ce qu'ils aient réintégré l'appartement de Vivi et ne commença à se détendre qu'une fois la porte fermée à double tour. Puis, de retour dans le salon, elle se laissa tomber sur la chaise. L'adrénaline retombait de façon visible.

Le téléphone de Vivi clignotait toujours sur la table, rappel du fait que Zach ne savait toujours pas où était sa sœur à près de deux heures du matin. Mais, où qu'elle soit, elle était aussi vulnérable que Sam.

Il s'installa en face d'elle sur le sofa.

— Commence par le début, Sam.

Elle leva les yeux vers lui, le visage pâle, les traits tirés.

— J'ai été témoin d'un meurtre il y a une semaine.

— Le mec, là, Sterling ?

Elle hocha la tête, sa lèvre inférieure camouflée par ses incisives, la peau rendue blanche par la morsure.

— Comment t'as fait pour voir un truc pareil ?

— Qu'est-ce que tu disais déjà ? Mauvais endroit, mauvais moment.

Sa cicatrice l'élança, la brûlure permanente ravivée par ce rappel. Mais avant qu'il puisse répondre, le regard de Sam s'illumina.

— Je sais que le type dehors portait un masque, Zach, mais est-ce que tu as vu ses yeux ? Tu as vu de quelle couleur ils étaient ?

— Non, je ne regardais pas vraiment ses yeux. J'essayais de lui mettre une branlée et de l'éloigner de toi.

L'expression de Sam s'adoucit l'espace d'une seconde.

— Et je te remercie pour ça mais…

— Mais tu aurais souhaité que je le menotte et la ramène à l'intérieur pour l'interroger.

— À vrai dire, ouais, c'est exactement ce que je voulais.

Il lui avait donc sauvé la vie, clairement, mais avait merdé quand même.

— J'ignorais qu'il ne s'agissait pas d'un simple voleur, d'un violeur ou d'un tueur ordinaire. En général, ma priorité consiste à protéger la victime.

Sam hocha la tête.

— Je sais. Si je t'avais dit…

— Mais tu as filé avant qu'on ait pu évoquer quoi que ce soit de sérieux.

Et il ne l'avait pas franchement suppliée de rester. Parce qu'au bout de dix minutes de plus en sa compagnie, il se serait retrouvé dur, chaud comme la braise et affamé. Impossible, pas une nouvelle fois. Il refusait de faire subir ça à l'un ou l'autre d'entre eux.

— Qu'est-ce que tu faisais dans le coin, au fait ? Tu dînais là-bas, *Chez Paupiette* ?

Elle lui décocha un regard surpris.

— Je travaille là-bas.

Vraiment ?

— Oh, Vivi ne m'avait pas…

Évidemment que non. Sam était un sujet tabou. Il haussa les épaules, comme si son nouvel emploi ne signifiait rien pour lui, alors qu'en réalité, mille questions lui venaient à l'esprit.

— La police raconte que le meurtre a été commis par un pro. Qu'est-ce qui s'est passé ?

— Oh, ce n'était pas un amateur, confirma-t-elle. Et il a ma photo.

— Quoi ?

— Mon visage a été filmé par la caméra de surveillance qui se trouvait dans la cave à vin. Elle était orientée droit sur moi quand je me suis relevée et que je l'ai vu appuyer sur la détente. Il a dévissé et emporté la caméra en question. Et visiblement… (elle se tourna en direction de la rue) il est à mes trousses.

— Il ne t'a pas suivie jusqu'à l'appart, tu peux te détendre. Et Sam, personne ne t'a dit que ce n'est pas ainsi que fonctionnent les caméras de surveillance ? Tu n'as rien à craindre. Dans ce genre de système, il y a juste un objectif, pas de vidéo ou de pellicule. Si quelqu'un a ta photo, c'est la personne qui gère la sécurité du restaurant. Je suis sûr que les flics détiennent cet enregistrement parmi les preuves.

— Eh bien, tu te trompes. Et, oui, la police pensait la même chose au départ. Mais ce n'était pas ce genre de caméra. C'était plutôt un caméscope, placé là seulement pour empêcher les employés de se tirer avec une bouteille de vin à mille dollars pièce. Ça fait une éternité qu'il était là ; je ne pensais même pas qu'il marchait encore, mais au moment où je suis descendue, le sommelier a dit qu'il venait d'y mettre une cassette. Le tueur a emporté le tout.

— J'imagine que la police est au courant.

— Je leur ai tout dit.

Elle inclina la tête en arrière et ferma les yeux.

— Ça ne change rien du tout, poursuivit-elle, mais j'ai essayé de coopérer. Maintenant je vais devoir leur dire qu'il m'a retrouvée. Mais ils s'en moqueront.

— Ils t'offriront une protection vingt-quatre heures sur vingt-quatre.

— Dans tes rêves, dit-elle avec amertume. À *toi*, ils t'accorderaient ce genre de protection. Ou à ce chat. Moi ? Ils m'escortent jusqu'au poste pour m'interroger en me lançant des regards haineux.

— Pourquoi ?

Elle se contenta de secouer la tête avant de se redresser et de tendre la main vers la bière.

— Je peux ?

— Vas-y. Elle est tiède et plate.
— Pile comme j'aime, répondit Sam en portant la bouteille à ses lèvres.
Il la laissa s'emparer de sa boisson et ignora la bouffée de chaleur qu'il ressentit en la voyant poser ses lèvres là où les siennes s'étaient trouvées.
Le téléphone de Vivi vibra pour signaler un appel. Le feu intérieur de Zach s'éteignit immédiatement ; cela lui rappelait que sa sœur était toujours portée disparue.
— Qu'est-ce qu'elle sait ? demanda-t-il en désignant l'appareil du regard.
— C'est pour ça que je suis venue. Pour le découvrir.
— Bon Dieu... (Il se saisit du téléphone ; il venait de faire le rapprochement.) Elle couvre cette histoire. Elle sait que tu es un témoin ? Est-ce que ce type...
Elle agita la main pour faire cesser les questions.
— Personne ne sait rien. Ils n'ont même pas annoncé qu'il y avait un témoin oculaire. À part la police, la seule personne à savoir ce que j'ai vu... c'est lui. L'homme qui m'a attaquée, termina-t-elle, paupières closes.
— Tu es sûre qu'il s'agissait de lui ? demanda Zach. Une femme a été violée derrière le Star Market il y a trois mois. Il aurait simplement pu être...
— Il me connaissait. Il a prononcé mon... (Elle s'interrompit, sourcils froncés.) Est-ce qu'il a dit mon nom ? Non, il a dit : « Plutôt loin de chez toi, non ? » Mais est-ce qu'il a prononcé mon nom ?
Frustrée, elle décocha un coup-de-poing sur l'accoudoir.
— Merde, pourquoi est-ce que j'arrive pas à me rappeler ? Pas étonnant que la police ne se fie pas à mon jugement. Moi-même je ne peux pas m'y fier !
— Parce que tu n'arrives pas à te remémorer ce que le type t'a dit au moment de l'agression ?
Zach était déjà en train de faire défiler les appels reçus de Vivi et cliquait sur son calendrier.

— Neuf personnes sur dix en seraient incapables, Sam. La poussée d'adrénaline court-circuite les cellules cérébrales et tu passes en mode survie. C'est pour ça que les victimes ne sont pas crédibles dans les affaires criminelles.

— Crois-moi, Zach, je sais ce que je dis.

Zach était concentré sur le téléphone.

— Si Vivi n'est pas rentrée dans cinq minutes, je pars à sa recherche.

— Où ?

— Le bloc-notes de son téléphone mentionne le 328 St. Botolph Street. Ça te dit quelque chose ?

— Oui, souffla-t-elle avec un petit hoquet. C'est *Chez Paupiette*. Là où je bosse. Enfin, où je bossais.

Zach s'était mis à taper un e-mail destiné à l'autre adresse de Vivi, au cas où elle serait installée dans un Starbucks ouvert nuit et jour avec son ordinateur portable devant elle. *Où t'es ? Rentre à la maison ou appelle.* Il allait appuyer sur « Envoyer » mais rajouta *TOUT DE SUITE*.

Il laissa retomber le téléphone sur la table.

— Pourquoi ils ne t'ont pas mise sous protection si tu as été témoin du meurtre et que l'assassin sait qui tu es ?

— C'est une longue histoire.

— J'ai le temps.

Cinq minutes, en tout cas. Il fusilla le téléphone du regard dans l'espoir de voir un e-mail de réponse le faire vibrer.

— Tu te souviens quand je t'ai raconté que j'avais envoyé un homme en prison ?

Avait-elle besoin de poser la question ? Bien sûr qu'il s'en souvenait.

— Je me rappelle qu'il t'est arrivé un truc quand tu étais ado. Tu as vu quelqu'un se faire tuer par balle dans une épicerie.

— C'est ça. Quand j'avais seize ans, presque dix-sept, j'ai vu un type descendre un caissier. J'ai assisté à toute la scène depuis le fond du magasin et j'ai bien vu le meurtrier… En tout cas, c'est ce que je croyais, ajouta-t-elle en secouant la tête. C'est mon témoignage oculaire qui l'a fait déclarer coupable.

— Difficile à croire que ça puisse arriver deux fois dans une vie.

— Surtout quand tu t'es trompée la première fois.

— Quoi ?

— Le vrai tueur s'est fait connaître quelques mois seulement après ton départ. Il était sous le coup d'une sorte d'épiphanie religieuse et a confessé le crime. Les tests ADN ont prouvé qu'il disait la vérité et que Billy Shawkins, l'homme que j'avais participé à faire condamner, n'avait rien fait mais…

Elle eut un petit sourire désabusé.

— Mauvais endroit, mauvais moment, reprit-elle. Et il était dans le collimateur des flics à cause de larcins commis dans le quartier. Ils voulaient le mettre à l'ombre et mon témoignage a scellé son sort.

— Il est sorti ?

— Oui. Mais quand j'ai appris tout ça, j'ai juste… (Sam secoua la tête.) Ç'a été très dur de savoir que j'avais mis un innocent en prison. Ça m'a secouée, vraiment secouée. Toute mon assurance, cette façon de croire que j'avais toujours raison ? Maintenant, je doute constamment d'être même vaguement dans le vrai.

Voilà qui représentait un vrai changement dans sa personnalité. Lorsqu'ils s'étaient rencontrés, elle était sûre d'elle jusqu'à l'excès. Mais cette fille qui se tenait à présent devant lui ? Ce n'était plus la même.

— Alors qu'est-ce que tu as fait ? Tu as essayé de l'aider ? demanda Zach.

— Oui, bien sûr. J'ai découvert un organisme qui se consacre exclusivement à aider les gens comme Billy.

Ça s'appelle Mission Innocence. J'ai travaillé pour eux et...

Elle poussa un soupir et s'interrompit brièvement avant de reprendre son récit.

— En gros, j'ai radicalement changé de vie. J'ai démissionné de mon boulot dans la pub pour pouvoir passer tout mon temps à aider un avocat génial qui bossait *pro bono* pour faire disculper Billy Shawkins. Et on a réussi. Billy est un homme libre maintenant.

Elle souriait, mais son regard restait triste. Zach la dévisagea avec le sentiment de mieux comprendre.

— Certes, tu as commis une erreur, mais les flics ne devraient pas te tourner le dos si par malchance tu assistais de nouveau à un meurtre.

Devraient étant le mot-clé quand on avait affaire aux forces de l'ordre.

— Sauf que pour faire disculper Billy, j'ai ouvert la boîte de Pandore de la police de Boston. Il y a eu une enquête et deux flics ont perdu leur insigne à cause de la façon dont ils ont géré les preuves, en particulier mes déclarations et l'identification du suspect. Il y a eu des répercussions à travers toute l'organisation. Les policiers de Boston ne me portent vraiment pas dans leur cœur.

Zach comprenait parfaitement. Il savait grâce au témoignage de ses cousins – l'un flic, l'autre ancien agent du FBI – que les forces de l'ordre se serraient autant les coudes que les hommes de sa division.

— Alors tu as quitté ton boulot dans la pub pour ce truc avec Shawkins et maintenant tu bosses comme serveuse ?

Elle étrécit les yeux pour le dévisager.

— Ce « truc avec Shawkins » a constitué l'essentiel de ma vie durant ces dernières années.

Y avait-il une note accusatrice dans sa voix ? Était-ce ça, le sous-entendu ? *Si tu t'étais préoccupé de moi, tu l'aurais su*. Il se contenta de caresser le chat et d'opiner brièvement du chef à l'intention de Sam.

— Bref. Effectivement, je ne suis pas retournée dans la pub, et en ce moment je travaille comme serveuse parce qu'en septembre je commence des études de droit, ajouta-t-elle à mi-voix.

— À la fac ?

Cette fois, il n'avait pas pu feindre l'indifférence.

— J'imagine que Vivi ne t'a rien dit.

C'était plutôt qu'il s'était refusé à poser la question.

— Et moi qui pensais qu'il faudrait une catastrophe déclenchée par Dieu en personne pour que tu penses à autre chose qu'aux échelons à gravir pour ta carrière.

— Effectivement. Faire sortir Billy Shawkins de prison tenait carrément du miracle et tout cela a changé ma vie et mes ambitions. Ça m'a consumée et réellement ouvert les yeux sur certaines injustices. J'ai l'intention de travailler pour Mission Innocence dès que j'aurai mon diplôme.

— Eh bien, bravo ! Tu as trouvé... ta vocation.

Il avait l'impression de s'exprimer comme un idiot. Il récupéra la bière qu'elle avait posée sur la table. Un idiot qui savait que dalle en matière de vocation.

— Où est-ce que t'es inscrite ? demanda-t-il avant de prendre une gorgée.

Sam hésita une microseconde avant de répondre :

— Harvard.

Zach s'étouffa, la bière coincée dans son gosier. Elle eut un petit rire.

— Ne sois pas si choqué. Même si je dois admettre que j'ai postulé sur un coup de tête et que je n'arrive toujours pas à croire que j'ai été prise. Je pense que mon travail avec Billy a fait la différence.

— Tu vas à Harvard ?

Ça lui faisait l'effet d'une botte coquée en plein ventre. La fac de droit de Harvard, putain ! Cette fille était incroyable. Mais bon, il s'en était déjà rendu compte trois ans plus tôt. Il l'avait compris dès la première nuit qu'ils avaient passée ensemble. Elle était incroyable et méritait... plus qu'il ne pouvait lui offrir.

— C'est... (Harvard !) Waouh. Vraiment, c'est génial pour toi.

Elle le remercia d'un hochement de tête.

— Bref, j'ai déjà commis cette méprise une fois en identifiant le mauvais suspect. Mais j'essaie *d'apprendre* de mes erreurs, ajouta-t-elle.

Cette fois, le sarcasme dans sa voix était inratable.

— Et je tente de ne pas les reproduire, poursuivit-elle. En ce qui concerne Billy, eh bien, je suis responsable de dix ans de sa vie passés derrière les barreaux. Mais maintenant, c'est l'un de mes meilleurs amis.

Décidément, elle était pleine de surprises. Zach sirota sa bière et déglutit, sans rien répondre. Que pouvait-il dire ? Elle s'était bâtie une vie plutôt réussie sans lui, chose dont il n'avait jamais douté. Elle avait rencontré des obstacles et les avait dépassés. Avait trouvé sa vocation et...

Bon, au moins elle n'était pas mariée. Ça aurait peut-être fait beaucoup à avaler. Mais elle le serait sûrement bien assez tôt. Elle devait déjà avoir un petit ami avocat. Quoique, n'aurait-elle pas dû être avec lui ce soir, dans ce cas ?

— Je suis vraiment fière de...

— T'as de quoi, la coupa-t-il.

— De Billy, termina-t-elle. C'est un citoyen modèle qui s'est tourné vers Jésus. Il habite à Roxbury avec une femme adorable et s'est trouvé un emploi stable dans une usine de peinture à Revere.

Zach sentit le remords lui nouer les tripes. Il avait manqué tous ces changements chez elle. Elle avait accompli tout ça pendant que lui enchaînait mission sur mission, pulvérisant des grottes, traquant des terroristes, évitant des bombes artisanales avant de se faire arracher la moitié de la fenêtre qu'il avait sur le monde par un shrapnel. Sans oublier l'opération qui avait foiré par sa faute et coûté des vies humaines.

— Mais maintenant, je n'ai plus aucune crédibilité en tant que témoin oculaire, reprit Sam. Alors les flics ne me disent rien, ils ne me proposent aucune protection et me laissent chercher les réponses par moi-même.

— C'est ce qui t'amène chez Vivi.

Laquelle n'était *toujours pas* rentrée.

— Eh bien, comme tu dis, elle couvre l'affaire. Et si quelqu'un sait comment obtenir des réponses, c'est bien Vivi.

— Et les gens de Mission Innocence ? Ils n'ont pas d'enquêteurs ?

L'un d'entre eux ne serait pas ton petit ami, par hasard ?

— Ils ont surtout des avocats, répondit-elle. Et j'ai envisagé de leur demander de l'aide mais je ne suis pas sûre d'avoir envie de révéler ce que je sais. Les flics sont catégoriques sur le fait que je ne dois dire à personne que j'ai assisté au crime. Et si je désobéis, cela risque de mettre en danger quelqu'un à qui je tiens. Crois-moi, je me suis demandé si je devais en parler à Vivi. Mais j'avais désespérément besoin d'informations et elle a tellement de contacts partout…

— Pourquoi tu ne te caches pas dans un endroit retiré le temps que la police résolve le crime ? Ils te laisseraient partir ?

— Non. Je pensais aller chez mes parents en Floride mais la police a dit que je devais participer à des séances d'identification. Si tu savais à quel point je n'ai pas envie de faire ça ! ajouta-t-elle en s'agitant sur son siège.

Soudain, le chat dressa les oreilles et sauta du sofa avec un miaulement, faisant naître chez Zach un indéniable soulagement.

— Vivi est rentrée.

— Tu es sûr que c'est elle ? demanda Sam en regardant dans le couloir.

— Gros Tony n'agirait pas comme ça…

Il se redressa et contourna la table basse pour s'accroupir devant elle.

— Écoute, détends-toi. Si ce n'est pas Vivi et que quelqu'un d'autre ouvre cette porte d'entrée, je lui ferai la peau.

Elle le regarda, intensément, et il s'efforça de rester immobile. Il avait enduré pire. Elle finirait bien par l'examiner de près un jour ou l'autre.

Lentement, elle leva la main. Ses doigts chauds se rapprochèrent de sa joue, de sa cicatrice. Il perçut la tiédeur de sa paume qui avançait et sentit son cœur battre contre ses côtes. À deux centimètres de sa peau. Un centimètre.

— Comment c'est arrivé ?

— À cause de ma stupidité et de la conviction erronée que je suis invincible.

— Tu es toujours en vie.

À peine. Se trouver aussi près d'elle et être incapable de faire ce que chaque cellule de son corps l'enjoignait de faire ? Il aurait aussi bien pu être mort.

— Ouais, le pouls est toujours là, dit-il. C'est mieux que l'autre option.

Elle pressa sa main contre son visage. Comme du satin sur des braises.

— Oh mon Dieu !

Tous deux sursautèrent en entendant le son de la voix de Vivi. Zach se leva et contempla la silhouette de sa sœur jumelle sur le pas de la porte.

— Samantha Fairchild !

La tornade Vivi envahit la pièce, son skateboard heurtant le sol tandis qu'elle se précipitait vers Sam, bras grands ouverts.

— Purée, c'est génial de te voir ! Pourquoi tu ne réponds pas aux coups de fil, cocotte ? J'ai essayé de te joindre.

— Eh bien, je suis là et je te cherche. Et ton téléphone était resté ici, au fait.

— Je sais. Je l'ai oublié, comme une idiote.

Elle serra Sam dans ses bras puis leva la tête vers Zach, les yeux brillants.

— Et regarde sur qui t'es tombée, ajouta-t-elle avec un clin d'œil à son frère.

Comme elles s'enlaçaient, il fit un pas en arrière, portant inconsciemment une main à son visage. Ses doigts suivirent les contours de la cicatrice déchiquetée qui courait depuis sa joue presque jusqu'à sa lèvre.

Sam s'était transformée intérieurement, tandis que chez lui, c'était son aspect extérieur qui avait été bouleversé. D'une certaine manière, cela changeait tout… sauf les sentiments qu'il avait pour elle.

6

Souffle brûlant. Langue chaude. Baiser doux.

Zach.

— Tony !

Sam roula sur elle-même pour échapper à la toilette du chat et glissa au bas du sofa en emportant l'édredon avec elle. Elle tendit le bras pour récupérer la couverture, dissipant les brumes du sommeil, mais pas le rêve pénétrant qu'elle venait de faire.

— Désolée, lança Vivi.

Celle-ci s'avança dans le salon, nus pieds, sa chevelure d'ébène en bataille, à peine vêtue d'un haut presque transparent recouvrant ses épaules étroites et d'un boxer qui remontait quasiment au sommet de ses cuisses.

— Il est en manque de câlins du matin, expliqua-t-elle.

Tandis que Sam, elle, en rêvait.

Tout en se passant une main dans les cheveux, Vivi s'installa sur le fauteuil club et ramena ses jambes sous elle.

— T'as dormi ? Moi pas. Qui aurait pu ?

— À vrai dire, pour la première fois depuis une semaine, j'ai dormi comme une souche. Merci de m'avoir accueillie.

— Pfff ! répondit Vivi avec un geste de la main. Comme si j'avais pu te laisser partir ! Moi ou Zach, d'ailleurs.

Sam ne répondit rien. Zach n'avait pas vraiment insisté pour qu'elle reste. Il s'était montré indifférent. C'était Vivi qui avait sorti les couvertures et préparé le canapé pour elle tout en entretenant la conversation à propos du meurtre et de l'enquête jusqu'au petit matin. Au final, les deux femmes se retrouvaient avec plus de questions que de réponses.

Un ange passa. Vivi bondit hors de son siège :

— Me faut ma dose de caféine, prompto ! T'en veux ?

— Si t'en fais, oui.

Pendant que Vivi se dirigeait vers la cuisine, Sam rejoignit la salle de bains. Son regard fut attiré par la petite pochette de cuir posée sur le réservoir des toilettes, d'où dépassaient un rasoir et une brosse à dents. Incapable de résister, elle fit courir ses doigts sur la trousse de toilette. Elle se sentit presque frissonner face à l'intimité de ce contact avec les objets personnels de Zach. Le rasoir retomba à l'intérieur, laissant apparaître un peu plus du contenu. Dentifrice. Déodorant. Préservatifs.

Elle regarda fixement les pochettes plastifiées, foudroyée par une avalanche de souvenirs. Ils en avaient usé des capotes, durant ces trois semaines…

Fermant les yeux, elle ouvrit le robinet d'eau froide et se pencha au-dessus du lavabo. La nuit où ils s'étaient connus, lors d'une fête chez Vivi, il l'avait suivie jusque dans cette salle de bains alors qu'elle allait se refaire une beauté. Elle n'avait pas vraiment besoin de remettre du gloss sur ses lèvres, elle s'en souvenait très bien. Elle avait simplement su qu'il la suivrait. Ils avaient flirté, avaient ri, s'étaient touchés, frôlés au rythme d'un tango nuptial qui avait culminé avec un baiser.

Elle jeta un coup d'œil au mur jouxtant la douche. Cela avait eu lieu juste là, et si elle avait porté du rouge à lèvres, celui-ci n'avait pas tenu la distance. Zach avait plongé sans hésiter, s'était emparé de la bouche de Sam, incapable de maîtriser ses mains qui arpentaient son corps tandis que leurs langues s'entremêlaient.

Ce baiser ! Cet interminable, étourdissant et torride baiser avait duré si longtemps que Vivi était venue marteler à la porte en leur criant de se trouver une chambre. Ce qu'ils avaient fait. La chambre d'amis juste à côté dans le couloir, où ils s'étaient mis à rire, à parler, à se caresser et...

Elle se tourna de nouveau vers le lavabo et s'aspergea un peu plus, maudissant la faiblesse qu'elle ressentait dans les genoux.

Oui, elle n'avait jamais fait l'amour de manière aussi intense et cela ne se reproduirait sans doute pas. Le simple souvenir de leurs ébats lui faisait encore de l'effet. Mais la douleur de n'avoir reçu aucunes nouvelles... non merci. Le prix à payer était bien trop élevé.

De l'eau froide ruissela le long de son cou jusque sous son tee-shirt et la fit frissonner. Elle se redressa et ravala un hoquet en découvrant l'image de Zach dans le miroir. Il était torse nu, une moue renfrognée sur le visage. Sa tignasse noire lui retombait sur les épaules et le bandeau sur son œil faisait penser à un bouclier dressé entre le sourcil et la pommette.

— Hé ! s'exclama-t-elle. Ça t'arrive de frapper avant d'entrer ?

Il saisit une serviette sur une étagère et la lui tendit.

— T'avais laissé la porte ouverte.

— Pas du tout.

Elle enfonça son visage dans le tissu-éponge et ses sens furent submergés par l'odeur du savon de Zach sur la serviette.

— Si, désolé.

Elle lui rendit la serviette. L'espace minuscule et la proximité de Zach la faisaient presque suffoquer.

— T'aurais quand même dû frapper.

— Je ne voulais pas interrompre l'inspection de mon nécessaire de voyage.

Et merde. Elle lui fit signe de s'écarter pour qu'elle puisse sortir.

— Je voulais seulement t'emprunter ton dentifrice...

Elle lui lança un bref sourire complètement feint puis tenta de s'esquiver, mais il la rattrapa par la manche de son tee-shirt.

— Où tu crois aller ?

Aussi loin que possible du tatouage violet tourbillonnant au-dessus de son cœur. Ça aussi, c'était nouveau.

— Dans la cuisine.

— Et nulle part ailleurs.

Elle se figea.

— Pardon ?

— Je suis sérieux, Sam. Ne sors pas seule de cet appartement.

— Je ne suis pas idiote, Zach, répondit-elle en libérant sa manche d'un coup sec.

— Je te conduirai chez toi, ou au boulot, bref, où tu voudras.

Lui et sa pochette pleine de capotes.

— Non merci.

— Je ne te demande pas de me remercier. Je ne te demande même pas la permission. Tu ne peux pas te balader seule dans Boston.

Elle ferma les yeux, secouée par la réalité de ses paroles. Elle n'avait aucune intention de se balader dans Boston mais en vérité, elle avait besoin de protection, ou d'une très bonne cachette. Ou des deux.

— Vivi et moi allons en discuter et trouver une solution, dit-elle. Tu n'as pas à être impliqué.

— Je suis impliqué.

L'expression de Zach était sombre et grave, tellement éloignée de l'homme dont elle venait à l'instant de se souvenir. L'homme dans les bras duquel elle s'était jetée comme une ado amoureuse trois ans plus tôt était tellement plein de vie, passionné, entêté, avec un esprit vif et brillant. La blessure l'avait-elle à ce point changé ? Était-il désormais aussi froid et sérieux à l'intérieur qu'à l'extérieur ?

— Tu veux ma photo ? demanda-t-il.
— Je m'interroge.
Il secoua la tête.
— Te fatigue pas. C'est confidentiel, et même si ça ne l'était pas, je n'en parlerais pas.
— Je ne pensais pas à ça. Je me demande pourquoi tu es si différent de ce que tu étais avant.
Il eut un bref mouvement de recul, comme pris de court. Puis ses traits retrouvèrent leur expression impassible.
— Nous sommes différents tous les deux, dit-il simplement.
— Je ne suis pas différente.
— Si tu l'es. Tu es une avocate de Harvard investie d'une mission, avec un nouvel objectif.
Sam émit un petit rire.
— D'abord, je n'ai même pas commencé les cours donc, soyons honnêtes, je suis actuellement une serveuse sans emploi. Ensuite, le fait d'être investie d'une mission ne m'a pas transformée. J'ai la même personnalité, les mêmes traits de caractère, les mêmes… (*sentiments brûlants et doux en moi quand tu t'approches d'aussi près*.) Je ne me suis pas métamorphosée. Toi si.
— En quoi ?
— Tu as les cheveux longs.
Il haussa les épaules.
— Pratique de ne pas avoir à me tondre toutes les semaines.
Le regard de Sam passa de la tache sombre et violette sur sa poitrine aux fils barbelés sur son biceps.
— Tu as… plus de tatouages.
— Un par période de service. Autre chose ?
Voulait-il qu'elle soit plus explicite ? D'accord.
— Tu étais beaucoup plus sympa.
Zach réprima difficilement un sourire.
— Pas vraiment.
— Oh ? Tu jouais la comédie ? Pour coucher ?

— Ne dis pas ça.

Y a que la vérité qui blesse, n'est-ce pas ?

— Tu sais quoi, Zach ? Je peux dire et faire exactement ce qui me plaît sans un mot, un commentaire, un conseil ou même une putain de carte postale de ta part. Autant de choses dont, au passage, j'ai très bien su me passer ces trois dernières années.

Le sourire de Zach s'élargit jusqu'à se changer en rictus moqueur.

— T'as pas digéré cette histoire de carte postale, hein ?

— Hum !

C'était Vivi, qui faisait tinter une cuillère contre sa tasse de café.

— Désolée de troubler ces joyeuses petites retrouvailles mais j'ai un rendez-vous sous peu. Sam, tu prends toujours du lait et du sucre dans ton café ?

Sam en profita pour passer devant Zach en lui décochant un dernier regard noir.

— Bien sûr. Pourquoi ça aurait changé ?

Elle sortit sans voir la réaction de Zach et la porte de la salle de bains claqua derrière elle. Vivi était contrite.

— Je n'arrête pas de vous interrompre au mauvais moment, tous les deux.

— Il n'y a pas de « tous les deux », ni de bon moment.

Vivi la poussa en direction de la cuisine.

— Viens, on va discuter.

Sam suivit l'odeur du café et s'installa sur l'une des deux chaises de la cuisine avec un soupir.

— Bon Dieu, il me tape sur le système.

Vivi gloussa en versant le lait dans deux tasses.

— Comme toujours et pour toujours. Vous êtes comme le feu et… le feu.

Sam se passa les doigts dans les cheveux en tirant toutes ses mèches en arrière comme si elle pouvait se sortir physiquement Zach de la tête.

— Pourquoi est-ce que je me laisse atteindre à ce point ? C'est juste un type avec qui j'ai eu un flirt.

— Ce n'est pas juste un type, rétorqua Vivi d'une voix plus sèche. C'est mon frère jumeau. Et comme tu le sais, nous avons traversé de vraies galères ensemble. Alors ne compte pas sur moi pour le critiquer, pas plus qu'à l'époque où nous nous sommes retrouvés orphelins en Italie et que nous avons dû venir vivre chez nos cousins américains. Eux aussi se plaignaient qu'il était un mauvais garçon.

— Excuse-moi, Vivi. Je sais que tu l'aimes, et c'est d'ailleurs pour cette raison que nos liens se sont distendus ces trois dernières années. (Sam secoua la tête. Elle regrettait d'être venue chez Vivi la veille.) Et, pour être honnête, si j'avais su qu'il était là, je ne t'aurais jamais appelée.

— Eh bien je trouve ça triste, répondit Vivi en posant une tasse fumante devant elle avec assez de force pour faire déborder un peu de café. Parce que tu m'as manqué.

Sam saisit la tasse entre ses doigts et serra la céramique chaude en souriant à la jeune femme qui lui faisait face. Elles avaient été de bonnes amies à l'époque où elle habitait le même immeuble. Leurs personnalités étaient différentes, mais leur rencontre dans l'ascenseur le jour de l'emménagement de Sam avait donné lieu à une amitié aussi instantanée que sincère. Elles avaient énormément ri, descendu un paquet de bouteilles de vin et adoré faire les magasins ensemble. Et puis le frère jumeau de Vivi était revenu de la guerre... et elle avait organisé une fête pour lui. La vie de Sam avait changé dès l'instant où il avait passé le seuil, ce grand méchant Ranger sexy qui l'appelait Sammi.

Personne ne l'avait jamais appelée ainsi avant, ni après.

— Toi aussi tu m'as manqué, admit-elle en sachant qu'au fond de son cœur, Zach lui avait manqué tout autant. (Elle but une gorgée pour tâcher de ravaler cette pensée et croisa le regard de son amie.) Et vu la manière dont tu réagis quand on te raconte des craques, je ne vais pas te mentir en disant que j'étais trop occupée pour t'appeler.

Cela lui valut le sourire typique de Vivi Angelino, qui laissait apparaître une incisive légèrement ébréchée et faisait briller ses yeux couleur café.

— Alors évitons les craques, dit-elle. C'est suffisamment le souk dans cet appart pour aujourd'hui.

— Je suis désolée, Vivi, répondit Sam, soulagée de pouvoir enfin partager tout cela. C'était plus facile de t'éviter que de faire face au fait que tu savais où il était et ce qu'il faisait... et pourquoi il ne m'avait jamais contactée.

— À vrai dire, la plupart du temps je n'étais au courant de rien du tout vu qu'il était impliqué dans des trucs super-confidentiels là-bas. Et je ne sais pas pourquoi il ne t'a jamais recontactée parce que – je le jure sur la tombe de ma mère – il ne m'en a jamais parlé.

— Il a honte d'admettre ce qui l'a poussé vers moi au départ ; c'est pour ça qu'il ne t'a rien dit.

— De quoi tu parles ?

— Allez, Vivi, toi et moi on sait ce que je représentais pour lui. Rien de plus qu'une coucherie fondée sur le principe : « Je pourrais mourir demain, alors je ferais mieux de baiser comme un fou ce soir. »

Vivi fit une petite grimace.

— T'as un vrai don pour te sous-estimer, Sam.

— Je dis les choses comme je les pense. C'était intense et, crois-moi, on en a profité tous les deux. Mais ça...

Signifiait tellement plus pour elle que pour lui.

— Il m'a fait du mal, finit-elle par dire. Et me retrouver dans le même endroit que lui me rappelle tout ça.

Vivi hocha la tête.

— Je sais. Je l'ai compris quand tu as déménagé.

— De toute façon, il fallait que je parte après avoir arrêté la pub. Somerville est moins cher.

Elle aurait néanmoins pu rester en contact avec Vivi, mais il était tellement plus facile de laisser la rivière Charles les séparer. Elles s'étaient croisées une fois ou deux, avaient échangé quelques coups de fil empreints de gêne puis, durant les neuf ou dix mois suivants, rien.

— Vraiment, je comprends, dit Vivi d'une voix douce. Tu n'as pas besoin de me présenter des excuses.

Sam fit tourner la tasse entre ses doigts.

— Sa blessure, c'est arrivé quand ?

— Il y a environ un an.

Vivi jeta un coup d'œil vers le couloir puis croisa les bras et s'appuya contre le rebord de la table.

— Il a *refusé* que je t'en parle.

Sam sentit l'agacement la gagner.

— Pourquoi tu ne m'as pas dit qu'il était rentré et qu'il avait quitté l'armée ?

— Parce que tu ne m'as jamais parlé de lui les dernières fois que je t'ai vue.

— C'est souvent comme ça qu'on agit quand l'orgueil est blessé, Vivi.

Celle-ci opina du chef.

— Et quand j'ai mentionné ton nom, il m'a fait jurer de ne rien te dire.

— Pour quelle raison ?

— C'est souvent comme ça qu'on agit quand l'orgueil est blessé, Sam.

Elle avait fait mouche.

— Je comprends que tu lui sois loyale, dit Sam. Vous vous êtes toujours battus ensemble contre le reste du monde. Je ne t'en blâme pas un seul instant. Seulement... (Elle s'interrompit et balaya d'une main ce qu'elle venait de dire.) Oublie ça. C'est de l'histoire ancienne et, vraiment, je m'en fiche.

Cachée derrière sa tasse, Vivi leva des yeux au ciel qui signifiaient « ouais, c'est ça ».

— Vraiment, insista Sam. Et je suis désolée qu'il ait été blessé, mais mes propres cicatrices sont intérieures.

— Waouh. Profond.

— C'était plus que du sexe pour moi, dit Sam, soulagée de pouvoir enfin le confier à voix haute à Vivi.

Celle-ci lui tapota gentiment le bras.

— Je sais. C'est la terrible malédiction qui frappe toutes les femmes. T'as pété un câble en le voyant ?

— Je me suis maîtrisée, répondit Sam avec un haussement d'épaules. Et, comme tu t'en doutes, j'ai autre chose en tête qu'une histoire de cœur brisé.

Vivi se pencha vers elle avec un regard de conspiratrice qui lui faisait briller les yeux.

— C'est de ça qu'on veut te parler.

L'espace d'un instant, Sam ne dit rien. Elle essayait de comprendre ce « on ».

— Quoi ?

Une fois de plus, Vivi jeta un coup d'œil derrière Sam en direction du salon, sans doute à la recherche Zach.

— Laisse-moi d'abord t'expliquer le concept. On lance une entreprise.

— Qui est ce « on » ?

— Zach et moi. Enfin, il n'est pas encore à mille pour cent convaincu mais je pense qu'il a juste besoin de temps pour s'habituer à l'idée.

— Quel genre d'entreprise ?

— Une société de sécurité qui alliera protection rapprochée et enquête. Ça, c'est mon rayon.

— Vraiment ? Quand est-ce que vous avez décidé de faire ça ?

— Eh bien j'étais à New York pour un article il y a quelques semaines, et j'ai couché avec l'un de mes cousins. Le neveu de la femme de mon grand-oncle, précisa-t-elle avec un geste typiquement italien. Crois-moi, l'Italie n'est qu'une grande famille ; y a juste à remonter suffisamment dans les arbres généalogiques. Bref, ce gars, John Christiano, travaille pour cette organisation géniale qui protège des VIP haut placés, enquête sur des histoires d'espionnage industriel et exécute divers boulots clandestins. Des trucs incroyables, vraiment.

— Et c'est ça que *tu* veux faire ? Ou que tu veux que Zach fasse ?

— Oui. Les deux. Évidemment, on devra opérer à une échelle plus réduite, quelque chose d'un peu moins international, vu qu'on n'a pas de jets privés, de montagnes de fric ou de contacts avec la CIA. Enfin, se reprit-elle, on a un contact à la CIA, en fait. Quant à la protection, Zach est une brute. Qu'est-ce qu'il pourrait falloir de plus ?

Des fonds. Des bureaux. Des clients. Mais Sam n'avait pas envie de briser les rêves de Vivi.

— Et il a envie de faire ça ? préféra-t-elle demander.

— La première fois qu'on en a parlé, il a été... bon, je ne dirais pas enthousiaste vu qu'il ne s'enthousiasme plus pour grand-chose ces temps-ci, mais il était plutôt intéressé. En fait, il a contacté notre cousin, John, et il est même allé à New York pour discuter de la possibilité de bosser dans sa société. Apparemment, la femme qui dirige la boîte a recruté plein d'anciens militaires et de types des forces spéciales.

— Et ?

Vivi secoua la tête.

— Elle a refusé. L'entraînement et les exigences physiques...

— Mais il est passé par la formation des Rangers ! lança Sam, animée d'une soudaine envie de défendre Zach. Il peut tout faire. Il a l'air plus fort que jamais, en fait.

— Il ne perçoit plus la profondeur. Il n'a plus d'œil gauche. Elle l'a reçu en entretien, et elle a dit non.

Sam sentit son cœur se serrer.

— Quand même, il est tellement... capable.

Il était beaucoup de choses, des choses qui la mettaient en colère ou l'excitaient, mais il était surtout très compétent dans tout ce qu'il faisait.

— Apparemment pas assez pour les besoins de cette déesse de la sécurité à New York. Il a également été sergent, première classe. Un sergent de division avec une trentaine d'hommes qui dépendaient de lui. Cette femme n'a même pas voulu le laisser faire un essai sur le champ de tir. Un putain de Ranger, Sam !

Le dégoût de Vivi était palpable. Était-ce la vraie raison d'un tel changement chez Zach ? Sam doutait qu'un seul entretien d'embauche raté ait pu avoir un tel impact.

— Il doit quand même pouvoir viser et tirer, non ? On n'est pas censé n'utiliser qu'un œil pour viser, d'ailleurs ?

— Exactement ! Bon, je ne suis même pas sûre qu'il soit légalement autorisé à posséder et utiliser une arme en étant à moitié aveugle, malgré son expérience militaire. Mon cousin Marc, qui possède une armurerie, dit que oui, mais Zach n'a même pas cherché à avoir un permis.

— Qu'est-ce qu'il fait depuis qu'il est rentré ?

— Il broie du noir, répondit Vivi d'un ton dégoûté. Il est tellement sombre et silencieux. C'est pour ça que je veux faire tout ça. Si on montait notre propre entreprise, on pourrait décider des règles. Je veux dire, on n'enfreindrait pas la loi, Zach devrait obtenir le droit de porter une arme dissimulée, mais personne ne nous empêcherait de l'embaucher. Il serait propriétaire de la boîte avec moi.

— Et tu abandonnerais le journalisme ?

— À peu près aussi vite que tu as abandonné la publicité.

— Mais je me suis découvert une passion pour le droit.

Grâce à Billy Shawkins et ses tribulations au tribunal. Mais l'écriture était déjà la passion de Vivi : traquer les bonnes infos et rédiger ses articles faisaient autant partie de son identité que sa coupe de cheveux verticale, son piercing au nez ou son amour pour les guitares électriques qu'elle stockait dans son salon.

— Je n'arrive pas à t'imaginer faisant autre chose, avoua Sam.

— Oh, moi si ! Je pourrai employer mon infinie curiosité à quelque chose qui rapporte et qui n'est pas aussi exténuant. Bien entendu, j'aime écrire pour le *Boston Bullet* mais soyons franches, ce n'est pas le *New York*

Times. Et moi ? (Elle passa une main dans sa chevelure stylée et tapota le petit diamant à sa narine.) Je ne suis pas vraiment faite pour le *New York Times*. Alors j'ai songé à changer de carrière. Et puis Zach s'est pointé avec une seule envie : me suivre sur mes enquêtes et faire fuir mes sources. Cette solution me semble impeccable.

L'idée était plutôt bonne, se dit Sam.

— Il est toujours tellement protecteur avec toi.

Vivi cogna ses phalanges sur la table.

— Exactement ! Depuis qu'on a dû déménager ici enfants pour habiter avec nos cousins, il est prêt à faire la peau au premier qui me regardera de travers. (Elle se détendit et gratifia Sam d'un grand sourire chaleureux.) Mon ange gardien. Tu ne trouves pas que ça serait un super-jeu de mots pour nommer l'entreprise ? Les Gardiens Angelino ?

Sam se mit à rire.

— Ouais, c'est mignon. Mais c'est vraiment ce qu'il veut, ou bien tu aimerais qu'il en ait envie ? Parce que – j'en suis la preuve vivante ! – il est impossible de forcer cet homme à faire quelque chose qui ne le botte pas.

Elle s'attendait à voir Vivi sourire mais son regard se fit sérieux, inquiet même.

— Je ne sais pas ce qu'il veut, Sam, et franchement lui non plus, même s'il refuse de l'admettre. Tout ce que je sais, c'est qu'il a eu des moments très, très durs là-bas.

Elle se pencha presque à l'oreille de Sam ; sa voix était à peine plus qu'un murmure :

— Il n'en parle à personne mais c'était terrible.

— J'avais compris. Donc c'est sûrement une excellente idée pour vous. J'espère que ça marchera du feu de Dieu.

Vivi lui décocha un regard bizarre, comme si Sam avait raté quelque chose d'important. Mais des bruits de pas dans le salon attirèrent leur attention. Sam resta face à Vivi, dont le visage s'illumina en voyant entrer Zach.

— Timing impeccable ! dit-elle. J'étais sur le point de lui parler de notre plan.

— Tu viens juste de m'expliquer ton plan, précisa Sam.

Elle osa enfin glisser un regard vers Zach, appuyé contre le comptoir. Son tee-shirt blanc humide laissait deviner la forme de ses muscles.

— Tu ne sais pas tout, annonça Vivi.

Pendant un instant, le silence régna. Puis Zach secoua ses cheveux mouillés, ce qui eut pour effet de tremper un peu plus ses épaules.

— Je t'avais dit qu'elle détesterait l'idée.

— Quelle idée ? voulut savoir Sam, dont le regard oscillait entre le frère et la sœur.

Zach semblait affligé ; Vivi pleine d'une excitation à peine contenue.

— Celle qui ferait de toi notre première cliente, expliqua-t-elle. Gratuitement, bien sûr. Juste pour l'expérience. Je vais enquêter et lui te protégera.

Sam faillit s'étrangler. *Il te protégera ?* Ce qui revenait à passer vingt-quatre heures sur vingt-quatre et sept jours sur sept avec… Elle releva les yeux vers Zach, qui rencontra son regard avec une expression aussi désemparée que la sienne.

— Cette idée te déplaît autant qu'à moi, dit-elle.

— Je ne suis pas hyper convaincu par le projet d'entreprise de Vivi, en effet.

Mais ce n'était pas ça. Il n'avait pas envie d'être constamment auprès d'elle. Une douleur familière s'était réveillée dans la poitrine de Sam. Comme lorsqu'elle ouvrait sa boîte mail ou que son téléphone sonnait ou que…

— Non, dit-elle. (Elle se leva pour aller rincer sa tasse.) Merci, mais non merci.

— Sam, un tueur professionnel a ton visage en vidéo, dit Vivi. Ne sois pas stupide.

Stupide ? C'était leur idée qui était stupide.

— Je le sais, dit-elle calmement. Raison de plus pour vous souvenir qu'il ne s'agit pas d'une plaisanterie ni d'une expérience destinée à lancer une nouvelle entreprise. Des vies sont en jeu. (*Genre, la mienne.*) Il faut simplement que je me fasse discrète et que je laisse la police faire son boulot.

Vivi leva les yeux au ciel.

— Tu es mieux placée que n'importe qui pour savoir à quel point ils bossent bien. Mais oui, fais-toi discrète. Simplement, ne le fais pas toute seule et sans protection.

Zach était silencieux. Toujours appuyé contre le comptoir, il observait la scène. On ne pouvait pas dire qu'il se battait bec et ongles pour la protéger, hein ?

— Je ne peux pas, Vivi, dit Sam. Je ne peux pas, c'est tout. Il doit y avoir un meilleur moyen. Un meilleur… (*protecteur.*) Et ton cousin, John ? Je pourrais pas l'engager ?

— Si tu as dans les cinquante mille dollars. Nous, on est gratuits. Tarif imbattable.

Ah ouais ? Et combien valait sa fierté ?

— Bon, je suis sûre que je dois pouvoir me trouver un garde du corps abordable sans avoir à vous déranger tous les deux.

— Ça ne nous dérange pas ! lança Vivi en se levant. Dis-lui que ça ne nous dérange pas, Zach.

Mais Zach, ce salopard, restait parfaitement immobile.

— Je peux faire le boulot, lâcha-t-il. Je l'ai prouvé hier soir.

Faire le boulot, d'accord. Mais il détestait ça.

— Non. Non.

Sam était inflexible. Il devait y avoir une autre solution.

— Et pourquoi non ? exigea de savoir Vivi.

Sam se détourna de l'évier, un éclair de colère dans les yeux. Vivi était-elle complètement bouchée ? Ne sentait-elle pas la tension dans la pièce ?

— Vivi, tu n'as pas entendu un mot de ce que je t'ai dit ou quoi ?

Ses épaules s'affaissèrent en voyant Vivi battre légèrement en retraite.

— Écoute, dit-elle, je sais que c'est difficile pour vous deux, vu vos antécédents et tout. Mais tu ne peux pas dépasser ça et agir au mieux dans cette affaire, Sam ?

— Moi ? Et lui alors ?

— Je suis prêt à le faire.

— Et clairement pas ravi.

— S'il n'est pas ravi, c'est pour des raisons qui n'ont rien à voir avec toi, Sam, intervint Vivi.

Cela lui valut un regard dur de la part de son frère, elle poursuivit néanmoins :

— Il ne veut pas manquer à son engagement envers toi.

Sam faillit éclater de rire devant tant d'ironie.

— C'est un peu tard pour ça, non ?

— Elle veut dire que je ne veux pas que tu meures.

La gravité de cette déclaration et le ton que Zach avait employé imposèrent le silence. Sam ferma le robinet et accepta enfin de tourner la tête.

— Moi non plus je ne veux pas mourir, murmura-t-elle.

— Ce type aurait pu te tuer hier soir, dit-il.

— Mais Zach l'en a empêché ! intervint Vivi avec un sourire un peu crispé mais victorieux.

— J'ai fait ce que n'importe quel homme aurait fait, dit-il avec modestie. Mais tu sais, Sam, je n'en vois pas d'autre dans le coin prêt à endosser le job.

Aïe.

— C'est vrai, admit la jeune femme en écartant une mèche rebelle du dos de sa main humide. Je n'ai personne.

Parce que le dernier garçon à qui elle avait fait confiance lui avait broyé le cœur, lequel ne s'en était jamais vraiment remis.

— Alors c'est décidé. Zach te protégera et moi j'enquêterai, annonça Vivi, les poings sur les hanches et les yeux brillants. Félicitations, Sam ! Tu es la première cliente des Gardiens Angelino.

Zach poussa un soupir dépité.

— C'est le nom le plus débile que j'aie jamais entendu, Vivi. Il faudra que tu trouves quelque chose de mieux.

Vivi lui brandit un doigt sous le nez.

— Tu es le cofondateur. Donc à toi de trouver une meilleure idée.

— Je ne suis *co* rien du tout.

Vivi se tourna vers la cafetière, à peine capable de dissimuler la lueur de triomphe dans ses pupilles.

— Alors on s'y met. Première chose, vous allez vous rendre à Sudbury.

— Sudbury ? demandèrent simultanément Zach et Sam.

— C'est dimanche, les amis. Le jour du repas de famille des Rossi.

— Dis-moi que tu plaisantes ! s'étrangla Sam.

— Je ne plaisante jamais à propos du repas dominical.

— On n'ira pas, lança Zach d'une voix bourrue. Je n'ai pas besoin qu'on me foute la journée en l'air.

Vivi le fusilla du regard.

— Pour commencer, il s'agit de ta famille, Zaccaria Angelino. Ensuite, qu'est-ce que vous allez faire ? Rester assis en bouillant mutuellement toute la journée ?

Vivi avait raison, songea Sam. Elle ne pouvait pas rester là, coincée avec lui durant toute la journée.

— Je ne serais pas contre l'idée de quitter la banlieue aujourd'hui, si vous pensez que c'est sans danger.

— Ça l'est, dit Zach. À vrai dire, c'est sans doute plus malin de partir puisqu'il t'a vue ici la nuit dernière.

— Super ! lança Vivi avant que l'un ou l'autre n'avance un nouvel argument. Mais je devrai vous retrouver là-bas. Je vais travailler à l'extérieur pendant un moment, donc je demanderai à Nicki de me conduire. Tu te souviens de nos cousins, Sam ? Nicki, c'est la psy.

— Je me souviens de certains.

Sam se retourna vers l'évier ; elle avait encore du mal à digérer ce qu'elle venait d'accepter. Avait-elle accepté ?

— Bon, tu devrais avoir une bonne piqûre de rappel aujourd'hui, affirma Vivi en posant sa tasse vide près de la cafetière. Je pense qu'ils seront presque tous là, sauf Gabe évidemment. Et Zach, quoi qu'il arrive, Sam est notre cliente et elle ne peut être laissée seule.

Dans quoi s'était-elle embarquée ? Son trait de caractère le plus détestable, celui qui n'avait émergé que le jour où elle avait découvert qu'elle avait fait condamner la mauvaise personne, venait de réapparaître pour l'ébranler au plus profond d'elle-même. Elle venait de prendre une mauvaise décision. Une très mauvaise décision.

— Je ne crois pas que ce soit…

De grandes mains se posèrent sur les épaules de Sam, qui fut surprise par leur taille et leur force. Un souffle chaud et des mèches humides caressèrent sa joue.

— Accepte, c'est tout, Sammi.

Une décharge remonta l'échine de la jeune femme.

— C'est ça, lança joyeusement Vivi en tendant une tasse à son frère. Les Gardiens Angelino surveillent tes arrières !

Avant de prendre son café, Zach passa la main sur le bras de Sam, comme pour apaiser la chair de poule qui lui recouvrait la peau.

À cet instant précis, songeait-elle, ce n'était pas ses arrières qui l'inquiétaient. C'était son cœur.

7

Levon Czarnecki chantonnait dans sa tête, jamais à voix haute. Il ne chantonnait qu'une unique chanson, celle qui lui avait valu son prénom, malgré son message déprimant, obscur, inepte et incompréhensible sur l'ingratitude de l'existence.

Sa mère avait été stupide de choisir cette chanson au moment de sa fécondation et de sa conception. Sa vie était tout sauf ingrate.

Il n'utilisait pas le nom qui donnait son titre à la chanson, pas professionnellement. Quand il faisait son travail, il était simplement le Tsar. Et quand il le faisait bien, il devenait un Tsar très riche qui vivait pour profiter de la solitude.

Impossible de trouver la solitude à Boston, un trou à rats composé de touristes et de pèlerins au teint terreux vivant dans le passé. Le retard pris sur ce boulot commençait vraiment à l'énerver. Et quand le Tsar s'énervait, quelqu'un devait mourir.

Il se faufila avec aisance au milieu de la foule de touristes et de riverains en goguette qui s'amassaient le dimanche autour des anciennes halles du Quincy Market. Des couples se collaient l'un contre l'autre pour partager une glace. Des familles progressaient péniblement vers l'antique restaurant de Durgin Park pour le plaisir de se faire crier dessus par des serveuses revêches. Et les touristes – une telle masse de foutus touristes ! – qui s'étalaient partout, achetaient des souvenirs de pacotille aux vendeurs ambulants et applaudissaient bêtement les groupes de danseurs, les mimes et autres artistes des rues à la con.

La foule lui donnait terriblement envie d'être seul et à l'écart de tous, avec seulement sa musique et ses terres.

Est-ce qu'ils le savaient ? Était-ce pour ça qu'ils avaient choisi ce lieu de rendez-vous ? Pour le placer dans une position désavantageuse ? Peut-être pensaient-ils qu'il ne pourrait pas leur tirer dessus en plein air. Peut-être qu'ils s'imaginaient qu'il ne se montrerait pas dans un endroit aussi fréquenté alors que le meurtre de Sterling était irrésolu et dans tous les esprits.

Peut-être qu'ils se trompaient.

Il détestait qu'on le sous-estime. Mais ce qu'il détestait vraiment, c'était qu'on lui doive de l'argent. Et il haïssait franchement d'avoir à se rendre quelque part où il venait d'effectuer un job. Arriver, agir, repartir, c'était ainsi qu'il procédait.

Il voulait s'en aller, aujourd'hui, entièrement dédommagé pour le boulot super-propre qu'il avait effectué afin de les débarrasser de leur épine du pied. À leur tour maintenant d'être à la hauteur de leur part du contrat. Qu'ils payent ce qu'ils lui devaient pour avoir fait le travail attendu et rentrent chez eux. Qu'est-ce qui justifiait ce putain de retard ?

Le morceau qui contenait son nom retentissait sous son crâne, assez fort pour étouffer les mauvaises basses d'un ghetto-blaster et les cris enthousiastes des spectateurs observant des danseurs de hip-hop.

Il se frayait un chemin parmi les badauds, avec un mouvement de recul interne chaque fois qu'une personne le frôlait, l'esprit occupé par les images de ce qu'il pourrait leur faire s'il s'emportait sérieusement. Prenant soin de respirer régulièrement, il rejoignit une position en hauteur qui lui offrait une vue à pratiquement trois cent soixante degrés sur le marché. Scrutant les lieux d'un air décontracté, il repéra son contact alors que l'homme émergeait du parking. Il était trapu, avec une casquette des Red Sox et un sac à dos de couleur noire. Ça pouvait être lui. Ils envoyaient toujours quelqu'un de différent, mais la plupart d'entre eux se ressemblaient. Pâles, corpulents, avec des yeux de fouine.

Levon attendit le signal en faisant semblant de regarder les gamins noirs qui tournoyaient sur leur tête au son d'une musique abrutissante. Il se fondait dans la foule, comme il le faisait toujours, où qu'il soit.

Pensaient-ils vraiment qu'il s'inquiétait à l'idée d'être vu ? Identifié ? Remarqué ?

Ne savaient-ils pas à qui ils avaient affaire ? Il n'était pas de ces tueurs à gages brutaux et sans cervelle. Il était le Tsar.

L'homme à la casquette de base-ball se promena à travers le marché, en passant deux fois devant le lieu désigné avant de s'arrêter face à la statue de bronze assise sur l'un des bancs. Il porta la main à sa visière, une fois... deux fois. La troisième fois, il retira sa casquette, essuya la sueur qui perlait sur son front, puis la remit en place. Puis il fit passer son sac sur son autre épaule, se déplaça jusqu'au banc d'à côté et s'assit au milieu, en déposant le sac près de lui, les bras écartés du corps.

Bingo.

Levon attendit quelques minutes de plus en supportant cette danse et cette musique merdiques jusqu'à ce que le numéro soit terminé et que la foule se disperse. Il suivit le mouvement et prit un chemin détourné vers l'autre côté du marché en plein air, le poids de son propre sac à dos – essentiellement lié à l'antique caméscope qu'ils lui avaient demandé d'apporter – tirant sur ses épaules.

Il était temps de bouger. Il se déplaça au milieu des promeneurs jusqu'à se retrouver à l'air libre, marchant tranquillement et fredonnant sa chanson. Il examina brièvement la statue au passage. Un dénommé Red Auerbach. Inconnu au bataillon. Encore dix pas vers son contact, puis il s'arrêta et sortit de sa poche un téléphone portable qu'il colla à son oreille.

— Ouais. C'est qui ?

Bien sûr, seul le silence lui répondit, car le téléphone n'avait ni sonné ni vibré.

— Hé, salut. Comment ça va ?

Un petit coup d'œil vers le banc et son contact se décala de trente centimètres mais sans bouger son sac à dos. Le Tsar le remercia d'un hochement de tête puis écouta dans le vide pendant qu'il s'asseyait et retirait son propre sac.

— Sérieux ? T'as des billets ?

Il positionna son bagage au-dessus de l'autre et jeta de nouveau un regard à son contact qui marmonna un « désolé », avant de tendre la main vers son sac. Dans le même geste, à la vitesse de l'éclair, les mains de l'homme se refermèrent sur les autres sangles et il échangea les sacs. Tout en douceur.

Levon lui adressa un autre hochement de tête et posa une main détendue mais possessive sur le nouveau sac à dos, puis croisa ses longues jambes, s'appuya contre le dossier et se mit à rire dans son téléphone.

— Tu parles que j'ai envie d'y aller. Compte sur moi.

De sa main libre, il sortit un paquet de Marlboro et en prit une entre ses lèvres, puis partit en quête d'un briquet. L'homme à côté de lui le fusilla du regard.

— À quelle heure tu y vas ? demanda Levon dans le vide.

À côté de lui, son contact récupéra son sac.

— Bordel, vous êtes vraiment obligé de fumer pile ici ?

Levon ne lui prêta pas attention, coinça le téléphone au creux de son cou et exhala un nuage de fumée grise.

— Bien sûr, mon pote. On se retrouvera sur place.

Le contact se releva d'un bond, passa le sac à dos plein de preuves compromettantes par-dessus son épaule et s'éloigna d'un pas rapide, manquant de peu renverser une petite fille qui s'accrochait à la main de sa mère.

Quel connard. Aucune finesse.

Levon jeta sa cigarette, l'écrasa du talon et observa l'homme qui avait pris son bagage traverser le marché en direction d'un groupe de marchands ambulants.

Par habitude, il garda l'œil sur la casquette de base-ball. Par précaution, il conserva le téléphone contre son oreille. Par curiosité, il tira sur la fermeture Éclair du sac pour l'entrouvrir sur à peine un centimètre. Le sac n'avait pas l'air très plein, mais deux cent mille dollars en billets ne représentaient pas vraiment un gros volume.

Comme la fermeture Éclair s'ouvrait de cinq crans supplémentaires, assez pour qu'il puisse y glisser nonchalamment le doigt, la casquette de base-ball atteignit l'extrémité opposée du marché.

Son doigt heurta la reliure d'un livre. Un livre ? Dans son autre main, le téléphone se mit à vibrer. La casquette se retrouva bloquée par un attroupement autour d'un jongleur et... quelqu'un l'appelait. Quelque chose clochait.

Du bout du pouce, il prit la communication, mais ne dit pas un mot.

— Nous ne vous paierons pas un centime avant que vous ayez terminé le boulot.

— Il est terminé.

Sterling était mort. Qu'est-ce qu'ils voulaient de plus ? Son cœur sur un plateau ? Ils auraient dû le lui demander.

— Il y a un témoin. Quelqu'un dans la cave à vin qui vous a vu.

Il commençait à bouillir.

— Débarrassez-vous de lui, dit-il. Je n'ai pas été payé pour deux cibles.

— J'ai essayé d'arranger ça, mais ça n'a pas marché. Et ce n'est pas un « lui ». Vous l'auriez su si vous aviez regardé la cassette.

La cassette ? Il n'y avait même pas jeté un coup d'œil. Il avait simplement récupéré la caméra préhistorique parce qu'ils lui avaient dit qu'il y avait une bande à l'intérieur, et l'avait apportée ce jour parce qu'ils voulaient détruire eux-mêmes les preuves. Il ouvrit un peu plus grand le sac et coula un regard à l'intérieur. Pas d'argent. Pas un centime.

Il se redressa d'un bond sous l'effet de la fureur.

— Merde ! siffla-t-il.

Son regard scrutait la foule et il repéra l'homme qui emportait son sac en train de contourner un magasin de bonbons pour emprunter l'allée menant au parking.

— Et vous n'avez désormais plus la bande. Je me trompe ?

Il parvint à réprimer un grognement de colère envers lui-même. Était-il possible qu'il ait laissé un témoin dans la cave à vin ? Merde, tout était possible.

— Ouais.

Il s'était mis à marcher à grands pas, utilisant le téléphone comme une excuse pour avoir l'air d'un homme pressé. Et c'était le cas.

Levon savait exactement ce qui allait suivre. *Vous n'avez plus la cassette ; vous n'avez pas le témoin ; vous n'aurez pas votre argent*.

— Le travail ne sera pas terminé tant que vous n'aurez pas liquidé le témoin. Vous auriez dû visionner la vidéo, Levon.

— Donnez-moi simplement le nom, je m'occuperai du reste.

Il n'eut droit qu'à un petit rire sec.

— Au prix que vous demandez, vous n'aurez qu'à le découvrir de la même manière dont je l'ai fait et vous en occuper vous-même. Réglez ça et vous serez payé. Sinon, vous pouvez aller vous faire foutre.

Une rage brûlante le submergea.

— Aucun problème.

— Vraiment ?

Pas s'il récupérait la caméra.

— Aucun.

Il fendait désormais la foule, dépassa le magasin de bonbons et bondit devant une voiture qui klaxonna en retour.

— Vous êtes là ? demanda la voix à l'autre bout.

— Bien sûr.

Il ouvrit brusquement la porte de l'accès piéton au parking et tomba nez à nez avec un jeune couple qui s'arrêta, s'excusa et recula vivement pour le laisser passer.

— Alors quand pouvons-nous espérer avoir de vos nouvelles ?

Levon ne répondit pas. Silencieux, l'oreille dressée, il monta deux par deux les marches menant à l'étage suivant. Une porte claqua, sans doute au niveau le plus élevé d'après le bruit. Sans perdre un instant – ni son souffle – il monta l'escalier en courant, le téléphone toujours collé à son oreille.

— Combien de temps ça prendra ?

La voix était à présent empreinte d'une certaine impatience.

Environ une minute.

— Pas très longtemps.

Il referma ses doigts sur la poignée rouillée de la porte et l'ouvrit sans faire un bruit. Il dressa l'oreille. Des pas résonnaient de l'autre côté du plateau, près d'un ascenseur.

Il s'élança en passant le téléphone dans sa main gauche pour pouvoir tirer son Smith & Wesson de la droite. Arrivé au coin du mur, il s'immobilisa et se pencha de quelques centimètres pour apercevoir sa cible qui s'était arrêtée devant une petite Toyota et sortait les clés de sa poche.

Bon Dieu, ça leur aurait fait mal d'envoyer un type un peu plus coriace ?

Il attendit que l'homme ait déverrouillé les portes et tendu la main vers le coffre pour y ranger le sac, puis il bondit. Il atteignit sa cible avant que le type ait eu le temps de souffler, lui plaqua le canon à silencieux de son arme sur la nuque et tira.

— Combien de temps pour vous débarrasser du témoin, Levon ? En essayant d'être un peu plus précis.

L'homme s'effondra et sa tête heurta la voiture au passage. Levon remit son arme dans son holster.

— Vous voulez des précisions ?

Il saisit le sac de la victime, ouvrit la poche arrière et en tira le Ruger MKII qu'il avait utilisé pour tuer Sterling. C'était leur accord : leur remettre la vidéo et l'arme du crime, récupérer son argent en échange.

Quand on cherche le Tsar, on le trouve. En visant soigneusement, il appuya sur la détente du Ruger en tirant dans le trou qu'il avait fait avec son arme. De quoi foutre en l'air les analyses balistiques.

— Ouais. Je veux qu'elle meure.

Il essuya toutes les empreintes potentielles sur la poignée du Ruger et le laissa retomber sur le ciment. Puis il récupéra les deux sacs mais, avant de s'éloigner, il plongea la main dans sa poche et, prenant soin de recouvrir ses doigts de son mouchoir, en retira la carte de visite. Il glissa celle-ci sous le col de l'homme, tout près de l'impact de balle.

— Bien sûr que vous voulez qu'elle meure, dit-il. (*Elle*.) Ça devrait être facile.

— Ça devrait. Pour un professionnel comme vous.

Il n'aimait vraiment pas ce genre de sarcasmes.

— Oh, et vous feriez mieux de venir récupérer votre homme dans le parking, dit-il à mi-voix. Parce que si quelqu'un d'autre découvre son corps en premier, ils trouveront aussi l'arme qui a servi à tuer Sterling et votre carte de visite.

Il mit fin à la conversation, puis s'enfonça dans l'ombre pour emprunter l'escalier de l'autre côté du parking et descendre jusqu'au niveau où était garé le 4 × 4 d'occasion payé en liquide le matin même. Il déposa les deux sacs à l'intérieur de la voiture et s'y glissa à son tour pour attendre, plaqué au sol.

Moins de cinq minutes plus tard, des pneus crissèrent et le rugissement d'un moteur résonna entre les parois de béton. Les grondements d'une camionnette visiblement très pressée firent trembler la structure tout entière. Ils ne prendraient sans doute pas le temps de fouiller les lieux mais, par précaution, il resta caché pendant un long moment en ignorant les vibrations de son téléphone.

À la nuit tombée, il sortit une perruque hirsute et une fausse barbe, inséra des boules de coton à l'intérieur de ses joues pour modifier son apparence et finit par sortir du parking au volant de sa voiture. Son plan se mettait en place.

Il allait trouver un endroit qui louait de vieux magnétoscopes à l'ancienne afin de voir à quoi ressemblait sa prochaine victime. Une femme. Comme il ne le savait que trop bien, toutes les femmes avaient une faiblesse. Ne lui restait plus qu'à découvrir laquelle.

Le plus gros défi de la journée consisterait à faire sortir Sam saine et sauve de Brookline. Non, corrigea Zach en quittant sa place de parking au volant de sa Mercedes-Benz de 1968 parfaitement conservée, le plus gros défi serait d'avoir affaire à JP sans que ses poings cèdent à l'envie d'aller rendre visite à son nez. Mais Sam constituait sa préoccupation immédiate.

En sortant le tank de l'emplacement privatif pour lequel il dépensait presque la moitié de sa solde, il descendit tranquillement jusqu'à Beacon Street et scruta l'immeuble de Vivi à sa droite et le supermarché, ainsi que le coteau boisé à sa gauche.

Une fois de plus, il se demanda ce qu'il serait arrivé à Sammi s'il n'avait pas suivi son instinct – en même temps qu'il la suivait elle – jusque dans la rue. Il avait failli s'abstenir. Il avait presque laissé l'auto-apitoiement et la menace d'érection constante que causait la présence de Sam l'empêcher de la filer à l'extérieur.

S'il l'avait fait, elle serait morte à l'heure actuelle. Il n'était pas l'homme qu'il fallait pour cette mission.

Il fit brusquement demi-tour et remonta Tappan. Vivi était pleine de bonnes intentions, et c'était vraiment dommage que Sam pense qu'il n'avait aucune envie de la suivre comme son ombre jour et nuit. Comme s'il avait quelque chose de plus agréable à faire. Mais qui aurait voulu d'un garde du corps borgne dont les cicatrices prouvaient à quel point il était faillible ?

Et dans cette situation, être faillible serait fatal.

Une seule raison l'incitait à se rendre à Sudbury mais il n'allait pas en parler à Vivi, au risque de la voir se mettre dans tous ses états à cause de son entreprise au nom débile. Son seul objectif était de convaincre son cousin de faire le job à sa place. Marc Rossi était un excellent tireur, un ancien agent du FBI et, plus important encore, complètement impartial à propos de Samantha Fairchild. Il n'agirait pas de manière impulsive. Il ne commettrait pas d'erreur idiote. Et son cerveau ne se laisserait pas obnubiler par le corps qu'il était censé garder.

À moins que…

À cette pensée, un feu s'alluma en lui. Non pas qu'il soit jaloux d'un seul de ses cousins ; il n'aimait simplement pas l'idée d'un autre homme auprès de Sam.

Dans ces conditions, il ne devrait peut-être pas accepter le boulot.

Jurant à voix haute, il laissa le débat mental se poursuivre tout en faisant le tour du pâté de maisons pour vérifier les deux sorties depuis la ruelle derrière l'immeuble. Était-ce le chemin le plus sûr ou devrait-il la faire passer par l'entrée principale ?

Un homme traversa la rue, capuche sur la tête, un casque audio autour du cou, les yeux tournés vers l'immeuble. Cherchait-il Sam ? Un duo de joggeurs passa en courant, deux hommes en grande conversation, qui levèrent les yeux vers les appartements. Tentaient-ils de la localiser ? Un 4 × 4 rouge aux vitres teintées le dépassa en sens inverse, à une allure si lente qu'il aurait très bien pu être en train de fouiller le quartier.

Bon sang, comment pourrait-il faire la différence ? Il saisit son téléphone et composa le raccourci pour appeler Vivi.

— Fais-la descendre. Porte de derrière, côté Beacon Street.

Moins de cinq minutes plus tard, Sam était dans la voiture et ils filaient en direction du grand péage du Mass Pike. Elle changeait régulièrement de position sur son siège, le regard tourné vers la vitre, silencieuse. La route allait être longue si personne ne se décidait à lancer la conversation.

— Je me souviens de cette voiture, dit finalement Sam. Tu ne l'avais pas restaurée avec ton oncle ?

— Ouais. Je l'ai achetée pour deux mille dollars au lycée et mon oncle estimait que c'était peut-être la seule chose vraiment intelligente que j'aie jamais faite. Il m'a aidé à la remettre en état.

Ce qui constituait le seul et unique projet que son oncle et lui avaient mené à bien sans l'aide de JP, Marc ou Gabriel Rossi. Évidemment, des quatre garçons élevés ensemble, Zach était le seul à devoir demeurer sous l'œil vigilant de son oncle l'avocat-devenu-juge. Alors ces moments passés dans le garage avec son oncle Jim avaient pu ressembler à une prison pour ado, mais le résultat était cette magnifique 300E de vingt-cinq ans d'âge en excellent état et prête pour les *autobahns* allemandes.

— Et bien sûr ton oncle sera là aujourd'hui.

— Bien sûr. Ainsi que JP, mon cousin le plus âgé… Il est flic, ajouta-t-il après une pause.

— Oh, la situation s'améliore de minute en minute, hein ?

Sam croisa les jambes. Elle portait toujours le jean dans lequel elle était arrivée mais avait également enfilé un ample pull à torsades qui appartenait probablement à Vivi.

— JP, c'est les initiales de quoi ?

— Juste Parfait.

Comme elle riait, il ajouta :

— Tu ne me crois pas ? Demande-lui. Il te racontera. Tu l'as déjà rencontré ?

— Oui, quand j'ai rendu visite aux Rossi avec Vivi, un jour. Tu étais à l'étranger. C'était pour l'anniversaire de ton oncle.

Zach changea de file et, cinq voitures derrière, un 4 × 4 Expédition rouge sombre fit de même. S'agissait-il de celui qu'il avait vu en bas de chez Vivi ? Son estomac se noua, son attention divisée entre ce qui se trouvait devant et derrière eux.

Oh oui, la route allait être longue.

— Et il y a qui d'autre dans ta famille géante ? demanda Sam. Tu ferais mieux de me rafraîchir la mémoire.

Ce n'était techniquement pas *sa* famille mais il choisit de ne pas la reprendre.

— JP est le plus âgé, il a trente-huit ans. Puis Marc, puis Gabe, qui ne sera pas là aujourd'hui.

Dieu seul savait où était Gabe mais, quel que fût cet endroit, il était sûrement en train d'y dicter sa loi. Zach regrettait son absence : Gabe était le seul de ses cousins à qui il faisait vraiment confiance. Marc était plutôt fiable en cas de pépin ; JP n'était qu'une tête de nœud.

— Et ensuite les filles, dit Sam.

— Ouais. Au niveau de l'âge, Vivi et moi arrivons juste après, puis Nicki et Chessie, la cadette avec ses vingt-cinq ans. Plus tante Fran, oncle Jim, et bien sûr mon grand-oncle Nino, le père de Jim et le grand-père des enfants Rossi.

— Mais tout le monde l'appelle oncle Nino, si je me souviens bien ?

— Exact… Merde.

Le 4 × 4 avait gagné du terrain.

— Qu'est-ce qui se passe ? s'inquiéta Sam. (Elle se retourna pour observer la circulation derrière eux.) Quelqu'un nous suit ?

— Je m'assure seulement que ce n'est pas le cas.

Elle laissa échapper un léger soupir inquiet, du genre qu'accompagnait un frisson.

— Tu sais, Zach, je n'aime pas ça plus que toi.

— Ne t'inquiète pas, ça s'arrêtera dès cet après-midi.

— Ah bon ?

— Cette partie-là, expliqua-t-il avec un geste les désignant tous deux.

— Comment ça ?

Il avait pris sa décision pendant qu'il attendait qu'elle descende et s'y était tenu. Sam devait être mise au courant. Pas la peine de la prendre encore une fois au dépourvu. Et puis sa réaction dans la cuisine montrait clairement qu'elle ne s'opposerait pas à un changement de personnel.

— Mon cousin Marc est un ancien du FBI et un expert en matière d'armement. Depuis qu'il possède sa propre armurerie, il a deux gérants capables de prendre le relais pour lui, donc il aura du temps. J'ai décidé qu'il était taillé sur-mesure pour ce job.

Il sentit le regard brûlant de Sam sur lui mais ne se tourna pas vers elle.

— Tu as *décidé* de ça ?

— Tout à fait.

Il regarda l'Expédition se caler derrière un camion et saisit l'occasion pour pousser un peu le magnifique moteur allemand de la 300E afin de mettre l'équivalent d'une dizaine de voitures entre eux. Puis, à l'aide de son passe, il traversa le premier péage sans s'arrêter et laissa le 4 × 4 loin derrière. Pour le moment en tout cas.

— Lui aussi travaille dans une société de sécurité ?

— Celle qui n'existe que dans l'imagination de ma sœur ?

— Ce n'est pas l'impression que j'ai eue.

Il lui décocha un regard perçant.

— Tout n'est pas forcément ce qu'il paraît être, surtout quand c'est Vivi qui raconte. C'est une idée stupide.

— Non, à mon avis, c'est une bonne idée, rétorqua-t-elle. Mais le nom est stupide.

Il se mit à rire.

— On est au moins d'accord là-dessus.

— Très bien, je n'ai pas de problème avec Marc s'il veut s'en charger. Je l'ai déjà rencontré. Je me souviens qu'il était vraiment…

Elle ne trouvait pas le bon mot.

— Ouais, c'est ce que disent toutes les filles.

— Je croyais qu'il était marié ?

— « Était », répéta Zach. Et maintenant divorcé. C'est pour ça qu'il n'est plus au FBI.

— Vraiment ? Quel est le rapport ?

Zach se contenta de secouer la tête.

— C'est une longue histoire. Il te la racontera s'il en a envie mais, crois-moi, il te correspondra bien mieux.

— Je ne cherche pas quelqu'un qui me corresponde, répondit-elle doucement. Je veux seulement m'assurer de ne pas me faire tuer.

Ce putain de 4 × 4 était de retour. Zach mit la gomme et fit une queue de poisson à une autre voiture pour rejoindre la sortie.

— Qu'est-ce que tu fais ? demanda Sam, les doigts crispés sur l'accoudoir.

— Mon boulot. On va prendre des petites routes.

Il sema complètement l'Expédition, descendit jusqu'à la route 9 puis traversa les villes de Newton et de Wellesley.

Comme ils s'enfonçaient au cœur de la banlieue de Boston, Zach se détendit et Sam parut faire de même.

Ou peut-être était-elle tellement soulagée à l'idée qu'il ne serait pas son garde du corps qu'elle paraissait un peu plus à l'aise.

— Tu ne te rappelles sans doute pas qu'un jour je t'ai accompagné dans ta maison de Sudbury, dit-elle.

Tu parles...

— J'ai perdu mon œil, pas ma mémoire, Sam. Bien sûr que je m'en souviens. Oncle Nino était tout seul à la maison et il t'a fait cueillir du basilic dans son jardin d'herbes aromatiques pour l'aider à préparer son pesto génois.

— J'ai refait la recette un paquet de fois depuis. Il était très gentil avec moi.

— Et vieux comme le monde à présent. Plus de quatre-vingts ans. Il sera content de te revoir.

Et merde, pourquoi venait-il d'avouer ça ?

— J'imagine qu'ils vont se demander ce que je fais là. Y compris ton cousin le flic.

— Ils penseront qu'on sort ensemble. Sauf Marc, parce que je vais lui expliquer.

— Qu'on sort ensemble ?

— T'as une meilleure idée ?

— Tu veux mentir ?

— Tu veux que tous ces gens te posent des questions sur le meurtre de Joshua Sterling puis qu'ils racontent au passage à un ami qu'ils ont rencontré le témoin, la femme dont seul le meurtrier sait qu'elle était sur les lieux ? Laisse-les croire ce qu'ils voudront et je réglerai les détails avec Marc. Il pourrait même réussir à te dégoter une planque par le biais du FBI.

Elle poussa un nouveau soupir.

— Combien de temps vais-je devoir vivre comme ça ?

En entendant l'inquiétude dans sa voix, Zach eut envie de tendre la main pour la réconforter. Il resserra les doigts sur le volant.

— Jusqu'à ce qu'ils attrapent ce salopard. Tu disais que tu allais participer à des séances d'identification. Peut-être que tu le verras et là, *boum !*, tout sera fini.

— J'aimerais que ce soit aussi simple, répondit-elle.

Zach ralentit pour s'arrêter devant un manoir colonial bleu, perché sur une colline surplombant un lac d'un bon kilomètre et demi de large.

Instantanément, ses tripes se contractèrent autant que ses doigts.

— Bienvenue à la maison.

— J'avais oublié comme c'était beau par ici, commenta Sam. Tellement d'espace. Et un super jardin pour une famille.

Zach voyait rarement la demeure des Rossi comme un bel endroit. Enfant, il n'y avait vu qu'un lieu où habiter, loin, très loin de ce qu'il considérait comme sa vraie maison. C'était *leur* maison, pas la sienne. Devenu adulte, il avait toujours l'impression de ne pas vraiment y être à sa place.

En sortant de sa voiture, il aperçut la Ford F150 de JP, aussi grosse que son ego, et la Corvette argentée de Marc. Avait-il vraiment envie que Sam se promène avec Marc dans cette grosse bouse *made in USA* ? Sa Mercedes était plus puissante et bien plus sûre.

— Tout le monde est déjà là ? demanda Sam en suivant son regard.

— Tout le monde sauf...

Le hurlement d'un moteur qui réclamait sa vidange perça le silence de Sudbury, arrachant un hoquet de surprise à Sam tandis qu'un éclair couleur cerise et chrome déboulait dans l'allée.

— Chessie, qui n'a jamais rencontré de limitation de vitesse qu'elle ne puisse exploser ou d'ordinateur qu'elle ne puisse pirater.

Zach escorta Sam jusqu'à la porte d'entrée en sachant qui viendrait leur ouvrir et ce qu'il lui dirait. En fait, la question était plutôt : qu'est-ce qu'oncle Nino dirait à Sam ? Zach allait-il regretter son honnêteté vis-à-vis de son grand-oncle ?

Il leva la main pour saisir le heurtoir en cuivre orné d'un R stylisé.

— Tu frappes à la porte de ta propre maison ? s'étonna Sam.

— Je n'habite plus ici.

La porte rouge vernie s'ouvrit. Sur le seuil se tenait la silhouette courtaude de Nino. Son torse épais dépassait d'un tablier blanc qui s'accordait avec ses cheveux blancs et rares. Il arborait un sourire plus large que son visage et des yeux noirs hilares.

Il tendit les bras et les attira tous les deux vers lui. Sa poigne était forte et solide, l'embrassade ferme.

— *Zaccaria,* chuchota-t-il en prononçant le nom exactement comme Zach l'avait entendu durant les dix premières années de sa vie, un nom aux sonorités trop féminines pour les Américains mais parfaitement naturel à ses oreilles.

Il avait été Zaccaria longtemps avant d'être Zach. Bien avant de devenir orphelin et d'être expédié vers les États-Unis avec sa sœur.

— *Benvenuto a casa,* dit Nino.

Toujours, toujours, bienvenue *chez toi*. Nino avait tellement œuvré pour que cet endroit devienne le nouveau foyer de Zach.

— *Grazie, pro zio.*

Il fit un pas en arrière tandis que Nino saisissait le visage de Sam entre ses grandes mains, lui refusant le droit de regarder quelqu'un ou quelque chose d'autre que lui. De toute évidence, il n'était pas nécessaire de lui rappeler qui elle était. Nino scruta le minois de la jeune femme comme s'il en mémorisait chaque courbe et chaque angle.

— Samantha, souffla-t-il dans ce qui ressemblait à un long soupir de soulagement.

Nino releva les yeux et posa ses doigts noueux pile sur la cicatrice de Zach, puis resta immobile quelques instants, une main en contact avec Zach, l'autre touchant Samantha, comme s'il les unissait.

— Je t'avais dit qu'elle reviendrait, dit oncle Nino à Zach. C'est pas vrai ?

— Tu me l'avais dit.

Zach sentit Sam se raidir à ses côtés et se mit à rire.

— Il veut seulement que tu refasses ce fameux pesto, Sam.

— Bon Dieu, ça y est, les poules mutantes sont parmi nous !

Cette voix sonore et grossière ne pouvait appartenir qu'à une seule personne. Avant même que Zach ait franchi le seuil, JP commençait son numéro.

— JP Rossi !

La voix de tante Fran portait loin, même dans un murmure.

— M'man, je viens d'entendre Zach rire. Ce qui signifie que les poules ont désormais des dents.

Zach serra le poing mais Nino fit glisser sa main de sa joue jusqu'à son épaule, qu'il serra gentiment.

— Entrez prendre un verre de vin.

Le vin n'y changerait rien. L'envie de flanquer un coup-de-poing dans le nez de JP était une sensation si familière qu'elle en devenait automatique, comme le fait de respirer. La dernière fois que le poing de Zach avait rencontré la mâchoire de ce petit malin, c'était dix-huit ans plus tôt, à l'occasion du treizième anniversaire de Zach. La satisfaction qu'il en avait retirée avait largement valu la punition d'une semaine qu'il avait récoltée.

Dans l'entrée, Sam s'arrêta pour admirer l'enchevêtrement de portraits et de photos de famille qui s'élevait le long de l'escalier. Zach, lui, leur accorda à peine un coup d'œil.

Évidemment, il apparaissait à de nombreuses reprises sur le mur familial. Sa photo, et celle de Vivi, s'alignait à côté des autres à l'occasion de Noël ou des vacances en famille. Vivi s'était immédiatement fondue au sein de la famille, sans laisser la raison de leur arrivée affecter leurs relations.

Contrairement à Zach, qui n'avait jamais oublié.

— Eh bien, mais qui avons-nous là ?

Le ton de JP avait quelque chose de mielleux, enrobé comme toujours dans un accent de Boston à la Kennedy. Zach resta en arrière dans le hall, pas encore tout à fait prêt pour la confrontation. Il laissa Nino guider Sam vers le salon adjacent à la cuisine taille XL, les deux formant une vaste salle qui avait toujours constitué le cœur de la maison.

— Voici Samantha Fairchild, annonça oncle Nino. L'amie de Zach.

— Bonjour Samantha.

Pourquoi fallait-il toujours que ce connard soit là pour gâcher ce qui aurait pu être une façon plutôt agréable de passer la journée ?

— Tu n'es pas l'amie de Vivi ? ajouta JP.

Un connard doté d'une excellente mémoire.

— J'ai habité dans le même immeuble qu'elle, répondit évasivement Sam. Et je suis déjà venue ici pour l'anniversaire de ton père.

— Mais ça, c'était il y a un moment. Je t'ai vue depuis, j'en suis sûr.

Zach s'approcha dans le dos de Sam et vint se placer sur sa droite.

— Ne la mets pas sur la sellette, JP. Elle vient à peine de passer la porte.

— Pas de sellette ici. J'essaie juste de démêler la chronologie, répondit JP avec un sourire à l'intention de Sam. J'imagine que c'est l'inspecteur de police en moi qui parle.

— Tu l'as vue avec moi, dit Zach. Juste avant ma dernière période de service, Sam et moi sommes sortis ensemble.

— C'est ça. Tu es la fille de l'agence de pub.

— En fait, je suis…

— Sur le point d'intégrer la fac de droit de Harvard, termina Zach. Tu en as peut-être entendu parler, JP ? (Puis il fit pivoter Sam en direction de la cuisine, à l'écart de son cousin.) Viens, Sammi. Ça sent meilleur par là.

— Oh, effectivement !

Sam inspira avec lenteur en savourant les odeurs, son bras fermement passé autour de la taille de Zach.

Cela faisait partie de la mascarade, bien sûr, mais ça ne le gênait pas. Cela faisait très, très longtemps qu'une femme ne l'avait pas touché ainsi.

Très longtemps depuis que *cette* femme l'avait touché ainsi.

— Quel délicieux parfum, monsieur Rossi, dit-elle.

— Oncle Nino, la corrigea le vieil homme.

— J'arrive, Zach !

Une voix de femme s'éleva depuis la salle à manger, suivie par le tintement de couverts en argent déposés à la va-vite sur de la porcelaine.

— Tante Fran, souffla Zach. Étreinte en vue.

Un instant plus tard, Fran apparut sur le seuil de la pièce, ses bras dodus grands ouverts.

— Il y a eu tellement de dimanches sans toi !

Combien ? Seule Fran le savait, mais les proportions étaient connues : deux tiers de culpabilité pour un tiers d'amour.

— Salut, tante Fran. J'ai amené une amie pour me rattraper.

Fran fit un pas en arrière et se tourna vers Sam.

— Oh, je me souviens de toi !

— Sam Fairchild, annonça Sam en laissant Fran la serrer dans ses bras. C'est un plaisir de revenir ici.

JP se glissa dehors par la baie vitrée et Zach se détendit un peu.

— Où est Marc ? demanda-t-il en s'appuyant sur le revêtement de granite qui surplombait le bar de la cuisine.

— Parti pêcher sur le lac avec ton oncle Jim, expliqua Fran. Sam, tu veux quelque chose à boire ? Du thé, un soda ? Un peu du vin d'oncle Nino ?

Au même moment, une voix féminine stridente résonna depuis l'extérieur.

— Non, JP, ne t'avise pas de lui dire ! Tu n'as pas besoin de te comporter comme un satané flic à longueur de temps. Arrête !

Zach et Nino échangèrent un regard et le vieil homme leva les yeux au ciel.

— Effectivement, maugréa Zach. Il cherche vraiment les ennuis aujourd'hui.

La plus jeune des Rossi pénétra en trombe dans la pièce. Elle avait les mains plaquées sur ses hanches plantureuses et sa crinière de cheveux noirs lui retombait sur les épaules. La colère brillait dans ses yeux d'un bleu cristallin.

— Vous saviez que JP était un petit con ?

— Je sais, dit Zach.

Il se rapprocha de Chessie, prêt à s'interposer entre elle et JP comme il l'avait fait des milliers de fois dans sa vie.

Les doigts de tante Fran pianotèrent contre le comptoir.

— Francesca ! Ne me dis pas que les filles de cette famille vont aussi se mettre à parler comme ça ?

— Mais c'est vrai, M'man.

Elle avait craché ces mots et adressa à JP des yeux noirs lorsqu'il entra dans la pièce d'un pas tranquille, l'air encore plus fier de lui que dix minutes auparavant.

— Trois semaines. Ça fait trois semaines qu'elle a cette stupide bagnole et… Boum ! termina-t-il en écrasant son poing au creux de sa paume.

— Va te f…

D'une pression sur son bras, Zach retint l'explosion langagière de Chessie tout en décochant à JP un regard mortel.

— Lâche-la un peu.

— Merci Zach, dit Chessie.

Elle posa brièvement sa tête contre son épaule avant de traverser le salon en direction de la cuisine et de la personne qui la protégeait vraiment.

— Je ne vois pas de raison d'embêter Papa, hein Maman ? C'est juste une éraflure.

Tante Fran prit immédiatement Chessie dans ses bras.

— Je lui dirai, JP, annonça-t-elle en plantant ses yeux dans ceux de son fils aîné par-dessus l'épaule de son bébé. C'est mon travail de lui faire part des mauvaises nouvelles, pas le tien.

JP secoua la tête et sortit. Dans le dos de Zach, les discussions entre femmes s'animèrent. Le moment n'était pas plus mal choisi qu'un autre pour aller trouver Marc et opérer la transition.

— Je reviens, dit-il à Sam.

— Attends-moi ! l'interpella Nino en posant une cuillère en bois pour récupérer un verre de vin rouge. Je vais marcher avec toi.

Zach se tourna vers Sam.

— Ça va aller, prononça-t-elle silencieusement. Va voir Marc.

En d'autres termes, elle avait hâte de se retrouver sous l'aile d'un nouveau protecteur. Au moins étaient-ils tout les deux d'accord pour dire que c'était une bonne idée. Non pas qu'il se soit attendu à la voir insister pour le garder *lui* comme garde du corps. Il était évident que sa présence lui répugnait.

Pendant qu'il attendait Nino, il vit Fran et Chessie se rassembler auprès de Sam en l'enveloppant de chaleur, de générosité et de bruit, à la manière typique des Rossi. Sam rit à ce que lui disait tante Fran, et Chessie s'installa sur le tabouret de bar le plus proche, prête à se lancer dans une discussion de filles.

Il sentit quelque chose s'animer en lui en regardant Sam dans la cuisine familiale, calme malgré le chaos qui l'entourait. Elle y était à sa place, constata-t-il avec une pointe de surprise. Plus que lui ne l'avait jamais été, ironiquement.

Nino le rejoignit, son pull bleu tricoté main déjà constellé de sauce rouge.

— *Grazie, ragazzino*, souffla-t-il comme Zach lui tenait la porte.

Personne chez les Rossi ne parlait un mot d'italien ; ils étaient aussi américains que leurs voisins, les Anderson d'un côté et les Thomson de l'autre. Mais oncle Nino connaissait de nombreux mots et phrases qu'il n'employait qu'avec Zach, en espérant que le jeune homme n'oublierait pas sa langue natale. Même s'il ne s'agissait que de *ragazzino*, surnom destiné à un jeune garçon.

Zach avait oublié l'italien malgré tout. Il était comme un étranger dans ce pays mais avait perdu tous ses liens avec celui dont il venait, le laissant coincé dans un no man's land entre deux patries.

Zach emboîta le pas au vieil homme pour descendre les marches du patio. Et ce pas était plus lent que lors de sa précédente visite. Le cœur de Zach se serra.

— Comment tu te sens ? demanda Nino en fixant la cicatrice de Zach.

Pas du genre à tourner autour du pot, le vieux. Il allait droit au but, toujours.

— Bien.

— Ça brûle encore ?

Zach se frotta la joue.

— Toujours, Nino. Comme un tisonnier plongé dans le feu.

— Rien qui te soulage ?

— Certaines choses l'apaisent.

La joue et les cheveux de Sam. La peau de Sam. La paume de Sam. Alors pourquoi la douleur semblait-elle avoir empiré depuis l'arrivée de la jeune femme ?

— Qu'est-ce qui te tracasse ? préféra demander Zach, qui détestait parler de sa blessure.

— Où est JP ? voulut savoir Nino.

— Sans doute en train de prendre des photos de la voiture abîmée de Chessie pour pouvoir la faire chanter.

Nino lâcha un petit rire.

— Il est juste agacé parce que tu as une jolie petite amie et pas lui.

— Ce n'est pas ma petite amie.

Hors de question de mentir à Nino, mais lui dire la vérité n'était pas envisageable non plus.

— Mais tu as réussi à la récupérer, dit le vieil homme avec un sourire entendu. Je ne sais pas ce qui me fait le plus plaisir. Te voir de nouveau avec elle ou savoir que tu m'as vraiment écouté et que tu as suivi mon conseil.

— Ne t'emballe pas trop vite. Je n'ai pas suivi ton conseil et je ne l'ai pas récupérée. (Il posa une main sur le bras de Nino, à la peau tachetée par les années.) Sam s'est retrouvée sur mon chemin, mais elle s'apprête à le quitter d'ici peu.

— Mais elle te pardonne, n'est-ce pas ?

— J'en doute.

Nino fronça les sourcils.

— Si tu penses que cette petite égratignure sur ton visage va la faire fuir, je vais te faire la même de l'autre côté.

— C'est bien plus compliqué que ça.

Son oncle se retourna pour saisir le visage de Zach entre ses doigts épais.

— Combien de fois je vais devoir te le répéter ? Si elle t'aime, elle ne verra pas tes petits défauts.

— Il n'y a pas d'amour là-dedans, répondit Zach. Et qualifier de « petit défaut » une cicatrice de chair boursouflée à l'endroit où il y avait autrefois un œil, c'est comme...

Il secoua la tête pour se libérer de la prise de son oncle, sans parvenir à trouver une bonne analogie.

— Laisse tomber, Nino.

— C'est tout ce que c'est, insista Nino. Un défaut. Et alors ? J'ai de grandes oreilles et des mains grandes comme des assiettes. Tu penses que ça empêchait ta grand-tante Monica de me sauter dessus ? Et cette femme, crois-moi, elle sautait comme pas deux.

— Je pense que les extrémités de grande taille sont généralement des atouts, répondit Zach.

Le jeune homme perdait patience. Il aurait voulu voir Marc seul à seul, mais celui-ci était en pleine conversation avec oncle Jim.

— C'est de ça que tu voulais me parler ?

— Entre autres. Qu'est-ce que je t'ai dit quand tu es rentré de cette guerre ?

Avec Nino, c'était toujours « cette guerre ».

— Qu'est-ce que je t'ai dit avant que tu partes ? rajouta le vieil homme.

— Je ne m'en souviens pas, mentit Zach. Tu m'as saoulé avec ton vin artisanal et j'ai dit des choses que je ne pensais pas.

— Ahh ! s'exclama Nino en agitant la main pour signifier son dédain tout italien. Tu as dit la vérité, nous le savons tous les deux.

— Allez, Nino. J'étais ivre, sur le point d'être déployé et complètement sous le charme de la fille la plus sexy que j'aie jamais rencontrée. Ne prends pas trop au sérieux ce que j'ai dit ce soir-là. Tout a changé en Irak.

Pourquoi s'était-il confessé ainsi auprès de son oncle cette nuit-là ? Il n'était pas amoureux de Sam. Ça avait été… délicieux, sexuellement très satisfaisant. C'était tout. Elle le savait et lui aussi. Nino vivait au pays des Bisounours s'il pensait qu'il s'agissait d'autre chose.

— Oh, c'est plus que ça, avança Nino, confirmant les soupçons de Zach. Je le vois à la manière dont elle te regarde.

— Alors ta vue est encore plus mauvaise que la mienne.

Il hésita un bref instant, secoué par la peine qu'il ressentait à l'idée de mentir à cet homme. Il aurait confié sa vie à Nino, et celle de Sam. Mais il ne lui avait pas moins promis que personne dans sa famille ne serait au courant.

— C'est temporaire, dit-il.

— D'où ça vient, chez toi, cette tendance à reculer ? demanda Nino d'une voix étonnamment forte, le visage rougi par l'émotion. Quand on aime une femme, on le lui dit. Mais non, pas Zaccaria. Lui, quand il aime une femme, il l'ignore. (Il avala un peu de son vin, le regard maussade derrière ses lunettes aux montures épaisses.) Et maintenant qu'elle te donne une deuxième chance, toi tu t'apitoies sur ton sort comme un gros lâche.

Zach n'était pas assez bête pour chercher à argumenter.

— Qu'est-ce que tu voulais me dire d'autre, Nino ?

Ils étaient toujours hors de portée d'oreille d'oncle Jim et de Marc, mais Nino baissa quand même le ton.

— C'est à propos de Gabriel.

— Tu as eu de ses nouvelles ?

— Il pourrait revenir au pays, bientôt.

Comme Zach, Gabe confiait à oncle Nino des informations qu'il n'aurait donné à personne d'autre.

— Nonnn. C'est génial. Quand ? demanda Zach, enthousiaste à l'idée de revoir son cousin préféré.

— Tu connais Gabriel. Tout est dans les gris, ni noir, ni blanc. Mais il n'est toujours pas en mesure de remonter à l'air libre, si tu vois ce que je veux dire.

Cela signifiait que Gabe était toujours dans l'ombre, qu'il travaillait encore pour une division très discrète de la CIA, comme c'était le cas depuis que Zach avait rejoint l'armée à peu près. En septembre 2001, ils avaient tous les deux réagi à leur manière face aux événements qui avaient secoué le monde. Zach avait plaqué l'université pour s'enrôler dans l'armée ; Gabe avait quitté un emploi au bas de l'échelle au sein du Département d'État pour une carrière d'espion.

— Alors même une fois sur le territoire américain, personne ne pourra le voir ou savoir ce qu'il fait ?

— Exactement, confirma Nino. Donc il ne pourra pas rentrer à la maison et il va lui falloir un endroit tranquille où habiter. (Il mit la main dans sa poche et en sortit une clé.) Il m'a demandé de lui rendre service et de lui louer quelque chose de sûr et de propre.

C'est-à-dire approuvé par la CIA.

— C'est à Jamaica Plain, dit Nino. Et puisque vous êtes très proches tous les deux et qu'il te fait confiance, je me suis dit que tu pourrais peut-être aller sur place et, bon, passer un petit coup de balai.

En d'autres termes, chercher d'éventuels mouchards.

— Et puis tu pourrais t'installer là-bas, plutôt que de dormir par terre dans le bureau de ta sœur.

Les conditions de vie précaires de Zach désolaient Nino, mais ce n'était pas l'idée d'améliorer le confort de ses nuits qui fit soudain sourire Zach.

— C'est complètement sécurisé ?

— Gabe a dû demander à ses supérieurs de faire les opérations habituelles. L'adresse ne s'affiche sur aucun GPS et les propriétaires n'existent pas vraiment, tu vois où je veux en venir.

Nino ne s'en rendait pas compte, mais il était en train de proposer une cachette parfaite pour Sam.

— Et personne ne dira rien si je dors là-bas… ou si quelqu'un me rend visite ?

— Des visites ? À ta place, je serais prudent avec ça. Mais je ne te donnerais pas cette clé si je pensais que c'était un problème, Zaccaria, dit-il en joignant le geste à la parole. Et si ton amie Sam est vraiment digne de confiance et que tu ne lui donnes pas trop de détails, alors tu peux avoir de la compagnie.

— Et Marc ?

Il faudrait qu'il sache pourquoi Zach disposait de cette maison sécurisée.

— Seulement toi, Zaccaria.

Raison supplémentaire pour ne pas donner le job à Marc.

— Hé !

Le cri, presque un aboiement, provenait des bois, si sec que Zach pivota instantanément sur lui-même, poings serrés, corps tendu pour parer à l'attaque.

JP émergea des arbres, un téléphone portable collé à l'oreille.

— Qu'est-ce qui se passe encore ? maugréa Zach.

Il baissa les poings, sans que disparaisse l'envie de s'en servir pour autant. JP progressait vers eux d'une démarche assurée, l'air décidé.

— Tu n'aurais pas oublié de nous dire quelque chose à propos de ta petite amie ? Hein, c'est possible ? demanda-t-il.

JP s'arrêta et referma brusquement son téléphone avant de le remettre dans sa poche.

— Parce que je viens de parler à l'un de mes amis de la police de Boston, poursuivit-il. Tu ne devineras jamais ce qu'il m'a dit.

— Tu es allé vérifier ses antécédents ? s'étonna Nino.

JP dévisagea Zach, l'air sévère.

— Il faut qu'on parle, mon vieux.

Au lieu de lui décocher une droite, Zach glissa la main dans sa poche pour y laisser tomber la clé.

— Tout ce que tu vas me dire, je le sais déjà.

— Pas tout.

8

Taylor Sly avait de l'argent, beaucoup d'argent. Vivi jeta un coup d'œil à l'enseigne ostentatoire aux lettres d'or suspendue à l'extérieur du nouveau monstre en briques bâti sur Dartmouth Street. Elle se demandait quel genre de femmes pouvait fréquenter un club de remise en forme privé comme Equinox. Aucune de ses copines, en tout cas, c'était certain.

Au sommet des marches, elle fut accueillie par une réceptionniste à la crinière blonde et aux épaules osseuses assise derrière un bureau translucide en acrylique qui, étrangement, donnait un effet potelé à son corps parfait. Certainement un crime chez Equinox, où la santé était considérée comme un état d'esprit, pas une façon de vivre. C'était écrit sur la porte, du moins. En tout cas, la carte de membre n'était pas donnée.

— Bienvenue chez Equinox, dit-elle.

Puis son sourire aux dents parfaitement blanches vacilla comme elle détaillait Vivi des pieds à la tête. La réceptionniste retroussa presque les lèvres en découvrant les Vans en damier noir et blanc aux pieds de Vivi.

— Que puis-je faire pour vous ?

— J'ai rendez-vous avec Jagger Musenda.

La femme ne répondit pas mais effleura un écran plat devant elle, puis porta la main à un casque si petit que Vivi ne l'avait pas vu sous son épaisse chevelure.

— Jagger, votre rendez-vous de midi est là. (Elle fit un signe de tête à Vivi :) Asseyez-vous.

— Je peux regarder ? demanda Vivi en inclinant le menton en direction des portes de verre menant à la salle de sport.

— Jagger sera là dans quelques minutes. Il vous fera visiter.

La séance d'entraînement privée de Taylor Sly prendrait fin à midi. Après quoi, si elle était du genre à suivre une routine bien établie, comme les recherches rapides de Vivi le suggéraient, elle se doucherait, se sécherait les cheveux, appliquerait son maquillage et serait prête à partir à peu près au même moment que Vivi. Si celle-ci gérait parfaitement le timing de sa visite et de son entretien prétexte avec le coach sportif, les deux femmes quitteraient les lieux à la même heure et seraient présentées de manière informelle par le coach. De quoi offrir à Vivi une occasion de s'entretenir avec la très insaisissable et injoignable Taylor Sly, la femme que le serveur obsédé avait évoquée la veille.

Taylor dînait *Chez Paupiette* la nuit du meurtre. Vivi en avait eu la confirmation par Sam, même si elle s'était gardée de mentionner qu'elle allait retrouver la piste de la femme en question.

Pour ce qu'elle avait pu en juger d'après les articles publiés, Taylor n'avait parlé à aucun journaliste. Les dossiers disponibles auprès de la police – franchement limités – montraient qu'elle avait eu deux entretiens séparés avec les enquêteurs durant la semaine écoulée, soit à peu près autant que les autres clients et employés du restaurant ce soir-là.

Propriétaire d'une prestigieuse agence de mannequins et ancien top-modèle elle-même, Taylor n'accorderait sans doute pas d'interview à un site web d'investigation. Vivi avait donc décidé de se montrer créative, une approche dont elle espérait bien faire la marque de fabrique des Gardiens Angelino.

Les pensées tournées vers son entreprise, elle se rapprocha de la fenêtre pour observer les allées et venues des passants dans le quartier ancien de Back Bay en ce dimanche après-midi. Voir ses idées passer du concept à la réalisation l'emplissait d'excitation.

Les Gardiens Angelino n'avaient besoin que d'une belle réussite pour se lancer. Et ils avaient désormais une cliente en mal de protection et un crime en mal de résolution. Si Zach et elle s'y prenaient bien, l'entreprise avait une chance. Tous les rêves devaient bien commencer quelque part, non ?

Les infos qu'elle pourrait tirer de Taylor – si elle en obtenait – n'iraient donc pas alimenter une citation anonyme de plus pour *Boston Bullet*. Non, elles seraient consignées dans le dossier numéro un des Gardiens Angelino.

Une voix d'homme la tira de sa réflexion.

— Viviana Angelino ? Je suis Jagger Musenda.

Elle avait une image mentale floue du genre d'individu pouvant porter un nom aussi inhabituel, mais peu importe ce qu'elle avait pu imaginer, elle était très loin de la réalité : grand, black et sublime.

— J'imagine que c'est une agence d'acteurs qui vous envoie, dit-elle en s'avançant, main tendue.

Il la serra entre ses doigts immenses et sourit.

— Vous semblez déjà être quelqu'un de sportif, Viviana, dit-il en lui tenant la porte en verre. Quoique nous recommandions plutôt les tennis que les chaussures de skate.

— Appelez-moi Vivi et, oui, je fais du sport. Mais j'envisage juste de changer. (C'est-à-dire lâcher les cours gratuits de l'asso de quartier et son prof de soixante balais.) J'avais envie de voir à quoi ressemblait cet établissement et de discuter avec un coach. Ou avec certains de vos clients.

Taylor Sly, par exemple.

— Aucun problème. Commençons par la salle d'entraînement personnelle, puis nous verrons les poids, le centre vélo et Pilates, les salles de yoga, le café avec zone WiFi et, bien sûr, le centre de remise en forme privé.

Il lui jeta un petit coup d'œil.

— Votre club actuel propose des soins ?

— Pas exactement.

Il se lança dans son argumentaire, en lui posant suffisamment de questions pour l'obliger à lui prêter attention. Vivi parvint quand même à scruter les rangées de tapis roulants et de vélos elliptiques à la recherche de sa cible. Taylor Sly n'était visible nulle part.

— Vous savez peut-être qu'il existe quatre types d'entraînement distincts, dit-il en la guidant vers un miroir.

Elle avait l'air minuscule à côté de lui, magnifique spécimen d'humanité depuis son crâne rasé parfaitement formé jusqu'à ses chaussures taille 48.

— Celui que vous suivez, dit-elle. C'est celui-là que je veux faire, déclara-t-elle en croisant son regard dans le miroir.

Il sourit.

— Je les pratique tous, y compris quatorze heures de danse moderne par semaine. Vous êtes sûre de vouloir aller jusque-là ?

Elle se tourna vers lui, fascinée.

— J'ai fait de la danse classique mais je me suis vraiment fait chier.

— Ça ne m'étonne pas. Je suis aussi ceinture noire de kung-fu Shaolin. Ça, ça vous plairait.

Elle laissa échapper un petit sifflement appréciateur.

— Waouh. Je suis impressionnée.

Impressionnée au point de s'être laissée distraire de son objectif, se rappela-t-elle.

— Alors, parlez-moi de vos clients. Qui est-ce que vous coachez aujourd'hui ? Le dimanche doit être une journée tranquille, non ?

— J'ai quelques clients qui insistent pour venir le dimanche et, franchement, vu nos tarifs, ils sont les bienvenus n'importe quel jour de la semaine.

D'un geste doux mais autoritaire, il posa sa main sur l'épaule de Vivi et, d'une simple pression du pouce, la força à se tourner.

— Comme je vous le disais…

La porte de la salle d'entraînement s'ouvrit derrière eux mais le miroir ne permit pas à Vivi de voir de qui il s'agissait.

— Hé, Jagger, je n'aurais pas laissé mes gants de muscu ici ? demanda une femme.

— Je ne les ai pas vus, madame Sly.

Bingo. Vivi s'écarta du miroir pour regarder la nouvelle venue.

— Oh, heu. Bonjour.

La femme, qui s'éloignait déjà du seuil, hésita. La visière de sa casquette de base-ball était si inclinée que Vivi ne vit rien d'autre que de grandes lunettes de soleil opaques, de hautes pommettes et une large bouche brillante de gloss.

— Bonjour.

Merde, elle était sur le départ.

— Vous êtes une cliente de Jagger ? demanda Vivi en s'avançant vers la porte. J'adorerais pouvoir parler du programme avec vous.

Taylor Sly pointa un ongle soigneusement manucuré vers Jagger.

— C'est le meilleur, et c'est tout ce que vous avez besoin de savoir si vous cherchez un coach.

Vivi se rapprocha un peu plus.

— Ça fait combien de temps que vous travaillez avec lui ? demanda-t-elle en ajoutant son sourire le plus amical. J'avais vraiment envie de discuter avec certains de ses clients au long cours pour avoir de vraies références. Je peux vous parler en privé une minute ?

Très lentement, Taylor abaissa ses lunettes de soleil le long de son nez, laissant apparaître des yeux bleu vert sous de longs cils noirs et des sourcils finement dessinés. Des yeux qui avaient vendu beaucoup de tubes de mascara dans les années 1970, quand Taylor Sly s'affichait dans les pages de *Glamour* et *Cosmo*. Ils laissaient voir quelques pattes d'oie à présent, mais n'en restaient pas moins spectaculaires.

— Le moment est mal choisi, mademoiselle...

— Angelino. Quand cela vous arrangerait-il ?

Les yeux s'étrécirent en dévisageant Vivi avec intensité.

— Pas maintenant.

Elle s'écarta et laissa la porte se refermer.

Vivi tendit immédiatement les doigts vers la poignée mais une énorme main noire se referma sur la sienne. Et ne lâcha pas.

— Elle a dit que ce n'était pas le bon moment.

Vivi se libéra de la prise de Jagger.

— Je veux vraiment discuter avec l'une de vos clientes et elle est justement là.

— Je pourrai vous fournir une liste de références, dit-il en la ramenant vers le miroir. Ne dérangez pas cette dame.

Vivi enrageait intérieurement devant cette occasion manquée. Pendant que Jagger reprenait son discours sur les quatre disciplines de l'entraînement sportif, elle passa en revue les autres options dont elle disposait pour contacter Taylor Sly. Soit pratiquement aucune, du moins si elle passait par les canaux traditionnels et demandait un rendez-vous ou une entrevue.

Vivi détestait les canaux traditionnels.

Au moment où Jagger termina la visite de la salle de musculation, Vivi n'avait qu'une envie : s'enfuir et retrouver sa cousine Nicki pour qu'elle la conduise à Sudbury. Dieu seul savait de quelle façon Zach était en train de torturer Sam à présent.

— Merci, Jagger, dit-elle en désignant les portes en verre du hall d'entrée. Je vais laisser tomber la visite du centre de remise en forme pour aujourd'hui. Cet endroit va être trop cher pour moi.

Il lui adressa un long regard plein de curiosité.

— Alors pourquoi êtes-vous venue ? demanda-t-il en la raccompagnant.

Cet homme lui plaisait, inutile de dire le contraire. Il était non seulement physiquement parfait mais surtout très cool, avec un sens de l'humour agréable et léger. Et surtout, elle tenait à limiter ses mensonges au strict minimum car elle croyait sincèrement que Saint Pierre les comptait, et qu'un de trop l'enverrait du mauvais côté de la barrière le moment venu.

— Je voulais parler à Taylor Sly.

Elle fut surprise de voir un sourire apparaître sur les lèvres du coach.

— Vous auriez dû le dire.

Elle le gratifia d'un sourire d'excuse.

— Désolé de vous avoir fait perdre votre temps.

Il porta la main à sa poche arrière et en tira une paire de mitaines en cuir.

— Sauf erreur de ma part, et je me trompe rarement, elle attend dans une limousine devant le Starbucks à moins d'un pâté de maisons d'ici pendant que son chauffeur va lui chercher un tchaï bio glacé. Chaque dimanche, mardi et jeudi à 12 h 40 pile. Agitez ces gants devant sa vitre et vous pourrez peut-être lui parler.

Vivi fit un pas en arrière, incapable de retenir un sourire ravi.

— Waouh. J'aime la manière dont vous fonctionnez.

— Votre look lui a plu, ça s'est vu. Vous avez peut-être une chance. Vous avez amené votre book ?

Vivi comprit ce qui se passait ; Jagger pensait qu'elle cherchait un agent en tant que mannequin. Ce qui, à vrai dire, constituait une idée géniale pour obtenir quelques minutes en compagnie de l'insaisissable Taylor Sly.

— Non, mais je veux seulement un rendez-vous. Merci beaucoup ! dit-elle en prenant les mitaines. Vous assurez !

Il lui fit un petit signe du menton en guise d'au revoir et elle sortit à la recherche de la limousine garée devant un Starbucks.

Elle était là, exactement comme il le lui avait dit, garée en double file. Vivi frappa à la vitre teintée et se pencha pour essayer de regarder à l'intérieur, pas vraiment certaine qu'il y ait bien quelqu'un dans la voiture. Personne ne répondit, donc elle agita les gants.

— Je vous ai rapporté ça, madame Sly.

Instantanément, la vitre s'abaissa et Taylor Sly se pencha vers elle. Les lunettes de soleil et la casquette avaient disparu, laissant apparaître une belle femme d'environ quarante-cinq ans.

— Merci, mademoiselle Angelino.

Elle ne tendit pas la main vers les mitaines, si bien que Vivi s'inclina vers elle.

— Vous pensez que nous pourrions discuter un peu ?

— Je pense, oui. Appelez mon assistante, Anthea, pour un rendez-vous demain.

Génial.

— Je l'appellerai, merci. Vous ne voulez pas vos gants ?

— Ce ne sont pas les miens.

Taylor se rassit, hors de vue, et la fenêtre remonta. Au même instant, la limousine se mit en branle, à quelques centimètres des orteils de Vivi. Elle remonta sur le trottoir et regarda la voiture s'éloigner pour se fondre dans la circulation... les gants toujours à la main.

Elle les fourra dans une poche de sa veste puis tourna de nouveau la tête vers la limousine. Celle-ci avait disparu au milieu des autres voitures.

Zach décrocha à peine un mot pendant le repas, si bien que Sam ressentit le besoin de participer aux discussions autour de la table, laquelle accueillait désormais Vivi et Nicki, la psychologue et avant-dernière fille des cinq enfants Rossi.

Marc et Vivi menaient l'essentiel de la conversation. Comme le reste de la famille, Marc était brun avec des yeux noirs, des traits marqués et un esprit volontaire. Sam l'avait trouvé immédiatement sympathique, bien plus que JP, l'aîné et le plus intimidant des Rossi. Dès qu'elle avait rencontré Marc, Sam s'était sentie à l'aise à l'idée qu'il puisse devenir son garde du corps, même si Zach n'en avait pas encore parlé.

Marc était amical envers elle, peut-être même un peu charmeur, ce qui semblait rendre Zach moins loquace encore. Nicki ressemblait plus à JP, préférant observer que parler, et tous semblaient déférents envers leur père et oncle Nino, ce qui, dans l'esprit de Sam, correspondait à l'image de la famille patriarcale italienne typique. Tante Fran avait bien sûr le rôle de la mère aimante, affectueuse et prompte à pardonner.

Mais quelque chose disait à Sam que cette maisonnée était animée par bien plus que les dynamiques familiales classiques ; elle n'avait simplement pas encore eu le temps de tous les jauger. JP et Zach échangeaient des regards sombres mais ne s'adressaient pas la parole. Chessie papotait et Nicki opinait du chef, oncle Jim lançait de temps à autre une remarque sarcastique et Vivi jouait le rôle de pile électrique pour l'ensemble du groupe.

Dès que le repas fut terminé, Zach replia sa serviette, remercia son oncle et repoussa sa chaise.

— Les invités sont dispensés de débarrasser, dit-il. Je te défie au billard, Sammi.

Le surnom la prit par surprise, de même que sa proposition. Il n'avait même pas encore parlé à Marc, si ? Peut-être était-ce son plan, effectuer la transition au milieu d'une partie de billard. Parce qu'il était clairement impossible de discuter de sa situation à table et elle ne l'avait pas vu s'entretenir en privé avec Marc, uniquement Nino puis Vivi quand elle était arrivée. Et à présent, Marc se trouvait dans la cuisine avec Vivi et Chessie.

Au milieu du tumulte des gens qui se levaient, débarrassaient et terminaient leur discussion, Sam suivit Zach vers une salle aménagée au sous-sol avec une grande télé, un bar et une magnifique table de billard en bois de rose. La taille et le confort des lieux suggéraient qu'il s'agissait d'un lieu de réunion aussi important que la cuisine pour les Rossi. Mais pour le moment, la famille les laissait seuls.

Sans rien dire, Zach décrocha une queue et une craie de billard.

— Je crois que tu as oublié de dire un mot à Marc, dit Sam en s'appuyant contre le mur pour l'observer.

— Je n'ai pas oublié.

— Quand est-ce que tu vas lui demander ?

Il releva la tête depuis l'autre côté de la table. La lumière de la lampe Tiffany éclairait son visage de reflets rouge et or et son bandeau sur l'œil paraissait plus menaçant que d'habitude.

— Je n'aime pas sa voiture.

Elle réprima un petit rire.

— Sérieusement ?

— Je me suis dit que j'allais lui recommander de conduire quelque chose d'un peu plus sûr.

— Quand ?

— Tu veux faire la casse ?

— Je veux une réponse. Quand ?

— Je vais casser.

Il contourna la table, positionna sa queue puis dispersa les boules, dont l'une fut empochée.

— C'était la quatorze. Je joue les rayées.

— Zach. Tu as changé d'avis, c'est ça ?

Pendant un moment, il ne répondit pas, étudiant l'agencement des boules sur la table. Mais quelque chose disait à Sam qu'il ne réfléchissait pas à son prochain coup.

— Je ne vois pas de réel bénéfice à inclure quelqu'un d'autre dans cette affaire, dit-il.

— Tu y voyais plein d'avantages avant qu'on arrive. Qu'est-ce qui a changé ?

Il se tourna vers elle.

— Tu détesterais vraiment à ce point que je décide de rester et de te protéger ?

Une part d'elle-même voulait répondre oui. Celle dont le travail consistait à protéger son cœur et à faire preuve de bon sens. Le reste de sa personne – notamment l'ensemble des hormones féminines de son corps – ne semblait rien trouver à redire à sa présence. Mieux, elles en redemandaient.

Elle se concentra sur la partie protectrice de cœur et experte en bon sens, décrocha sa propre queue sur le support mural.

— Et pour la planque ?

— J'en ai une. On s'y rendra en partant d'ici.

Sam en resta bouche bée.

— Comment tu as fait ça ?

— J'ai des contacts. (Il se pencha pour viser, prêt à rentrer la boule dix dans le coin.) Et des bons.

La voix de JP retentit au moment où Zach tirait ; il frappa trop fort, rata son coup et envoya la boule blanche dans le trou.

Avec lenteur, Zach se releva et se retourna vers son cousin qui venait d'entrer dans la salle de jeux.

— Soirée privée, JP. Au revoir.

— Des contacts avec la police, dit JP en s'adressant à Sam, ses yeux noirs plongés dans les siens. Y a pas mieux quand on escorte un témoin à travers la ville.

Sam resserra sa prise sur sa queue de billard.

— Alors tu es au courant.

— Tu ne lui as pas encore dit ? demanda JP à Zach.

— Me dire quoi ?

Le regard de Sam passait de l'un à l'autre.

— Rien que tu ne saches déjà, Sam. Crois-moi.

Mais elle ne le croyait pas et tourna son attention vers JP. Il avait quelque chose d'un ours, massif, avec un cou épais et des cheveux courts. Il n'était pas aussi beau que les autres membres de la famille, avec des traits plus rudes, plus durs. Il en imposait, mais d'une façon différente de Zach et Marc. Pendant une seconde, elle s'interrogea sur Gabe, l'absent dont on parlait à peine. Mais elle se força à revenir au moment présent.

— Et si tu me racontais, JP, histoire que je puisse décider si je sais déjà tout ou non.

— Tu veux lui dire ou c'est moi qui m'en charge ? demanda JP à Zach.

— JP pense avoir trouvé une sorte d'indication mystérieuse dans ton dossier chez les flics, Sam. (Zach tira de nouveau, oubliant visiblement que les règles du jeu voulaient que ce soit au tour de Sam.) Il prétend que quelqu'un t'a mise sur une liste secrète de témoins désignés par quelque chose qui s'appelle le Triple I.

Sam se sentit pâlir. De toute évidence, JP savait tout de la situation… et même plus.

— Le Triple I ? demanda-t-elle. Qu'est-ce que ça veut dire ?

JP inclina la tête vers Sam, dans une attitude à la fois désolée et accusatrice.

— Quand un témoin a, disons… une crédibilité discutable.

— Sa crédibilité n'a rien de discutable, lança Zach en se détournant de la table pour fusiller son cousin du regard.

— Une crédibilité *perçue* comme discutable. Il peut se retrouver sur la liste TI. Dans ce cas, on va charger le dossier de cette personne de tout ce qui pourrait l'impliquer pénalement, l'intimider ou prouver une inclination pour le mensonge quand l'affaire sera jugée.

Sam laissa ces mots rouler dans son esprit. *Impliquer, intimider, prouver une inclination pour le mensonge.* Merveilleux.

— Zach a raison, dit-elle. Je sais déjà tout ça. Pas sous la forme d'une notation formelle dans mon dossier, bien sûr, mais ça fait longtemps que j'ai conscience d'avoir des ennemis au sein de la police de Boston.

— Alors tu peux nous laisser maintenant, JP, dit Zach.

— Attends ! (Sam fit un pas vers JP.) J'ai une question pour toi. Cette intimidation dont tu parles, jusqu'où elle peut aller ? Parce que, pour être honnête, tout ce que vous m'avez donné envie de faire c'est de rendre les coups.

Zach lui décocha un coup d'œil par-dessus sa queue de billard.

— N'y pense même pas, Sam. Tu oublies qu'une voiture de patrouille t'est passée devant quelques secondes avant qu'un débile t'agresse hier soir ? Tu penses que c'était une coïncidence ?

Le cœur de Sam fit un bond à cette pensée.

— Oh. Je n'avais pas fait le lien.

— Moi si, dit Zach, dont l'attention était de nouveau tournée vers JP. Les flics de Boston ne m'ont jamais tellement impressionné. Qui ça arrange chez eux quand un témoin à charge est discrédité, hein ?

JP fronça les sourcils.

— Dans cette affaire ? Les amis des agents qui ont perdu leur job à cause des propos du témoin en question.

— Ce n'est pas mon témoignage qui m'a valu des ennemis, affirma Sam.

Elle avait vaguement conscience que Zach s'était rapproché d'elle pour préparer son prochain coup.

Elle percevait cette proximité comme un geste de solidarité et de protection.

— C'est à cause de son travail pour faire innocenter un homme accusé et incarcéré à tort que des policiers ont été virés, dit Zach. Et si cette connerie de Triple I existe ailleurs que dans ton imagination, les flics qui ont mis ça au point devraient être virés eux aussi.

— C'est le cas pour la plupart, répondit froidement JP. Et, bon Dieu, Zach, je ne fais que passer le message. C'est pas contre moi qu'il faut s'énerver. Ta cliente pourrait se prendre une balle de la part de supposés alliés.

— Ça n'arrivera pas.

Zach s'était placé devant Sam et se pencha pour aligner une autre boule.

— Parce que tu la protèges ? Sans flingue et avec un…

La queue de Zach frappa la boule blanche, projetant la boule rayée dans le trou avec un bruit sec.

— Exactement.

— Écoute-moi, Zach. Je cherche à t'aider.

— Mmm. (Ce simple grognement montrait à quel point Zach était sceptique. Il fit le tour de la table pour remettre un peu de craie.) J'ai déjà « bénéficié » de ton aide à plusieurs reprises par le passé. Non merci.

— Je connais Quentin O'Hara, dit JP.

À cette mention de l'inspecteur en charge de l'affaire Sterling, Sam se rapprocha de la table et de JP.

— Vraiment ?

— Franchement, je pense que c'est un très bon flic, poursuivit JP en se tournant vers elle. Tu as déjà eu affaire à lui ?

— Un peu, dit-elle en songeant au policier qui avait été son contact principal depuis qu'elle avait été témoin du meurtre. Il a recueilli ma déclaration le lendemain du meurtre et m'a fait venir trois fois au commissariat de South End la semaine dernière pour la relire. Il est passé plusieurs fois dans la pièce pendant que j'examinais les photos des suspects potentiels et... (Elle tenta de se remémorer le peu de temps où elle l'avait vu durant son dernier passage au commissariat.) Possible qu'il ait été là quand j'ai rencontré le dessinateur de portraits-robots, mais je me dis que c'était peut-être son partenaire, l'inspecteur Larkin. Il y avait trop de flics autour de moi pour que je sois sûre.

— Et t'es nerveuse quand t'es là-bas, ajouta JP avec bienveillance. Compréhensible. Je ne connais pas Larkin mais je connais O'Hara. Je dois admettre qu'il peut être assez chiant mais c'est un mec droit dans ses bottes. Alors, juste pour être sûr, je vais me renseigner très, très discrètement.

Pendant quelques instants, Zach ne répondit pas. Il jaugeait toujours son cousin, comme pour décider du meilleur endroit où lui décocher un coup-de-poing. Puis il hocha brièvement la tête, ce qui, aux yeux de Sam, ressemblait à une énorme concession.

— D'ici là, poursuivit JP, le doigt tendu vers Sam mais son regard toujours tourné vers Zach, emmène-la dans un endroit sûr et garde-la sous surveillance permanente. Le type qui a fait ça était un professionnel, presque tout le monde s'accorde là-dessus. Nous avons affaire à un tueur entraîné et s'il doit éliminer un témoin pour terminer le travail, il le fera. Et dans le cas de Sam, c'est encore plus simple pour lui, vu que les flics regardent ailleurs. Le danger n'en est que plus grand.

— Merci pour le conseil, répondit Zach.

Son ton était si neutre que Sam n'aurait su dire s'il était ou non sarcastique.

JP fit mine de sortir mais s'arrêta sur le seuil pour regarder Sam.

— Laisse-moi te poser une question, Sam. Est-ce que tu pourrais reconnaître le tueur durant une séance d'identification ?

C'était la question à un million de dollars.

— Je n'en suis pas sûre, avoua-t-elle. Je me suis déjà trompée par le passé.

— On fait tous des erreurs. À un moment, il faut simplement tourner la page, lui dit-il avec un petit sourire pincé. Préviens-moi si tu as besoin de quoi que ce soit. Toi aussi, Zach.

Celui-ci se contenta d'un grognement évasif alors même qu'il ratait un tir facile. Avec un haussement d'épaules, il redressa sa queue de billard et rejoignit Sam.

— Tu pourras mettre la trois dans le coin en appliquant le bon effet.

— Zach, ça ne t'inquiète pas du tout cette histoire de notation dont il a parlé ?

— Je prends tout ce que dit JP avec des pincettes géantes. (Zach posa les mains sur ses épaules et l'attira doucement vers lui.) Penche-toi en avant, dit-il.

L'ordre, murmuré à son oreille avec juste assez de force pour agiter quelques mèches de cheveux, la fit frissonner des pieds à la tête. Il l'enveloppa par-derrière, enroula ses bras autour des siens pour tenir la queue de billard avec elle et la fit se pencher jusqu'à ce que ses fesses viennent se nicher contre son bas-ventre.

— Et maintenant vise en direction de la bande. Là, tu vois ? À mi-chemin entre les deux trous. La boule blanche devrait rebondir et toucher le côté de la boule trois.

Elle n'arrivait même pas à identifier la boule trois. La mer de feutre vert en face d'elle avait pratiquement disparu sous l'effet de la tiédeur du corps de Zach pressé contre le sien.

— Zach…

— Contente-toi de tirer, Sam.

— Tu ne vas pas demander à Marc, hein ?

Elle le sentit expirer, un nouveau souffle chaud sur sa joue.

— Je ne peux pas.

Le petit accroc dans sa voix fendit le cœur de Sam.
— Tu ne peux pas ou tu ne veux pas ?
— Les deux. Je ne peux me fier à personne pour faire ce boulot aussi scrupuleusement qu'il doit l'être. Et… je ne… Je n'essayerai pas de te ou de nous tenter. Tu as ma parole.
Elle laissa échapper un petit rire.
— Et qu'est-ce que tu imagines être en train de faire là, maintenant ?
La tenter comme jamais.
— Je joue au billard.
Il ramena la queue en arrière puis frappa. C'était lui qui contrôlait réellement le coup ; Sam n'avait rien suivi.
— Il va bien falloir trouver quelque chose à faire pour passer le temps, ajouta-t-il.
La façon dont il avait prononcé ce « quelque chose » donna à Sam l'impression que ses entrailles tournoyaient en même temps que la boule blanche sur le tapis. Celle-ci heurta la bande puis projeta la bille trois dans le trou avec un petit bruit sec.
Zach n'avait pas lâché la jeune femme. Elle tenta de se redresser.
— Eh bien, nous ne ferons pas ça.
— Disputer une partie de billard ?
— Disputer un match de lutte.
Il assouplit sa prise, sans toutefois la libérer. Lorsqu'il reprit la parole, ce fut d'une voix grave, douce, intime.
— Je veux être celui qui te gardera en sécurité, Sammi. Moi. Pas Marc. Ni personne d'autre.
Elle eut l'impression que cela le peinait de l'admettre.
— Mais c'est très risqué, dit-elle en tournant son visage jusqu'à ce que leurs joues se frôlent. Ça… (*allait faire tellement mal quand ça s'arrêterait. Ne s'en rendait-il pas compte* ?) me fait peur.
Lentement, très lentement, il recula et rompit tout contact physique entre eux.

— Je savais que je te faisais peur.

Il parlait de son œil, de sa cicatrice. Elle avait quelque chose de complètement différent en tête.

— Tu m'as déjà fait souffrir une fois, Zach, chuchota-t-elle en se retournant vers lui.

— Là c'est différent.

Différent ? Les sensations n'étaient guère différentes. Elle avait les veines en feu. Son cœur battait la chamade. Sa peau était comme électrisée. Ses mains n'avaient qu'une envie, le toucher. Et sa bouche ? Elle n'attendait qu'un baiser. Ce n'était pas différent de la dernière fois où ils avaient été ensemble, sauf que cette fois, elle connaissait le prix de toute cette merveilleuse sensualité.

— Je ne sais pas si c'est une bonne idée pour nous de nous retrouver... isolés.

Faible. Toute la faiblesse qu'elle ressentait était perceptible dans sa voix.

— Alors tu préfères Marc ? demanda Zach sur un ton bourru, les sourcils froncés. Avec une vision parfaite, des talents de tireur hors pair et sans historique compliqué risquant de compliquer les choses ?

Oui, oui, mille fois oui.

— Non. (*Qu'est-ce qui me prend ?*) Je n'ai pas envie de souffrir de nouveau, c'est tout.

— Le but est justement de s'assurer qu'il ne t'arrive rien.

Faisait-il semblant ou bien n'avait-il réellement pas compris ? Sam avait été anéantie par sa disparition.

— Alors raconte-moi ce qui s'est passé, dit-elle, surprise par sa propre requête. Je dois savoir, sans quoi, je ne pourrai jamais te faire confiance.

Il porta les doigts à sa cicatrice, secoua la tête.

— Je ne peux pas. C'est confidentiel.

— Pas ta blessure. La mienne. Ici, dit-elle en touchant son cœur. Pourquoi est-ce que tu es parti et qu'ensuite... plus rien ? Pourquoi tu m'as fait ça, Zach ?

La douleur assombrit le visage du jeune homme.

— Ce n'est pas important.

— Pour moi, ça l'est, rétorqua-t-elle. Je ne peux pas aller m'enterrer dans une planque sans avoir la réponse, Zach. Il faut que je sache.

— Tu le sais déjà ; tu n'en as simplement pas conscience.

Elle ferma les yeux et vida doucement ses poumons.

— Les choses doivent être dites, Zach, et je veux l'entendre de ta bouche.

C'était le seul moyen pour elle de survivre.

Il plaqua ses mains sur le visage de Sam, ses doigts chauds et massifs contre la peau de ses joues.

— Il n'y a rien à dire. On ne peut pas se contenter d'oublier ce qui s'est passé ?

Était-il devenu fou ? Oublier ces moments ? Cette passion ? Les jours et les nuits les plus incroyables de la vie de Sam ? Les oublier ?

— Non, murmura-t-elle.

— Je t'en prie, Sam, on pourrait juste... repartir à zéro.

Il l'attira un peu plus près, ses traits torturés par l'envie réprimée qu'il avait de l'embrasser. Elle le voyait d'autant mieux qu'elle ressentait la même chose. Un désir intense, incroyablement puissant.

— Repartir à z...

Il lui coupa la parole avec un baiser ; ses lèvres recouvrirent la bouche de Sam comme un fer chauffé à blanc par la passion. Un baiser brûlant, choquant.

Elle eut un mouvement de recul.

— Comment pourrions-nous repartir à zéro ? demanda-t-elle d'une voix rendue rauque et tremblante par l'impact du baiser. Entre nous, ça ne s'est jamais terminé.

Il fit immédiatement un pas en arrière et Sam se sentit soudain glacée et endolorie.

— Si, si, dit-il. Pas proprement sans doute, mais ça s'est terminé.

— Zach, je t'en…

Il l'interrompit d'un geste de la main, clairement irrité par son propre manque de discipline.

— Écoute, je suis… Je ne le referai pas, promit-il. Je ne t'embrasserai plus, Sam. Juré.

Il quitta la pièce et la jeune femme resta les yeux rivés sur le seuil, lèvres frémissantes, à l'instar des moindres parties de son corps éveillé par le contact de Zach.

— J'espère bien, dit-elle.

Mais, au plus profond d'elle-même, elle savait que c'était un mensonge.

9

Il attendit caché dans les buissons pendant quinze minutes, en observant le couple qui regardait la chaîne Fox News dans son salon, un petit Yorkshire endormi sur le sofa près de la vieille dame. Puis Levon jeta un coup d'œil à l'appartement à l'étage et acquit la quasi-certitude qu'il était vide. Quasi.

En effet, qui attendrait là qu'un tueur se pointe pour venir accomplir son office ? Il était bien compréhensible que Mlle Samantha Fairchild ait choisi de se cacher. Ce qui laissait à Levon largement assez de temps pour faire des recherches. Car plus il en saurait sur sa victime, plus il lui deviendrait facile de faire son travail sans laisser la moindre preuve.

Et c'était pour ça qu'il était le Tsar.

Il passa en revue les différentes options dont il disposait. Tôt ou tard, ce chien aurait besoin de faire ses besoins et l'un des vieux sortirait sans doute par la porte de devant, laissant ouvert l'accès à l'immeuble. Levon serait peut-être en mesure de se faufiler à l'intérieur, de monter les marches quatre à quatre et de s'introduire dans l'appartement du dessus. Mais l'opération était un peu trop risquée à son goût.

Le plus sûr était de passer par l'arrière, décida-t-il après avoir fait le tour des lieux. Il faudrait faire un peu d'escalade mais il pourrait atteindre l'étage. Il attendit néanmoins jusqu'à ce que le chien saute au bas du divan et que l'homme se lève en maugréant.

À cet instant, il retourna en hâte vers l'arrière du bâtiment et scruta le balcon en tâchant de déterminer la meilleure façon d'y accéder.

Ce qu'il fit en très peu de temps, grimpant au-dessus de la fenêtre arrière à l'instant même où s'allumait la lumière de la salle de bains. Il dut rester suspendu quelques secondes pendant que la mamie se soulageait. Puis elle quitta la pièce et il prit le risque de faire un peu de bruit en agrippant la gouttière verticale pour se hisser jusqu'à la porte arrière de chez Samantha Fairchild.

Le verrou de sécurité n'était pas tiré : une preuve supplémentaire qu'elle n'était pas chez elle. Il crocheta la serrure en moins de trois minutes, sans laisser le moindre indice de l'usage d'autre chose qu'une clé. Puis il ouvrit prudemment la porte, au cas où il y aurait une alarme qui l'obligerait à sauter à terre et à s'enfuir.

Silence.

Il se faufila à l'intérieur et explora rapidement les lieux du regard avant de se déplacer discrètement jusqu'à la porte de devant, dont la chaîne n'était pas mise non plus. Et – oh, ça, c'était mignon – elle avait disposé une plante près de la porte de façon que, si quelqu'un ouvrait la porte et la renversait, elle retrouve de la terre éparpillée au sol.

Donc elle avait peur. Et elle était sur ses gardes. Cela rendrait les choses plus difficiles mais pas impossibles. Retrouver Mlle Fairchild avait été un jeu d'enfant ; la tuer ne serait pas très dur non plus. Dans l'idéal, il préférait ne pas le faire chez elle, mais il n'hésiterait pas malgré tout si cela s'avérait le plus opportun. Le *modus operandi* du Tsar, toutefois, consistait à faire son travail dans le lieu le plus fréquenté possible. Comme un restaurant bondé un samedi soir, où il y avait tant de suspects potentiels.

Et, de préférence, sans témoins. Malheureusement, ce témoin-ci lui avait compliqué la vie et la tâche, si bien qu'elle devait mourir. Mais il avait d'abord besoin d'informations sur elle.

Il se tint debout dans le salon et laissa ses yeux s'habituer à l'obscurité avant d'étudier la bibliothèque, toujours un bon moyen d'apprendre à connaître quelqu'un. Ses goûts allaient des polars juridiques – c'était sans doute là qu'elle avait appris le coup de la plante – à la romance. Quelques photos de famille, Papa et Maman, deux frères bien plus âgés. Pas de famille à elle.

Et, regardez-moi ça. Une étagère entière d'ouvrages autour du droit. *Survivre à la justice... Condamné à tort... Quand la justice dérape... Histoires vraies de fausses confessions*. Il devait bien y avoir vingt bouquins sur le même sujet.

Levon examina les lieux. Il ne prêta pas attention au mobilier simple et confortable et emprunta le couloir menant à la chambre à coucher. L'une des pièces tenait visiblement à la fois du bureau, de la chambre d'amis et du placard. Encore des livres sur le système judiciaire. Et sur un panneau d'affichage, bien au centre, une lettre de la faculté de droit de Harvard.

Chère Mme Fairchild... bla-bla... félicitations, vous avez été admise... bla-bla...

Quelle chance pour elle.

À côté de la lettre d'acceptation, une coupure de journal jaunie laissait voir la photo d'un Noir entouré par un homme et une femme. Levon regarda la légende. William Shawkins, libéré après dix ans en prison... son avocat Joseph Wahl... son accusatrice Samantha Fairchild.

Son *accusatrice* ?

Quelques cheveux se redressèrent sur sa nuque et un sourire fendit le visage de Levon. On n'avait donc pas affaire à une novice en matière de témoignage. De quoi éclairer la situation sous un nouvel angle.

Il examina attentivement Shawkins qui serrait Samantha dans ses bras et lui souriait. Voilà qui justifiait quelques recherches supplémentaires.

Il sortit du bureau et s'apprêtait à entrer dans la chambre quand la porte d'entrée du rez-de-chaussée s'ouvrit pour laisser entrer le chien, qui se mit à aboyer avec force.

Aucune chance que ce yorkshire l'ait senti à l'étage, donc quelqu'un devait être arrivé. Il entendit des voix, dont une féminine et bien trop jeune pour appartenir à la vieille dame.

Il referma ses doigts sur le pistolet dans sa poche, silencieux vissé, prêt à servir. Bon Dieu, il détestait faire un travail de cette façon. Aussi précautionneux soit-il, il laisserait forcément un indice. Un cheveu, une trace de pas ou autre. Il y avait tellement de meilleures manières de procéder.

Cela dit, il y avait peut-être une occasion à saisir ici, et plus vite il agirait, plus tôt il serait payé.

Il repartit vers la cuisine. Il pourrait l'attendre sur le balcon, peut-être la prendre par surprise pendant qu'elle était sous la douche. En admettant qu'elle soit seule. Évidemment, elle pouvait avoir un homme avec elle...

Alors... eh bien tant pis. Un mort de plus, ça changeait quoi ? Peut-être qu'il pourrait faire croire à un meurtre suivi d'un suicide ? Il l'avait déjà fait, lors d'un boulot à Phoenix. Ça avait très bien fonctionné.

Le chien s'était tu à présent, mais ça ne garantissait rien. Levon ouvrit la porte de derrière et se faufila sur la petite terrasse en bois avant de refermer le battant, sans bruit.

Zach avait accepté à contrecœur de passer par l'appartement de Sam pour récupérer vêtements et affaires de toilettes, à condition qu'elle porte sa perruque de Cléopâtre et promette de ne pas s'attarder.

Il avait pris le temps de passer une fois devant chez elle, puis de tourner dans les rues alentour pour emprunter un chemin compliqué avant de revenir se garer de l'autre côté de la rue, derrière la maison.

La perruque provoquait à Sam des migraines, de même que le silence relatif dans lequel Zach s'était enfermé durant tout le trajet. Ils n'avaient parlé que du strict nécessaire ; aucune discussion à propos de la famille Rossi, pas de récapitulatif des événements de la journée, rien d'intime ni de chaleureux. Ce qui constituait sans doute la véritable origine de son mal de crâne.

Elle le fit passer par l'ouverture dans la clôture et lui montra le balcon depuis lequel elle avait sauté. Il la gratifia d'un hochement de tête qui laissait entendre qu'il était impressionné mais, comme durant le voyage entre Sudbury et chez Vivi, et le temps qu'il avait passé à rassembler quelques affaires avant leur passage ici, il prononça à peine un mot.

Il semblait se méfier de ses propres paroles. Le baiser, son refus de passer le relais à Marc, l'ensemble de la journée formait comme un nuage noir et pesant au-dessus de leurs têtes.

Raison de plus pour s'inquiéter à l'idée d'être coincés dans une planque de Jamaica Plain pour Dieu sait combien de temps, songea Sam tandis qu'ils contournaient le bâtiment pour rejoindre la porte d'entrée.

Alors qu'elle pénétrait dans l'escalier menant chez elle, la porte des Brody s'ouvrit et Sam sursauta avec un petit hoquet de surprise.

Zach s'était immédiatement interposé entre elle et la porte.

— Qui êtes-vous ? demanda Mme Brody.

Dans son dos, Muscade s'était mis à japper si fort que Sam fut presque obligée de crier.

— C'est moi, madame Brody, dit-elle.

Elle se pencha vers la vieille dame et retira sa perruque. Mme Brody écarquilla de grands yeux et son regard passa plusieurs fois de Sam à Zach avant de se fixer sur la jeune femme, mais pas avant d'avoir lancé plusieurs coups d'œil inquiets à Zach.

— Qu'est-ce qui se passe ?

— Soirée costumée, expliqua rapidement Sam. Et je vais m'absenter pour quelques jours. Vous pourrez récupérer mon courrier ?

— Bien sûr.

L'attention de la vieille femme ne cessait de revenir à Zach, lequel poussait Sam vers les marches pour l'inciter à se dépêcher.

— Merci, madame Brody ! lança-t-elle par-dessus son épaule. On est un peu pressés.

— Et lui, c'est censé être qui ? Un monstre ?

Tous les muscles du corps de Zach se crispèrent et Sam perçut une hésitation dans son pas. Elle tendit le bras et lui prit la main pour le tirer derrière elle.

— Viens. Allons-y.

— Attendez, Sam, j'ai votre courrier !

Mme Brody brandissait une liasse épaisse d'enveloppes, de magazines et de catalogues. Cela faisait plusieurs jours que Sam n'était pas sortie chercher le courrier ; elle avait autre chose à l'esprit que ses factures et le nouveau catalogue de lingerie Victoria's Secret.

Elle prit néanmoins le courrier et le cala sous son bras avant de remonter l'escalier.

Arrivée au sommet des marches, elle ouvrit la porte d'une main qui ne tremblait que très légèrement.

— Si j'ouvre très, très lentement, la plante ne se renversera pas. Si elle est déjà par terre, alors...

Alors quelqu'un avait visité son appartement. Mais ce n'était pas pour cela qu'elle tremblait.

Les paroles de Mme Brody résonnaient dans la cage d'escalier déserte. *Un monstre.*

— Je vais y aller en premier, dit Zach en l'écartant légèrement du seuil.

Il n'avait pas d'arme, mais son corps était tellement tendu sous l'effet de la pression accumulée que si quelqu'un se cachait à l'intérieur, Sam avait l'impression que Zach le tuerait à mains nues.

Il ouvrit très doucement la porte, faisant glisser la plante sur le sol de bois sans renverser de terre. Au moins, personne n'était passé par là. Sam attendit néanmoins sur le seuil pendant que Zach entrait pour examiner les lieux.

— Il n'y a personne, annonça-t-il à son retour. Entre et récupère ce dont tu as besoin, rapidement.

Elle passa devant lui, balaya du regard le salon et la salle à manger puis s'arrêta pour déposer le courrier sur le comptoir de la cuisine. Elle laissa échapper un petit soupir à la vue de son modeste appartement. C'était réconfortant d'être de retour chez soi, même si elle y avait vécu dans la peur une semaine durant. Elle avait Zach avec elle à présent et se sentait en sécurité.

Cela dit, aussi plaisant que soit le fait d'être rentrée, il fallait faire vite. Elle se dirigea vers sa chambre en dressant mentalement la liste de ce qu'il lui fallait et ouvrit le placard pour récupérer un petit sac de voyage et commencer à faire ses bagages.

En moins de dix minutes, elle rangea dans le sac ses vêtements, des cosmétiques de base et son ordinateur portable. Elle était prête à partir. Zach n'était même pas venu voir ce qu'elle faisait.

Elle passa le sac à son épaule et parcourut la chambre des yeux – non sans une pointe de nostalgie pour la sensation de sécurité dont elle était désormais privée.

Quand elle ressortit dans le salon, Zach n'était plus là.

— Zach ?

Elle pivota sur elle-même et l'inquiétude l'envahit en découvrant la porte de la cuisine grande ouverte.

— Tu es là ? demanda-t-elle.

Il ne répondit pas et elle se crispa, l'oreille tendue. Elle sursauta en voyant la tête de Zach apparaître brusquement depuis l'extérieur ; il était sur le balcon.

— La porte n'était pas verrouillée.

— Impossible. J'en suis certaine, Zach. J'ai tourné le…

Mais l'avait-elle *vraiment* fait ? Bon sang, pourrait-elle faire un jour de nouveau confiance à sa mémoire pour de tels détails ? Comme un témoin prêt à jurer sous serment avoir verrouillé la porte en sortant. Bien sûr qu'elle l'avait fait. Elle avait laissé une plante près de la porte d'entrée, donc elle ne se serait pas glissée sur le balcon pour sauter à terre sans refermer la porte à clé.

À moins que…

— J'étais plutôt bouleversée et effrayée, admit-elle. J'ai peut-être oublié de la refermer.

— Ou peut-être que quelqu'un a crocheté la serrure pour entrer par là.

Nouveau coup au cœur. Elle scruta les alentours ; tout semblait exactement tel qu'elle l'avait laissé. Ne l'aurait-elle pas senti si quelqu'un s'était introduit chez elle ?

— Allons-y, dit-il en refermant la porte et en mettant le verrou. (Il passa devant elle et se dirigea vers le salon.) Tu veux ton courrier ?

— Ouais.

Elle ouvrit l'un des tiroirs où elle conservait des sacs en plastique de supermarché. Au moment où elle en prenait un, elle crut entendre un bruit sur le patio à l'arrière, assez fort pour qu'elle interrompe son geste. Elle tourna les yeux vers la porte, s'attendant presque à voir quelqu'un l'enfoncer à grands coups de pied.

— Qu'est-ce qui se passe ? demanda Zach de retour dans la cuisine.

— J'ai entendu quelque chose dehors.

Il fronça les sourcils et plissa les yeux en tendant l'oreille.

— J'y étais il y a un instant.

— Un animal, peut-être ?

Une pulsation résonnait sous son crâne à présent, au même rythme que les battements de son cœur.

— Partons d'ici, Zach, dit-elle. Ça me fait froid dans le dos.

— Laisse-moi regarder. Reste en arrière.

Il déverrouilla la porte et l'ouvrit lentement, les muscles des épaules tendus, le poing serré et sa botte placée de manière à pouvoir décocher un coup de pied rapide. Il bondit au dehors avec assez de violence pour effrayer toute personne ou tout animal se trouvant sur le balcon, puis balaya les lieux du regard. L'espace d'une seconde, il disparut à la vue de Sam pour aller examiner le coin d'où elle avait sauté. Après quoi, il revint vers elle en secouant la tête.

— Y a rien. Allons-y.

Elle acquiesça et le suivit jusqu'à la porte d'entrée. En passant par là elle renonçait à sa ruse avec la plante mais ça n'avait plus d'importance. Elle ne reviendrait plus dans l'appartement avant que toute l'affaire soit terminée.

Arrivés au bas des marches, ils passèrent sans incident devant la porte des Brody, mais le commentaire de la propriétaire continuait à peser sur le cœur de Sam tandis qu'ils contournaient la maison pour rejoindre la cour et sortir par le trou dans la clôture.

— Je voulais te dire, Zach, je suis vraiment désolée pour ma voisine.

Elle aurait voulu que la pitié ne s'entende pas dans sa voix, mais ça lui avait échappé. Elle vit Zach serrer la mâchoire.

— Je suis sûre qu'elle pensait seulement que tu étais déguisé pour une fête costumée toi aussi, ajouta-t-elle.

— Ça n'a pas d'importance, Sam. Partons et n'en parlons plus.

En entendant le ton de sa voix, Sam sentit ses épaules s'affaisser. Elle se hâta pour rester à sa hauteur.

— Tu ne crois pas que c'est comme ça que je te vois, si ?

— Franchement, je n'y pense pas, affirma-t-il en forçant l'allure. Je veux qu'on se tire d'ici rapidement. Viens.

Elle le retint par le bras.

— Zach, attends une seconde. Parle-moi.

— Pas maintenant, Sam, répondit-il en la poussant à avancer. Va jusqu'à la clôture.

— T'es impossible, maugréa-t-elle.

Elle lui passa devant pour s'approcher de la palissade.

— Tu vas te mettre à ruminer à cause d'un commentaire idiot de ma propriétaire ?

— Je ne rumine rien du tout.

Elle ralentit le pas et se tourna pour l'obliger à admettre le problème. Elle leva les bras et plaqua ses mains de chaque côté du visage de Zach sans se soucier de la tension qui s'emparait de lui.

— Tu n'es pas un monstre, dit-elle. Vraiment pas.

Il se contenta de la dévisager.

— Tu n'en es pas un ! répéta-t-elle, frustrée par son silence.

— C'est bon, t'as terminé ?

— Non.

Elle l'attira à lui et pressa ses lèvres contre les siennes, l'embrassa avec toute l'intensité de la peur et de la rage qui bouillonnaient en elle.

Il... ne réagit pas. Rien. Ni baiser, ni langue, ni le moindre geste. Rien.

Intérieurement glacée, elle recula lentement, le visage de Zach toujours entre ses mains. Elle le regarda pendant trois... quatre... cinq interminables secondes.

— Maintenant, j'ai fini, murmura-t-elle.

Mortifiée, le cœur brisé, furieuse et achevée. Finie.

— Je croyais qu'on s'était mis d'accord pour ne plus recommencer ça.

— Je voulais faire passer un message.

— Moi aussi.

Le sang de Sam ne fit qu'un tour.

— Très bien. D'accord. Allons-y.

Elle se dirigea droit vers la clôture et souleva les planches qui créaient une ouverture. Consciente qu'il n'était pas juste derrière elle, elle passa de l'autre côté et maintint le passage ouvert pour lui. Mais il était toujours dans la cour, trois mètres plus loin.

— Comme tu voudras !

Elle laissa les planches retomber puis s'engagea dans la ruelle.

— Sam, attends !

Elle ne prêta pas attention à son appel. Au même moment, un moteur rugit et des phares puissants l'aveuglèrent. Une voiture venait de s'engager dans la ruelle à quelques maisons de là.

Sam se retourna, prise dans la lumière, et se figea alors que les phares gagnaient en intensité et le moteur en volume sonore.

— Sam !

D'un bond, Zach traversa la ruelle et bondit sur elle pour la projeter hors de la trajectoire de la voiture. Il la fit rouler sur le côté et elle sentit les pavés mordre son dos.

Un cri de terreur se figea dans la gorge de Sam quand le bruit sec d'une détonation lui fendit les tympans. Un autre coup de feu retentit au passage du bolide rugissant, suivi d'un troisième avant qu'elle disparaisse à l'autre bout de la ruelle.

L'espace d'une seconde haletante, ils ne bougèrent pas. Puis Zach se releva d'un bond, la saisit par le bras et l'emporta dans son élan.

— Bouge !

La perruque s'envola et le vent siffla aux oreilles de Sam tandis qu'ils couraient entre les maisons pour rejoindre la Mercedes de Zach. Celui-ci hésita en arrivant sur la rue. Il regarda des deux côtés. Aucun signe du véhicule de couleur sombre qui avait failli les écraser ou du conducteur qui leur avait tiré dessus.

— On y va.

Il la tira en direction de sa grosse voiture beige métallisé, ouvrit la portière arrière et poussa Sam à l'intérieur.

— Allonge-toi ! ordonna-t-il avant de s'installer au volant.

— Il nous suit ?

Zach accéléra avec une telle force que le corps de Sam fut plaqué contre la banquette arrière.

— Reste à terre, Sam, et ne te lève pas avant que je te le dise.

Depuis les ombres de la cour mitoyenne, le Tsar priait comme il l'avait rarement fait auparavant. Et ses vœux furent exaucés. Les bruits de pas reprirent, un moteur de voiture s'alluma – un bon moteur allemand, à en juger par le ronronnement – et des pneus crissèrent comme le véhicule démarrait.

Il ne voyait rien depuis sa cachette mais tout lui laissait penser que les salopards avaient raté leur coup.

Ces connards essayaient de tuer son témoin pour ne pas avoir à le payer. Levon n'appréciait pas. Il n'appréciait pas du tout. Il la retrouverait bien avant eux.

Un profond sentiment de dégoût l'envahit devant l'amateurisme de leur tentative. Des coups de feu dans la ruelle, comme une bande de gangsters. Pouvait-on faire moins élégant ? Lui avait l'intention de se montrer nettement plus créatif. Et il détenait à présent un magnifique appât qu'ils étaient bien trop stupides pour utiliser.

10

Zach retourna son oreiller en y ajoutant un petit coup-de-poing puis appuya son visage balafré sur le coton frais, en quête de soulagement. Même six mois après la dernière opération chirurgicale, la sensation d'aiguilles acérées s'enfonçant dans sa chair ne disparaissait jamais vraiment.

Sauf au contact de quelque chose de frais, doux et sec.

L'oreiller lui offrit une brève seconde d'apaisement, puis les aiguilles chauffées au rouge recommencèrent à le brûler. À vrai dire, son corps tout entier était en feu. Il dormait en boxer, les draps du lit double totalement inadaptés jetés au sol et les fenêtres de la chambre du premier étage grandes ouvertes. Pourtant, sa peau était de nouveau couverte de sueur et il ne pouvait s'empêcher d'imaginer le plaisir que lui procurerait une troisième douche glacée dans la petite salle de bains de l'autre côté du couloir.

Au dehors, la nuit était silencieuse. La ville ouvrière de Jamaica Plain demeurait relativement tranquille à trois heures du matin. Quelques voitures de passage, quelques aboiements. Pas de véritable menace.

Pour l'instant.

Il s'était montré efficace pour convaincre Sam qu'ils étaient en sécurité ; il lui en avait dit juste assez à propos de son cousin Gabe pour qu'elle se convainque

que si cette maison était assez sûre pour un homme comme lui, elle l'était aussi pour eux. Il avait passé chaque centimètre des lieux au peigne fin, examiné les endroits habituels et inhabituels jusqu'à être certain que la maison était *clean*. De plus, si les collègues de Gabe avaient trouvé l'endroit pour lui, ils l'avaient sans doute vérifié de fond en comble eux aussi.

Et il était absolument persuadé que personne ne les avait suivis depuis Somerville.

Non ?

Merde. Ne pouvait-il pas cesser de douter de ses capacités ? Peut-être parce que pendant qu'il restait debout dans la cour de Sam à se comporter comme un pauvre type et à s'apitoyer sur son sort, elle s'était avancée sous le feu ennemi. Marc aurait-il laissé une telle chose se produire ?

Non.

Et pourtant, Zach s'était entêté en refusant d'abandonner un boulot qu'il ne voulait pas au départ.

Pourquoi ?

Il lâcha un juron entre ses dents puis se tourna de nouveau. Brûlure. Coton doux. Apaisement. Retour de la brûlure.

Pourquoi refusait-il de laisser Sam sous l'œil vigilant – ou plutôt *les* yeux – de quelqu'un d'autre ? Pourquoi l'avait-il quittée, d'ailleurs ? Il avait mis beaucoup d'énergie à se convaincre que c'était ce qu'il fallait faire, mais quand il plongeait son regard dans ses grands yeux bleus... il ne pouvait s'empêcher de se demander pour quelle raison il avait pris une décision aussi majeure, définitive et égoïste.

C'est en voyant son reflet dans le miroir qu'il se rappelait que c'était la chose à faire, égoïste ou non.

Il entendit du bruit à l'étage et se redressa sur un coude, l'oreille tendue. S'agissait-il d'un soupir de la jeune femme ? D'un halètement accompagnant des sanglots ?

Un souvenir le happa, terriblement précis. Il revit sa propre main ouvrir le robinet de la douche chez Sam, dans l'obscurité qui précédait l'aube. Il n'avait pas allumé la lumière pour éviter de la réveiller. Mais il entendait ses pleurs étranglés, étouffés par l'oreiller. Il savait qu'il aurait dû retourner dans la chambre, la prendre entre ses bras, lui dire...

Mais il ne pouvait pas. Au lieu de quoi il avait fait couler l'eau froide et s'était tenu sous le jet glacé jusqu'à être certain qu'elle avait cessé de pleurer. Jusqu'à ce que ses propres larmes silencieuses aient été emportées. Jusqu'à ce qu'il puisse aller s'habiller et partir pour le Koweït en prétendant ne pas l'avoir entendue.

Exactement comme il le faisait ce soir.

Il écouta de nouveau mais le calme était revenu. Il avait laissé ouverte la porte de sa chambre minuscule pour pouvoir capter le moindre bruit. Rien de difficile puisque malgré ses deux étages le logement ne devait pas faire plus de cent dix ou cent vingt mètres carrés en tout, avec deux pièces à vivre et la cuisine au rez-de-chaussée, cette chambre et une salle de bains au premier et la chambre de Sam en haut.

Toujours secouée, ayant finalement abandonné l'idée de le faire parler, elle était montée dans sa chambre dès leur arrivée et y était restée toute la soirée, jusqu'à la nuit.

Ce qui aurait dû constituer un soulagement pour Zach... mais qu'il ressentait comme une punition.

Tandis qu'il restait assis dans la salle à manger plongée dans le noir, à terminer des restes en sirotant une bière qu'il avait piquée chez Vivi, il avait entendu Sam prendre une douche. Elle était retournée dans sa chambre du deuxième étage pendant que Zach faisait une ronde et vérifiait de nouveau portes et fenêtres avant d'aller enfin se coucher. Si elle bougeait, ne serait-ce qu'en faisant les cent pas dans sa chambre, il l'entendrait ; il faut dire qu'une bonne moitié des lattes de plancher grinçaient dans cette maison vieille d'un siècle. Zach accueillait le moindre son avec joie, ne serait-ce que pour lui faire oublier le souvenir de la voix de Sam qui lui trottait dans la tête.

Tu n'es pas un monstre. Tu n'en es pas un.

Et puis ce baiser. Tellement différent de celui qu'il lui avait donné. Celui de Zach était désespéré, une supplique pour une deuxième chance qu'il ne méritait pas. Celui de Sam avait été… tendre.

Il faut dire qu'avec elle chaque baiser était différent du précédent. Il se le rappelait très bien, depuis le premier qu'ils avaient partagé. Il posa son bras en travers de son visage et se laissa emporter par le souvenir. La salle de bains chez Vivi. Cette fameuse fête. Le rire sexy de Sam, son regard qui semblait le défier de la suivre. Et, bon sang, il l'avait fait. Comme un limier sur la trace du gibier.

Il avait frappé à la porte puis poussé le panneau, comme ce matin. Elle venait d'appliquer du gloss sur sa lèvre inférieure, qui en devenait humide, luisante, plus appétissante que jamais. Cinq secondes plus tard, le rouge à lèvres avait disparu. Et cinq minutes après, même chose pour son haut. Cinq heures plus tard, il entrait en elle pour la troisième fois de la nuit.

Ses testicules se mirent à pulser sous l'effet du souvenir et il se retourna une fois de plus, irrité par cette nouvelle gêne. Il écrasa l'indésirable érection contre le lit avec un gémissement étouffé.

Si seulement elle descendait l'escalier et s'ils pouvaient…

Non, elle méritait mieux que du sexe, même si c'était génial. Elle méritait plus que des réponses vagues à ses questions, même s'il ne pouvait pas vraiment faire mieux. Et elle méritait mieux que lui, même si son désir pour elle était intense au point d'en devenir douloureux.

Il mordit l'oreiller pour éviter de se mettre à grogner de frustration, pour ne pas écraser son pénis contre le matelas en hurlant le nom de Sam. Mais aussi pour ne pas succomber à l'envie de sauter hors du lit, de grimper les escaliers et de lui dire ce qu'il voulait.

Quelque chose lui soufflait qu'il pourrait même la faire céder. L'alchimie entre eux était toujours là, un feu couvant que le moindre contact menaçait de réveiller. Peut-être qu'il devrait monter à l'étage ? Peut-être que cela pourrait de nouveau n'être « que du sexe », pourquoi pas ? Rien qu'une énième séance de baise sauvage, rapide et furieuse. Il pourrait se fendre de cinq minutes de discussion sans intérêt avec Sam pour la satisfaire, suivies de cinq heures à assouvir leurs envies, ce dont ils avaient besoin.

Ce dont *lui* avait besoin en tout cas.

Qui espérait-il convaincre ? Il avait besoin de tellement plus que ça avec Sam. Il respira lentement, inspira profondément et pressa sa joue brûlante contre l'oreiller, déchiré entre ce qu'il désirait et ce qu'il savait devoir faire. Était-elle à ce point partagée elle aussi ?

À l'étage, un pied nu se posa sur le sommet de l'escalier.

Il tendit le bras vers la table de chevet et saisit son bandeau, qu'il enroula autour de sa tête en positionnant la coque protectrice entre le sourcil et la pommette, l'élastique si serré que le plastique aplatissait le renflement de tissu cicatriciel à l'endroit où se trouvait autrefois son œil.

Sam se déplaçait lentement, comme si elle voulait éviter de faire du bruit, mais en vain. Zach avait l'ouïe trop fine et il était capable de savoir sur quelle marche elle se trouvait.

Puis elle s'arrêta juste sur le seuil de sa porte ouverte, guettant sans doute son souffle endormi.

À moins qu'elle ne prévoie d'entrer…

Une seconde plus tard, elle pénétra dans la salle de bains et la lumière filtra sous la porte. Zach se redressa sur les coudes et écouta l'écoulement de la chasse d'eau puis celui du robinet, accompagné d'un soupir discret ; il se représenta Sam en train de se rincer le visage puis de le sécher.

Il l'imagina en train de verser de l'eau sur son propre visage, apaisant sa douleur incandescente. Ce serait un bonheur absolu. Puis elle poserait sa joue contre la sienne. Pure félicité. Et enfin elle plaquerait son corps sur le sien... le nirvana.

Elle éteignit la lumière avant d'ouvrir la porte, sans doute pour ne pas le réveiller. Après quelques instants, elle reprit les escaliers vers le rez-de-chaussée, ses pieds glissant discrètement sur les marches.

Zach s'assit dans son lit, prêt à la suivre.

Il l'écouta se déplacer dans la cuisine puis se leva et traversa le couloir pour s'assurer qu'elle n'allumait pas la lumière ni n'ouvrait de porte. Était-elle en sécurité seule en bas ?

Plus en sécurité sans doute que s'il se précipitait dans la cuisine, son boxer déformé par la trique. Elle avait sans doute faim. Les sons qui provenaient du rez-de-chaussée le confirmèrent : le bruit sec d'une assiette posée sur le comptoir, un tiroir qui coulissait, le grincement d'une vieille porte de four.

Il pourrait simplement suivre ses mouvements depuis l'étage et la laisser manger en paix. Elle le méritait bien.

— Ah ! Mon Dieu !

Il s'élança dans le couloir, ralentit une fraction de seconde pour prendre appui sur les deux rampes de l'escalier et se propulsa au bas des marches dans un bond spectaculaire. Il atterrit sur la plante des pieds, bras tendus et prêts à frapper, muscles bandés. Il tourna au coin du mur et plongea vers la cuisine, où Sam s'était perchée sur une chaise, ses traits figés dans une expression horrifiée, les yeux braqués vers le sol.

— On a des visiteurs ! annonça-t-elle d'une voix tremblante, ses cheveux emmêlés par le sommeil projetant des ombres sur son visage. Peut-être même une famille entière.

— Bordel.

Il baissa les bras et se détendit.

— Je suis désolée de t'avoir réveillé. Une souris vient de me passer sur le pied et m'a fichu une trouille bleue.

Zach balaya des yeux le linoléum et repéra une souris grise blottie dans un coin, tremblante.

— Elle a encore plus peur que toi.

— Je sais, je sais, admit Sam avec un rire embarrassé. Et j'ai l'impression d'être un vrai cliché, perchée comme ça sur une chaise.

Il se pencha en avant, mains ouvertes. La souris fila vers la gauche en suivant les lattes déformées sous les placards.

— Il y en a d'autres ?

— Une sous l'évier, une autre… je ne sais pas.

Zach s'accroupit et bloqua la route de la souris d'une main en attendant le moment idéal pour…

— Je l'ai !

Il avait capturé le rongeur en l'agrippant par la queue.

— Ah !

Sam eut un mouvement de recul sur sa chaise, laquelle vacilla.

— Beurk ! poursuivit-elle. Mais ne la tue pas, Zach…

Il quitta la souris des yeux pour regarder Sam.

— Non ? C'est comme ça qu'on s'en débarrasse, tu sais.

— Tu peux la mettre dehors ? demanda-t-elle en agitant les doigts. Et peut-être que si tu pouvais trouver les deux autres et nous en débarrasser…

Il lui sourit.

— Je ne savais pas que tu défendais à ce point la cause des animaux.

— J'ai seulement… de la compassion. Mais sors cette bestiole d'ici, tu veux ?

— Ne bouge pas.

— Aucun risque.

Il déverrouilla la porte de derrière, qui donnait sur un petit patio en terre et une arrière-cour de la taille d'un timbre poste, puis jeta le rongeur dans l'herbe. Il prit une seconde pour scruter du regard ce qui n'était pas vraiment la cour la plus sécurisée qui soit, et laisser à la décharge d'adrénaline le temps de retomber, de même qu'à son érection qui, une minute plus tôt, monopolisait les trois quarts de son sang dans son bas-ventre.

Lorsqu'il revint dans la cuisine, Sam était toujours debout sur la chaise et regardait par terre.

— Elle est sous l'évier. Je l'ai entendue bouger.

Zach ouvrit la porte du placard et vit immédiatement la souris qui sortit de sa cachette et s'enfuit vers le coin opposé pour échapper à la lumière. Il lui fallut batailler quelques instants mais il parvint à la capturer et à la déposer dehors avec sa congénère.

— La dernière est quelque part dans les petits placards de nourriture. Ou elle s'est échappée vers leur petite planque.

— On dressera l'oreille pour l'entendre.

Il se lava les mains au-dessus de l'évier, à l'aide d'une bouteille de liquide vaisselle à moitié vide abandonnée par le locataire précédent.

— J'achèterai des souricières demain, annonça-t-il.

— Pour les tuer ?

— À moins que tu ne veuilles leur donner un petit nom à chacune et en faire des animaux de compagnie, c'est généralement comme ça que ça se passe.

Elle fit la grimace.

— J'ai mis des restes à réchauffer dans le four mais... je n'ai plus beaucoup d'appétit maintenant.

— Tu dois avoir faim. Tu n'as rien mangé depuis cet après-midi ! Et ne t'inquiète pas, il n'y a pas de souris en train de cuire à la broche.

Il ouvrit la porte du four et des effluves de sauce rouge et de la saucisse d'oncle Nino se répandirent dans l'air.

— Pas étonnant que tous les rongeurs de Jamaica Plain se soient pointés. Il faut que tu goûtes ça, Sam.

— Non, je ne peux pas. J'ai perdu l'appétit. Je vais remettre le plat dans le frigo.

— Je m'en occupe.

Il saisit à deux mains le bord du plat en aluminium et, en le tenant avec précaution, le déposa au-dessus des brûleurs du four. Derrière lui, il entendit Sam sortir de la cuisine.

Il ignora le pincement de déception et remit la nourriture sur l'étagère du réfrigérateur vide. Il en profita pour récupérer une Sam Adams au passage, en retira la capsule, but une gorgée et reprit tristement le chemin de son lit.

— Cette bière me fait envie, par contre.

Sam s'était blottie dans un coin du canapé, les jambes emprisonnées entre ses bras, son corps tout entier enroulé de façon protectrice autour d'un coussin.

— Tiens, prends-la.

Il s'approcha d'elle et lui tendit la bière. Elle prit la bouteille d'une main et le bras de Zach de l'autre.

— Reste avec moi.

Elle leva la tête vers lui et, même dans la pénombre, il vit qu'elle avait les yeux rougis et un peu gonflés.

— On peut partager, ajouta-t-elle.

Tout en lui avait envie de la serrer contre son corps de la même manière qu'elle serrait son coussin. La peur et la tristesse dans sa voix lui retournaient les tripes.

Il ne bougea pas.

Ils avaient partagé de nombreuses bières, toujours à la même bouteille.

— Je ne te demanderai pas de parler, dit-elle d'une voix encore empreinte de supplication. Je n'ai pas envie d'être seule, c'est tout.

— D'acc.

Il s'assit près d'elle, à sa gauche évidemment, afin qu'elle profite de son profil le plus supportable. Il était malgré tout assez proche pour percevoir sa chaleur et sentir le parfum citronné de ses cheveux. Assez pour l'entendre avaler une longue gorgée de bière. Son corps tout entier fut envahi par l'envie de goûter l'écume de Sam Adams sur ses lèvres.

Elle tint sa promesse et ne dit rien. Elle but trois lampées de bière puis lui tendit la bouteille. Il s'en empara et posa avidement la bouche à l'endroit que celle de Sam occupait quelques secondes plus tôt.

Elle resta silencieuse mais il perçut son regard en biais. Il laissa deux bons centimètres de bière au fond de la bouteille pour lui donner l'occasion de la finir. Mais elle secoua la tête et Zach engloutit le reste. Le liquide frais s'écoulait difficilement dans sa gorge serrée.

Il se pencha en avant pour poser la bouteille sur la table basse et resta un instant dans cette position. Comme s'il était sur le point de se lever. Ce qu'il aurait dû faire, évidemment. Il aurait dû retourner au lit.

Ou alors il devrait la prendre dans ses bras, la porter en haut des escaliers… et la laisser tranquille.

Il restait comme figé.

Sam était tout aussi immobile. Elle attendait, osant à peine aspirer l'air vibrant d'intensité entre eux. Il devrait s'en aller. Il devrait s'en aller. Il devrait…

Elle posa une main sur son épaule et l'incita à se rasseoir.

— Tu aimais parler, avant, dit-elle.

Il eut un petit rire.

— Je savais bien que tu ne pourrais pas rester assise là en silence.

— C'est que, tu as tellement changé…

— On a déjà établi tout ça ce matin. Cheveux longs, nouveaux tatouages, grosse cicatrice au visage, peu loquace.

— Ce ne sont pas les seuls bouleversements chez toi.

Il refusait de la regarder, sachant très bien que les choses deviendraient beaucoup plus profondes s'il le faisait.

— La guerre transforme les gens, Sammi.

— Comment elle t'a changé, toi ?

— Tu me poses vraiment la question ?

— Est-ce qu'elle t'a également changé intérieurement ?

Était-ce la guerre qui l'avait transformé ?

— Je pense que j'ai toujours été comme ça mais que la guerre a juste fait ressortir mes pires côtés.

— Comme quoi ?

Il se contenta de secouer la tête. C'était déjà assez profond comme ça.

— Je veux bien parler, Sammi. Mais d'autre chose.

Elle poussa un soupir de frustration discret qui ne passa pas inaperçu.

— De ta famille, peut-être ? proposa-t-elle.

D'accord, ça, c'était envisageable.

— Tu viens de passer la journée avec eux, qu'est-ce que tu peux bien avoir envie de savoir ?

— Je voulais dire, ta famille en Italie.

— Oh, ma *vraie* famille, tu veux dire, laissa-t-il échapper.

— Les Rossi ne sont pas ta vraie famille ?

— Ils font l'affaire, dit-il vaguement. Et la famille en Italie, désolé mais je ne les connais pas. Comme tu sais, je suis parti quand j'avais dix ans et ces Italiens n'aiment rien tant que cultiver la rancune. Alors je doute de les revoir un jour.

— Mais il y avait d'autres membres de la famille avec qui tu aurais pu vivre après la mort de ta mère, non ? Tu as des cousins en Italie, n'est-ce pas ? Pourquoi ne pas être allés chez eux ?

— Pour commencer, il y avait un conflit familial. En Italie, il y a toujours un conflit familial. C'est une sorte de tradition nationale.

Sam émit un petit rire.

— À propos de quoi ?

Quelque chose de stupide mais c'était toujours le cas dans ce genre d'affaires.

— Tu te souviens peut-être que mon père est mort dans le tremblement de terre de 1980 ?

— Je m'en souviens, dit-elle.

Elle pivota légèrement sur elle-même pour lui faire face et se rapprocha sans même s'en rendre compte. Son parfum flottait dans l'air et Zach fut pris d'une envie de se pencher pour goûter aux délicieux arômes de citron dans ses cheveux.

— Vivi m'a dit que ta mère, toi et elle avez survécu tout simplement parce que vous n'étiez pas à l'église la nuit où votre père a trouvé la mort. J'ai toujours trouvé ça glaçant.

— Oui, et c'est ce qui a déclenché le conflit, car c'était la première communion de l'un des neveux de mon père et qu'il avait été pressé par sa sœur d'y aller alors même qu'il ne pouvait pas. Vivi et moi n'avions même pas un an. Ma mère n'a jamais pardonné à personne de ce côté de la famille. Elle a entièrement coupé les ponts et déménagé loin de Naples. Ce qui n'est pas vraiment inhabituel là-bas.

— Couper les ponts ? Déménager sans dire où elle allait ? Ça paraît tellement extrême.

— Ça l'est, mais c'était une femme entêtée.

Il lui décocha un petit coup d'œil en coin qui confirmait la pique.

— Quand elle a découvert qu'elle avait un cancer, poursuivit-il, elle a écrit un testament pour s'assurer que, quels que soient les efforts de la famille Angelino, jamais ils ne puissent nous récupérer.

— Et elle n'avait pas de famille ?

— Ses propres parents étaient trop âgés pour nous élever et sa seule autre famille, c'étaient les Rossi. Des cousins qui avaient grandi aux États-Unis après que Nino, son oncle, avait émigré là-bas quand il était adolescent. Elle l'a contacté et il s'est avéré qu'il vivait avec Jim, Fran et leur famille. Alors ils se sont organisés pour qu'on emménage avec eux.

— Et ils semblent heureux de ce choix.

Zach tourna vers elle un regard qui semblait dire « reviens sur terre ! ».

— Fran, peut-être.

— Pas ton oncle Jim ?

— Ça lui est tombé dessus à la dernière minute, donc il n'a pas pu refuser ni trouver une astuce légale pour éviter d'être responsable de deux gamins de plus alors qu'il en avait déjà cinq. Et, au cas où tu n'aurais pas capté, ça lui est resté en travers de la gorge, encore aujourd'hui.

— À vrai dire, je n'ai rien capté de ce genre. J'ai eu l'impression qu'il vous traitait bien, Vivi et toi.

— Personne n'a de problème avec Vivi, répondit Zach en prenant conscience de l'hostilité dans sa voix. Elle était adorable.

— Toi aussi tu peux l'être.

Cela le fit rire.

— Les Angelino en Italie se sont battus pour vous récupérer ? demanda Sam.

Pas le moins du monde. Personne ne s'était battu pour eux, pas pendant les mois où ils étaient pupilles de la nation, ni après leur déménagement en Amérique. Et les Rossi qui se demandaient pourquoi il avait débarqué avec assez d'amertume en réserve pour remplir le Bassin méditerranéen...

— Le testament de ma mère était inattaquable.

Elle resta silencieuse pendant un moment, réfléchissant à ce qu'il venait de dire.

— Ça a dû être dur de perdre ta mère si jeune.

— Ouais, dit-il sur un ton qui se voulait décontracté et fataliste.

Mais il n'avait pas dû être très convaincant car elle tourna vers lui un regard plein de doutes.

— Évidemment que c'était dur, admit-il. J'avais dix ans. Il fallait que je m'occupe de Vivi. On était tout seuls et...

Elle avait *promis*.

Sarò sempre al tua fianco, Zaccaria. Il pouvait encore entendre sa voix, il se souvenait de ses mains décharnées, de son corps ravagé par la maladie.

Je serai toujours à tes côtés. Et cet idiot de petit garçon italien l'avait pris au premier degré. Il avait cru qu'elle ne le quitterait jamais. À présent, bien sûr, il savait qu'elle avait parlé... métaphoriquement. Mais il l'avait crue.

— C'était dur, reprit-il après s'être éclairci la voix et l'esprit. Surtout au début, quand la seule personne qui parlait un tant soit peu italien était oncle Nino.

— Qu'est-ce qu'il t'a dit en italien quand on est arrivés cet après-midi ?

Zach sourit.

— *Benvenuto a casa*. Ça veut dire bienvenue chez toi.

— Ça semblait plus... je ne sais pas, plus personnel.

— Ça l'est, reconnut Zach. C'est une sorte de code entre nous. Ce sont les premiers mots qu'il m'a dits, quand Vivi et moi sommes arrivés aux États-Unis. Pas juste « bienvenue », mais « bienvenue *chez toi* ». Il voulait que nous nous sentions chez nous, même si ce n'était pas notre maison.

— Et pourquoi ? voulut savoir Sam, visiblement agacée par ses propos. Ils ont l'air d'une famille tellement aimante. Qu'est-ce qui te fait croire qu'ils ne voulaient pas de vous ? Je n'ai jamais entendu Vivi dire ça, pas une fois. Et rien dans la dynamique que j'ai vue aujourd'hui ne suggère que tu n'es pas considéré comme un membre de la famille. Pourquoi as-tu l'impression d'être un étranger alors qu'ils ne te traitent pas comme tel ?

Elle n'avait pas besoin de le voir si lui le ressentait. Cela rendait la chose suffisamment réelle pour lui.

— Vivi s'est mieux acclimatée que moi, déclara-t-il en évitant la question à laquelle il n'avait pas envie de répondre. Au cas où tu ne l'aurais pas remarqué, elle est plus Rossi qu'Angelino.

— Oh, j'ai remarqué. Et j'ai aussi constaté qu'il y a de l'eau dans le gaz entre JP et toi. Ça a toujours été comme ça ?

— Depuis le premier jour, à peu près.

— Il n'a pas apprécié qu'il y ait de nouveaux arrivants ?

— Qui sait ce qui se passe dans l'esprit dérangé de JP ? Demande à Nicki, c'est elle la psy. J'imagine qu'il a dû organiser une fête le soir où il a appris que j'étais blessé... (Il secoua la tête et un sourire se forma lentement sur ses lèvres.) On en arrive là où tu voulais m'emmener, n'est-ce pas ?

— Je pensais que parler de ta famille pourrait te mettre plus à l'aise.

Il eut un petit rire.

— Tu feras une sacrée avocate, Sam.

Elle renversa la tête en arrière en riant à son tour.

— J'espère bien. Mais il faudra d'abord que je réussisse à la fac de droit.

Il la regarda sans rien dire, la colonne blanche et douce de sa gorge, les cils épais qui effleuraient ses pommettes délicates, ces petites taches de rousseur pâles sur sa peau claire, les longues mèches de cheveux blonds passées derrière son oreille. La simple vision de cette oreille exposée était si excitante que son érection menaçait de déformer de nouveau le coton de son boxer. Rien que son *oreille*.

Alors l'effet que son corps entièrement nu aurait produit sur lui...

Il n'avait pas besoin de l'imaginer ; il l'avait en mémoire.

— Bon, j'ai assez parlé à ton goût ?

Elle haussa les épaules.

— Je pensais qu'on ne faisait que commencer.

Il émit un petit soupir et se rapprocha de quelques centimètres, en espérant qu'elle n'avait rien remarqué.

— On ne parlait pas tant que ça, Sam. Je veux dire à l'époque. On faisait d'autres choses.

D'autres choses comme ce qu'il avait envie de faire à présent.

— Tu as raison. Mais on parlait aussi. Avant, pendant et après avoir fait l'amour, répondit-elle franchement. Et puis on mangeait, on partageait une bière et on recommençait.

Il durcit encore un peu plus mais ne s'écarta pas. Ne pouvait pas s'écarter.

— Tu ne dois pas m'embrasser, tu te souviens ?

Il y avait une note de défi dans sa voix, en même temps qu'un avertissement.

— Alors ne va pas croire que je n'ai pas remarqué que tu te rapprochais, ajouta-t-elle.

Pris la main dans le sac, il ne put s'empêcher de rire.

— Je ne vais pas t'embrasser.

Il le dévisageait, laissant les souvenirs envahir son esprit.

— Tu sais, tu n'arrêtes pas de me demander si je me rappelle telle ou telle chose. Et toi, est-ce que…

Elle posa ses mains sur les lèvres de Zach.

— Oui. Arrête.

— Tu ne sais pas ce que j'allais dire.

Bon sang, même ses mains sentaient merveilleusement bon.

— Si, si.

— Quoi ?

— Si je me souviens… (Elle émit un bruit entre le rire et le soupir.) De ce petit tour de magie que tu faisais.

Lui aussi se mit à rire, en grande partie parce que c'était exactement ce à quoi il songeait.

— Ce n'était pas un tour, dit-il en se penchant vers elle après qu'elle eut écarté les doigts de ses lèvres. Je parlerais plutôt d'un talent exceptionnel.

— Là tu parles de nouveau comme le type sûr de lui dont je suis tomb…

Elle toussa brièvement et se reprit.

— Je retrouve le Zach que je connaissais, dit-elle. Et, oui, tu avais un talent fou pour le sexe, c'est vrai.

— Je l'ai toujours.

Il s'était rapproché, mais sans la toucher.

— Arrête.

— Peux pas.

— Zach.

Il lui souffla dans le cou.

— Sammi.

— Oh…

Elle était en train de céder ; elle luttait mais perdait la bataille. Il sentit son estomac se nouer, ses bourses gonfler.

Cela lui donnait envie de… parler. Et pas de sa famille.

— Cette image de toi sur ce lit, cette nuit-là, en train de te caresser pendant que je murmurais à ton oreille… comme maintenant…

Elle frémit.

— Ça m'a permis de tenir tout au long de la guerre, Sam. Ça m'a soutenu d'un bout à l'autre de la mission en Irak.

— Alors pourquoi… ?

— Sammi. (Il la fit taire d'un nouveau souffle doux et chaud.) Chut… Écoute-moi. Je parle.

Elle se crispa, serrant le coussin sur ses cuisses au point que ses phalanges blanchirent. Ses lèvres s'entrouvrirent et sa respiration se fit plus saccadée.

— Ce n'est pas une discussion, Zach. C'est du sexe verbal.

— Et ça te plaît.

L'oreille l'appelait, tel un aimant attirant son corps tout entier vers celui de Sam, ses lèvres vers ce lobe délicieux et ces précieuses volutes de peau.

— Oui, j'aime ça, admit-elle dans un souffle de défaite.

— Tu mouilles, non ?

— Oh !

L'exclamation lui avait échappé. Elle tenta de secouer la tête mais finit par acquiescer.

— Caresse-toi.

Il avait soufflé ces mots au creux de son oreille et aurait pu jurer avoir entendu se dresser ses minuscules cheveux blonds tout autour. Elle resserra encore sa prise sur le coussin.

— Imagine que c'est moi.

Elle avait du mal à déglutir.

— Je n'ai pas envie.

— Vraiment ?

Il tira sur les franges du coussin et elle lâcha la barrière de tissu. Ses jambes apparurent, le tee-shirt remonté si haut sur ses cuisses qu'il put voir l'ombre entre ses jambes. Zach eut soudain la bouche très sèche.

— Je te dirai quoi faire.

Elle garda la tête en arrière, paupières closes. La douce chair de sa gorge palpitait, preuve que son sang battait dans ses veines aussi vite, aussi fort, avec autant d'excitation que celui de Zach.

— Laisse-moi faire, Sammi.

Il lâcha le coussin qui retomba au sol avec un bruit mat. Puis il se rapprocha encore, si près qu'il sentait quasiment les mèches soyeuses de ses cheveux blonds sur ses lèvres. Mais il ne la toucha pas.

— Écarte les jambes.

Elle tenta d'inspirer mais cela se changea en une sorte de hoquet. Lentement, elle se détendit et ses jambes s'entrouvrirent avec un nouveau soupir d'abandon.

— Remonte ton tee-shirt pour découvrir tes jambes. Entièrement.

Elle laissa échapper un nouveau souffle syncopé et se tourna enfin pour lui faire face, en clignant les paupières.

— Tu vas réellement aller jusqu'au bout, hein ?

— Non mon cœur, toi oui en revanche. Moi je vais me contenter de… te guider par la voix.

Il sourit et se rapprocha encore un peu avant d'ajouter :

— Et te regarder jouer.

La confusion assombrissait le regard de Sam.

— Et toi ?

— J'aurai ce que je désire.

— Je ne vais pas…

— Je sais, Sammi. Ce n'est pas ce que je veux. (Elle fronça les sourcils.) Chut. Caresse-toi. Glisse le doigt juste entre tes jambes. Là où c'est chaud et humide. Imagine ma langue.

Il se la représenta telle qu'elle avait été cette nuit-là, nue sur le lit, sa chevelure largement étalée, ses jambes ouvertes, ses yeux plongés dans les siens tandis qu'il lui dictait ce qu'elle devait faire.

Comme lors de cette fameuse nuit, elle ne détourna pas le regard mais glissa sa main là où il le lui avait commandé. Son corps entier vibrait ; la tension était palpable, leurs souffles hachés, leurs regards rivés l'un sur l'autre.

Le sang afflua dans la verge déjà dure de Zach comme elle se caressait d'une main et relevait son tee-shirt de l'autre, le tissu frottant contre son mamelon.

Bon Dieu. À la vue de ce petit dôme rose, Zach fut pris d'une envie douloureuse d'y goûter. Il se pencha en avant mais sans aller au bout de son geste, grâce à une maîtrise de lui qu'il n'aurait jamais soupçonnée.

— Parle-moi, Zach, souffla Sam.

Elle avait depuis longtemps abandonné tout contrôle.

— Mouille ton doigt.

Avec une lenteur qui tenait de la torture pour Zach, elle obtempéra et fit coulisser son index entre ses lèvres en imaginant qu'il s'agissait de son sexe.

— Fais-le entrer en toi.

Elle porta sa main entre ses cuisses et souleva un peu les hanches, un gémissement gonflant sa poitrine.

— Jusqu'au bout.

— Ohhh…

— Frotte ton clito. Comme je le faisais, Sammi.

Elle plissa les yeux sous l'effet de la sensation et se mordilla la lèvre, puis ses hanches se mirent à onduler alors qu'elle se donnait du plaisir.

Zach fit courir son regard depuis son visage jusqu'au sein qu'elle avait exposé et caressé de son autre main. Son bas-ventre était brûlant de tension, son propre orgasme terriblement proche alors même qu'il la voyait prête à se laisser emporter.

— Imagine ma bouche sur toi, Sammi. Ma langue en toi. Qui te suce, te lèche, t'adore. (Il s'inclina si près que les cheveux de Sam caressèrent son nez et son bandeau.) Jouis pour moi, chérie. Jouis.

Elle se cambra et laissa échapper un long gémissement grave, haché, tandis que sa peau s'empourprait. Zach dut écraser ses poings serrés contre le sofa pour se retenir de la toucher, de l'agripper, de terminer ce fantasme en entrant en elle.

— Zach… mon Dieu… je veux… je te veux.

Elle secouait la tête de gauche à droite, le dos toujours tendu à se rompre, en agitant ses hanches de haut en bas.

Le sang palpitait au cœur de la colonne de chair dressée de Zach, envahie par un douloureux désir. Il avait la gorge plus sèche qu'un désert et son pouls battait comme un tambour à ses tympans.

— Rentre tes doigts, Sam. Jusqu'au bout. Des va-et-vient lents, très lents. Sens à quel point tu es mouillée, à quel point tu es prête, imagine à quel point je suis dur. Imagine que je me glisse en toi, plus profondément, que je te remplis entièrement, chérie. Je suis entièrement en toi.

Les hanches de Sam se déplaçaient doucement. Elle avait la tête en arrière, la bouche ouverte. Son corps entier frémissait en réponse à ses caresses.

— Maintenant jouis, Sammi, ma douce. Jouis.

Elle était perdue, engloutie, complètement sous son influence.

— Laisse-toi aller, chuchota-t-il à son oreille. Laisse-toi simplement aller.

Elle émit un petit cri puis se mordit la lèvre et cambra les reins. Elle resta ainsi durant un long moment de plaisir exquis avant de frissonner et de reprendre ses mouvements de bas en haut en grondant et en geignant. Enfin, elle se tut en même temps que l'orgasme s'apaisait.

— Zach.

— Chuuut.

Il laissa ses lèvres toucher les siennes, les poings toujours serrés, son cœur martelant dans sa poitrine. Son membre avait depuis longtemps jailli hors de son boxer, son extrémité rendue luisante par le début de son propre orgasme.

Mais ce n'était pas ce qu'il désirait en retour. Loin de là.

Petit à petit, la respiration de Sam se calma. Ses mains refirent surface et elle ouvrit les yeux pour le regarder.

— Quand tu parles, Zach Angelino, c'est très, très beau.

Il s'inclina et posa sa bouche sur la sienne, frôlant à peine ses lèvres.

— Quand tu jouis, Sam Fairchild, il n'y a rien de plus magnifique.

Elle lui effleura les lèvres du bout de sa langue.

— C'est ton tour.

— Oui. Viens avec moi.

Il se leva, sans se soucier du fait que son érection ouvrait la voie.

Elle suivit sans dire un mot, sa main dans la sienne. Ils montèrent l'escalier sans s'arrêter devant la chambre de Zach.

— Tu n'as pas quelque chose à prendre dans ta trousse ? demanda-t-elle lorsqu'ils passèrent devant la salle de bains.

— Non, on n'en aura pas besoin ce soir. Pas pour ce que j'ai en tête.

— Et qu'est-ce que tu as en tête, exactement ?

Le nirvana.

Et c'était mieux s'ils n'avaient pas de protection sous la main. Comme ça, il ne romprait pas la promesse qu'il s'était faite, et lui avait faite. Il la ramena jusqu'à son lit, rabattit l'édredon et lui fit signe de s'allonger. Elle porta les mains au tee-shirt qu'elle portait, une lueur d'interrogation dans le regard.

— Garde-le.

Elle parut un peu surprise mais se glissa néanmoins dans le lit et se décala sur le côté pour lui faire de la place.

— Tourne-toi, dit-il.

Elle suivit ses instructions et lui présenta son dos. Elle le sentit qui s'installait derrière elle et alignait son corps contre le sien, l'accueillant au creux de lui.

— Qu'est-ce que tu fais, Zach ? demanda-t-elle d'une voix encore un peu tremblante.

Mais il ne la laissa pas pivoter vers lui et repoussa doucement sa tête vers l'oreiller.

— Chut… Je veux dormir avec toi. Juste… dormir.

Elle plaqua ses fesses contre son sexe terriblement dur.

— Ça ne donne pas l'impression qu'on va dormir.

— On oubliera ça dès que tu te seras endormie. Tu n'es pas fatiguée, ma chérie ?

— Si, épuisée.

Il embrassa ses cheveux et respira son parfum.

— Alors dors, Sammi.

Lui-même posa la tête sur l'oreiller de Sam. Le coton était frais contre sa cicatrice et les cheveux merveilleusement épais de la jeune femme lui caressaient le visage. Sans un mot, il enroula son bras autour de la taille de Sam, prêt à parier tout ce qu'il avait qu'il était capable d'aller au bout.

À cet instant, Sam était *tout* ce qu'il avait.

— C'est tout ? demanda-t-elle.

— Pas tout à fait. Il faut aussi que je te fasse confiance pour ne pas te retourner.

Pendant une minute, elle ne dit rien. Puis elle hocha simplement la tête, saisit l'une des mains que Zach avait passée autour de sa taille, enchevêtra ses doigts aux siens et plaça leurs poings ainsi joints tout contre son cœur.

C'était la façon dont ils avaient toujours dormi ensemble.

Il compta les secondes, écouta le souffle de Sam et attendit jusqu'à ce que son corps se laisser aller au sommeil. Quand il fut certain qu'elle dormait, il détacha sa main et leva les doigts pour retirer son bandeau protecteur.

Enfin, cet instant de pur délice. Il blottit son visage dans sa chevelure et laissa la douceur apaiser le feu de sa blessure. La sensation d'extase était telle que les larmes lui montèrent aux yeux. C'était tellement bon. Tellement doux, réconfortant et agréable.

Elle pourrait à tout instant faire volte-face. Elle pourrait se tourner, se réveiller et voir tout ce qu'il devait lui cacher. Quelles en seraient les conséquences ?

Terribles, sans doute.

Mais pour le restant de la nuit, il fut enfin – enfin ! – libéré de la douleur.

11

Le lendemain matin, quand Sam descendit les marches après s'être douchée et habillée, Zach était au téléphone. Portable à l'oreille, il écoutait son interlocuteur, une expression sérieuse sur le visage.

Elle sut tout de suite que le moment d'intimité sexy et tendre qu'ils avaient partagé la nuit passée avait pris fin avec le lever du soleil. Elle se sentit envahie par un nouveau malaise semblable à celui qu'elle avait ressenti lorsqu'elle s'était réveillée pour constater que Zach n'était plus là.

Il coinça le téléphone au creux de son cou et articula silencieusement :

— Il y a du café si tu en veux.

Elle s'en versa une tasse, résista à la tentation de jeter un coup d'œil au travers des stores qu'il avait complètement fermés et fit un bref examen des lieux à la recherche de bestioles ou de traces de leur présence. Par respect pour ce qui semblait être une conversation importante pour Zach, elle resta dans la cuisine et sirota son café en tâchant de se rappeler à quand remontait la dernière fois où elle avait dormi aussi profondément.

Il serait tellement facile de retomber sous le charme de Zach. Était-elle capable de lui offrir son corps en préservant son cœur ?

Elle était en train de rationaliser, bien sûr. Cherchait des excuses pour… l'inéluctable. Une nuit de plus et…

— Il faut qu'on y aille.

Il se tenait sur le seuil, aussi sombre et dangereux qu'il l'était la nuit précédente quand ses paroles susurrées à l'oreille de Sam lui avaient fait perdre tout contrôle. Il portait un tee-shirt noir d'où dépassaient les rebords pointus de son tatouage, un jean délavé, des bottes noires qui semblaient conçues pour distribuer des coups.

— Où ? Pourquoi ?

— Chez Vivi et je ne sais pas pourquoi.

— Elle va bien ? C'est pas risqué de partir ?

— Je peux nous faire entrer et sortir sans risque, oui. Elle a besoin de moi et je refuse de te laisser seule.

— Qu'est-ce qui lui arrive ?

Il haussa les épaules.

— Elle a besoin de moi.

Comme si cela ne nécessitait pas plus d'explications.

Ils regagnèrent Brookline en moins de vingt minutes, se garèrent dans un emplacement situé derrière l'immeuble, dont elle ignorait jusqu'à l'existence à l'époque où elle y avait habité, et remontèrent les escaliers par l'accès de secours en quelques minutes.

Alors que Zach s'apprêtait à frapper à la porte du 414, des voix se firent entendre à l'intérieur, suivies par un rire de femme et le timbre grave d'un homme. Zach se figea et recula de quelques centimètres.

— Qui est-ce ? demanda Sam.

— Chessie. Marc.

Il resta quelques instants immobiles et écouta tandis qu'une voix plus âgée s'exprimait plus lentement. Impossible de distinguer les paroles mais Sam reconnut l'individu.

— Et oncle Nino, dit-elle. Qu'est-ce qu'ils font tous là ?

— Je ne sais pas, admit-il sur un ton bourru avant de frapper fort contre le battant.

Le silence se fit immédiatement dans l'appartement.

— On dirait une surprise-partie, suggéra Sam.

— Ou une putain d'intervention.

Vivi ouvrit la porte. Elle tenait Gros Tony dans ses bras.

— Salut !

Elle se hissa sur ses orteils pour embrasser la joue de Zach et, de sa main libre, fit signe à Sam d'avancer.

— Entrez donc.

— Pourquoi tout le monde est là ? demanda Zach.

— C'est une réunion d'équipe.

— Quoi ?

Lorsqu'ils débouchèrent du couloir de l'entrée, plusieurs visages familiers apparurent. Oncle Nino était assis à la table de la salle à manger, un puzzle inachevé devant lui. Chessie et Marc se tenaient côte à côte sur le sofa, un journal ouvert sur la table et un ordinateur portable sur les genoux de Chessie.

— Bienvenue à la première réunion des Gardiens Angelino ! annonça Vivi, une lueur d'excitation dans le regard. Je leur ai tout raconté, expliqua-t-elle à Zach et Sam. Le meurtre et le témoin, toute l'histoire. Et, le plus important, je leur ai parlé de notre entreprise et ils sont tous partants, Zach. Tous les trois !

Zach laissa échapper un soupir agacé.

— Bon Dieu, Vivi, tu m'as dit que c'était une urgence.

— C'est vrai, déclara Chessie. Internet est tombé en panne.

— Je suis sérieux.

La colère de Zach était perceptible tandis qu'il les dévisageait tour à tour. Son regard s'arrêta sur Marc.

— Tu n'as pas une boîte à faire tourner ?

— J'ai des employés pour ça. Et ceci est plus important.

— Et plus intéressant, ajouta Chessie.

Depuis sa place près de la fenêtre, Nino s'éclaircit la voix et ajouta une nouvelle pièce à son puzzle.

— Écoute ce qu'ils ont à dire, *ragazzino*. À mon avis, c'est urgent.

Zach croisa les bras et reporta son attention sur Vivi.

— Qu'est-ce qui est urgent ?

— Ce qui se passe constitue un événement majeur de l'affaire, dit-elle.

— On s'occupe d'une affaire ?

— Oui, absolument. (Vivi se tourna ensuite vers Chessie.) Est-ce que le Net fonctionne ? Je veux leur montrer l'article.

— Une minute, j'y travaille.

Sam se glissa sur le sofa à côté de Chessie, avec qui elle échangea un rapide sourire, avant de regarder l'écran d'ordinateur par-dessus son épaule.

— Fais vite, dit Vivi. Je veux que Sam et Zach comprennent pourquoi je vous ai tous fait venir pour cette première réunion de la société.

— Vivi, cette société n'existe que dans ton imagination, lança Zach dont la patience était visiblement mise à rude épreuve. Je vais garder un œil sur Sam et je tuerai quiconque tentera de l'approcher, jusqu'à ce que quelqu'un soit arrêté pour le meurtre de Joshua Sterling. Toi, tu utiliseras tes talents de dénicheuse d'informations hors pair pour nous y aider. Au-delà de ça, il n'y a pas de société. Même le nom est tellement ridicule que je refuse de le prononcer.

— Les Gardiens Angelino ?

Chessie lâcha son clavier le temps de donner un double coup-de-poing dans le vide.

— J'adore ce nom ! lança-t-elle. Je peux aussi faire le logo ? J'assure déjà en tant que hackeuse mais je bosse aussi sur mes compétences de graphiste.

— Un logo sera génial, Chess, s'enthousiasma Vivi. Merci.

— Vous aurez besoin d'un bureau, intervint Nino sans quitter son puzzle des yeux. Je parie que votre oncle pourrait se laisser persuader de faire quelque chose de ce bien immobilier coûteux dans le quartier Back Bay, dont il ne fait rien depuis qu'il a pris sa retraite.

— Les anciens bureaux d'oncle Jim ! s'exclama Vivi d'une voix aiguë. Ce serait carrément excellent, non ?

— Il vous faut aussi une voiture au nom de l'entreprise, dit Marc. L'un de mes clients est propriétaire d'un concessionnaire Ford…

— Du calme !

Zach avait levé les mains. Son visage commençait à s'empourprer sous l'effet de la colère.

— Il n'y a pas de logo, de bureaux, de voiture. Et pas de… de Gardiens Angelino, dit-il en prononçant le nom à contrecœur. Et il n'y pas d'…

— Internet ! s'exclama Chessie. Ça marche. Viens lire ça, Zach !

Mais Sam avait déjà commencé la lecture. Le logo familier de *Boston Bullet* apparaissait au sommet de la page. Son regard s'arrêta sur la photo de Teddy Brindell et son cœur fit un bond.

— Il travaille chez *Paupiette*, dit-elle.

Chessie fit pivoter l'écran afin que Zach puisse voir lui aussi.

— Plus maintenant, commenta-t-il à mi-voix en posant sa main sur le bras de Sam. Tu le connaissais bien ?

Un homme sauvagement assassiné dans le quartier de South Dorchester.

Le gros titre parut flotter dans le champ de vision de Sam tandis qu'elle tendait automatiquement la main pour prendre celle de Zach.

— Oh, c'est horrible !

— Il y a pire, intervint Vivi d'une voix qui ne comportait plus la moindre bribe d'enthousiasme. Et, honnêtement, c'est la raison pour laquelle j'ai voulu rassembler tout le monde, Zach. C'est vraiment une grosse affaire et nous avons besoin d'être plus que toi et moi pour y faire face.

— Comment ça pourrait être pire ? s'inquiéta Sam.

Oui, comment ?

— J'ai parlé à Teddy Brindell la nuit où il a été tué. En fait, quelques minutes à peine avant sa mort, si ce que dit l'article est vrai. Et ses dernières paroles contenaient un nom : Taylor Sly.

— Taylor Sly ? s'étonna Marc. La maquerelle la plus secrète de Boston ?

— Je croyais que c'était un ancien mannequin, dit Sam. Qu'elle possédait une agence ?

— Le FBI pense qu'il s'agit d'une couverture mais nous n'avons jamais réussi à la faire parler.

— Elle était au restaurant la nuit du meurtre, expliqua Sam. J'ai vu Joshua Sterling discuter avec elle quand je suis allée chercher le vin.

— Qu'est-ce que ce Brindell t'a raconté à son sujet ? demanda Zach à Vivi.

— Rien. Il a juste prononcé son nom comme si c'était la clé du mystère. Et maintenant il est mort.

Le silence retomba sur la pièce pendant un moment tandis que ces faits nouveaux prenaient forme dans leurs esprits.

— Est-ce que quelqu'un l'a entendu te dire ça ? Est-ce qu'on t'a vue parler avec lui ? demanda Zach.

— Je ne sais pas. Il était tard, on était à l'extérieur de l'hôtel Colonnade, près de l'arrêt des taxis. Je ne me souviens pas d'avoir aperçu quelqu'un d'autre mais mon attention était concentrée sur Teddy. J'étais sur ma planche. J'ai regagné le restaurant en skate pour voir si quelqu'un d'autre en sortait, puis j'ai pris un taxi pour rentrer.

— Teddy a utilisé quelle compagnie de taxis ? demanda Chessie qui cliquait déjà vers un moteur de recherche. Metro ? Boston ?

— Checker, dit Vivi. J'en suis certaine.

— Je vais découvrir quels conducteurs de chez Checker se trouvaient à l'hôtel Colonnade ce soir-là.

— La police s'en chargera, dit Zach.

— Et tu penses qu'ils nous diront ce qu'ils ont trouvé ? rétorqua Marc. Le fait est que celui qui a tué Brindell...

— Pourrait aussi en avoir après Sam, termina Zach en serrant la main de la jeune femme dans la sienne. Peut-être que cette caméra ne t'a pas filmée. Peut-être que le tueur élimine une par une toutes les personnes qui travaillaient là le soir du meurtre.

Un frisson glacé s'empara du corps de Sam.

— Non, dit-elle à mi-voix en secouant la tête.

— J'ai rendez-vous aujourd'hui avec Taylor Sly, déclara Vivi. Elle pense que je pourrais être mannequin. Moi je pense qu'elle pourrait nous fournir une piste. Si Sterling lui a parlé cette nuit-là, elle pourrait savoir pourquoi quelqu'un voulait sa mort. Personne n'a semblé en mesure de trouver un mobile.

— Mannequin, hein ? demanda Chessie, l'air sceptique. Ils cherchent peut-être à faire de toi une prostituée.

— Quoi qu'elle puisse vouloir, je ne crois pas que tu devrais y aller seule, dit Zach. Marc ?

— J'ai déjà prévu d'y aller, répondit celui-ci avec un hochement de tête.

— Entre-temps, je fais enquêter un peu à propos d'elle et de ce fameux Brindell, dit Chessie. J'ai déjà pu voir qu'il habitait Chestnut Hill.

— C'était dans l'article, commenta Zach.

— Et qu'il avait soixante-huit dollars sur son compte chèque, poursuivit Chessie. Et ça, ce n'était pas dans l'article, ajouta-t-elle avec un sourire suffisant.

— Tu te souviens de quelque chose à propos de lui et Taylor Sly cette nuit-là ? demanda Vivi à Sam. Est-ce qu'il était serveur à sa table ? Est-ce qu'il lui a parlé ?

Sam fronça les sourcils pour se remémorer la scène.

— Elle était assise à la table neuf, près du mur du fond, en compagnie d'un homme que je ne crois pas avoir déjà vu avec elle auparavant. C'était l'une de mes tables. Ils buvaient... un chardonnay Cakebread et ils ont pris le saumon... je crois. Teddy s'occupait de la section de l'entrée ce soir-là, donc...

Elle ferma les yeux, revit le restaurant avant qu'elle descende chercher le vin. Joshua Sterling avait traversé la salle – elle avait pu le voir quand Keegan était arrivé – et il était allé saluer Taylor Sly.

— Et Joshua lui a clairement parlé. Je l'ai vu faire. Et je l'ai mentionné à la police par la suite.

— Quand tu l'as vu, est-ce que Teddy était dans la cuisine ? demanda Vivi.

Y était-il ? Faisait-il partie des serveurs qui avaient aidé à remonter le vin pour le groupe à l'étage ? Bon sang, c'était ça le problème : la mémoire était tellement sélective.

— Je ne me souviens pas, avoua-t-elle honnêtement. Je n'ai jamais été très proche de lui, en général je l'évitais plutôt.

Son regard retomba sur l'écran d'ordinateur sur lequel Chessie avait de nouveau affiché l'article.

— La police dit qu'il est mort après avoir été agressé par un gang, donc ça n'a rien à voir avec le professionnel qui a tué Sterling.

— Ce que dit la police et ce qu'elle sait est souvent différent, intervint Zach. Et tu le sais mieux que personne, non ?

Le téléphone de Sam sonna pour indiquer un appel entrant et elle le sortit de son sac.

— Quand on parle du loup…

Elle lut l'identifiant qui s'affichait sur l'écran et sentit sa poitrine se serrer en songeant au motif potentiel de l'appel.

— C'est l'inspecteur Larkin, l'un de ceux qui s'occupent de l'affaire.

Elle se leva pour répondre et se réfugia dans le couloir tandis que les autres s'entretenaient à voix basse dans le salon.

— Bonjour, inspecteur.

— Sam, pourquoi n'êtes-vous pas chez vous ?

Son cœur bondit dans sa poitrine.

— Parce que je ne veux pas me faire tuer comme Teddy Brindell.

— Vous êtes au courant, hein ?

— Vous croyez qu'il y a un lien ? demanda-t-elle.

Elle imaginait le visage de l'inspecteur un peu usé, avec sa calvitie naissante et ses yeux bleus, tellement plus doux que son partenaire O'Hara.

— Nous devons envisager toutes les possibilités, répondit-il, mais il s'agissait clairement d'un incident lié aux gangs dans un quartier très mal famé.

— Et les coups de feu dans mon quartier hier soir ? C'était aussi lié aux gangs ?

Il resta silencieux quelques instants.

— Sam, il n'y a pas eu de coup de feu à Somerville la nuit dernière.

Tu parles !

— Qu'est-ce que vous voulez, inspecteur ?

— Nous sommes prêts à organiser une séance d'identification.

Oh non. Depuis combien de temps vivait-elle dans la crainte d'entendre ces mots ?

— Plus de photos ?

— Pas cette fois. On tient une piste réelle, Sam, et c'est essentiel dans une affaire comme celle-ci. Très sincèrement, je pense qu'on va avoir un coup de chance.

Pas si elle choisissait le mauvais suspect. Une deuxième fois.

— Pouvez-vous être là dans une demi-heure ? Ou voulez-vous qu'on envoie quelqu'un vous chercher ?

Il s'exprimait avec douceur et elle était vraiment soulagée de ne pas avoir affaire à son partenaire, lequel aurait déjà été en train de lui aboyer dessus.

— Je peux y être et j'ai quelqu'un pour m'y emmener, répondit-elle.

Elle leva les yeux vers Zach qui venait d'entrer dans le couloir.

— Nous devons aller au commissariat de South End, souffla-t-elle. Pour une identification.

Zach hocha la tête, avec un regard empli d'assez de compassion pour qu'elle sente son cœur se serrer brièvement. Il comprenait à quel point ce serait une épreuve pour elle.

— Oh, et Sam ? dit Larkin. Vous vous souvenez que vous ne devez parler de cette affaire à personne, n'est-ce pas ?

— Bien sûr.

— Alors à qui parlez-vous ?

Il y avait à présent quelque chose d'inquisiteur dans sa voix. Elle s'humecta les lèvres et fouilla son cerveau à la recherche d'une réponse.

— Mon garde du corps, finit-elle par dire. J'ai dû embaucher un professionnel, inspecteur.

Puisque la police refuse de faire son travail en me protégeant.

— D'accord, mais faites attention. Vous ne pouvez vraiment rien dire. La confidentialité la plus absolue est essentielle dans cette enquête.

— Je comprends.

Dans la pièce voisine, la conversation enfla, enfreignant la règle qu'elle venait juste de promettre de respecter. Sam s'éloigna un peu plus et isola le téléphone de sa main.

— À très bientôt, inspecteur. (Elle raccrocha et se tourna vers Zach.) C'est officiel. Tu es un garde du corps professionnel.

— On dirait bien.

Il souleva son tee-shirt pour laisser apparaître un élégant pistolet chromé.

— Marc m'a fourni du matos, ajouta-t-il.

Derrière lui, oncle Nino pénétra dans le couloir, son regard braqué sur Zach.

— Écoute-moi, exigea-t-il d'une voix douce mais ferme. C'est une bonne chose. Ça permet à la famille de rester unie et d'exploiter les talents que Dieu vous a donnés à tous. Je ne veux pas que tu te désistes, *ragazzino*. Tu en as besoin ! déclara-t-il enfin en levant ses mains vers le visage de Zach.

Mais celui-ci recula pour esquiver le contact du vieil homme.

— Je n'ai besoin de rien, Nino, répondit-il. Mais Sam, elle, a besoin d'aide. Alors je ferai ce que j'ai à faire. Après ça, je ne veux pas être mêlé à cette affaire... de famille.

Nino secoua la tête et reporta son attention vers Sam.

— Mets-lui un peu de plomb dans la tête, Samantha. Moi je vais m'assurer que vous ayez de quoi dîner tous les deux ce soir. C'est le moins que je puisse faire pour les... (Il eut un grand sourire :) Gardiens Angelino. Que vous faut-il d'autre dans la maison ?

— Des souricières ! répondirent-ils tous les deux ensemble.

Nino laissa échapper un gloussement.

— Et moi qui croyais que notre petite entreprise visait à piéger un sale rat.

Mais pourquoi se retrouvait-elle une fois de plus dans cette pièce ?

D'accord, ce n'était pas la même pièce mais bien la même situation. Commissariat différent, flics différents, mais voilà, Sam devait de nouveau affronter une séance d'identification organisée par la police. Une fois de plus, elle tenait l'avenir d'un homme entre ses mains.

La semaine précédente, quand on l'avait convoquée, elle n'avait eu qu'à examiner des photos sur un ordinateur et l'inspecteur Larkin avait même prétendu que c'était désormais pratiquement la seule méthode utilisée. Mais, pour une raison ou une autre, ils avaient arrangé une véritable séance.

Peut-être s'agissait-il d'un test psychologique. Peut-être voulaient-ils qu'elle craque.

Les identifications sur l'ordinateur étaient tellement moins personnelles… et surtout une absolue perte de temps puisqu'aucune des photos ne ressemblait même de loin à l'homme qu'elle avait vu dans la cave à vin.

Mais ça, c'était personnel. Un homme, pas une image, avec une vie, un cœur, une famille, des espoirs et des rêves, et peut-être même un job qu'il voulait conserver. Il pouvait aussi s'agir d'un tueur à gages qui méritait le plus sévère des châtiments prévus par la loi.

Comment pouvait-elle en être sûre ?

L'option la plus facile, le truc bien lâche, consistait à dire :

— Aucun n'est l'homme qui a tiré sur Joshua Sterling.

Mais elle ne pouvait pas en être certaine. Et si c'était l'un d'eux ? Et si elle *pensait* que l'un d'eux avait fait le coup et qu'elle se trompait ?

Elle avait lu tellement de choses à propos des témoins oculaires durant les années où elle avait participé à faire disculper Billy. Au travers de Mission Innocence, elle était devenue experte sur la question de la fiabilité – ou son absence – chez les témoins oculaires. Elle était passée d'une personnalité dont le pire trait de caractère consistait à croire qu'elle ne se trompait jamais à une autre, qui doutait bien trop de beaucoup trop de choses.

Il y avait tant d'éléments susceptibles d'affecter ce que les témoins pensaient avoir vu, y compris ce qu'on leur racontait ensuite et à quel point l'événement auquel ils avaient assisté était traumatisant. Quelque chose d'aussi banal qu'une modification chimique dans le cerveau causé par ce qu'une personne avait mangé ce jour-là pouvait affecter et détériorer les souvenirs.

Pas ce qu'ils *avaient vu*. Ce dont ils se *rappelaient*. Deux choses très différentes.

Et chaque jour écoulé depuis la mort de Joshua Sterling rendait son souvenir de moins en moins clair.

— Vous êtes prête, mademoiselle Fairchild ?

L'inspecteur Larkin était encore en mode « bon flic » et s'adressait à Sam d'une voix douce.

Mais Quentin O'Hara était également dans la pièce et sa simple présence la rendait nerveuse. O'Hara était grand, imposant, l'Irlandais noir typique, avec des yeux bleus et des cheveux noir de jais. Il souriait rarement, et quand il le faisait, son expression était souvent riche d'un double, triple ou quadruple sens. Elle ne savait pas ce qu'il pouvait penser et tout chez lui mettait Sam sur les nerfs.

En particulier à cet instant où il se tenait au fond de la pièce, dans une posture d'oiseau de proie. Il y avait quelques autres enquêteurs et une femme, le Dr Irene Gettleberg, dont Sam suspectait qu'il s'agissait d'une psychologue.

Essayaient-ils de la faire céder ? De la piéger ?

Intimider, impliquer et prouver une inclination pour le mensonge ?

Sam prit une profonde inspiration et fit un signe de tête à l'inspecteur Larkin.

— Je suis prête, dit-elle.

Elle tourna les yeux vers la vitre. Elle savait ce qui allait suivre. De l'autre côté, les lumières s'allumèrent rapidement, éclairant six hommes alignés contre un mur marqué de longues lignes noires qui indiquaient leur taille.

Ils regardaient droit devant eux, arboraient diverses expressions : assurée, inquiète, lasse ou peut-être... coupable.

Tous étaient bruns mais elle pouvait en éliminer deux d'office. Le tueur avait les cheveux courts et ces deux-là ne pouvaient pas s'être laissé pousser des cheveux aussi longs en une semaine.

À moins que le tueur n'ait porté une perruque.

Elle déglutit mais cela ne fit que déplacer la gêne qu'elle ressentait de sa gorge jusqu'au creux de sa poitrine.

— Prenez votre temps et examinez chaque détail de leurs visages. Vous disiez que l'homme avait l'air grand. Celui-ci sur la gauche fait plus d'un mètre quatre-vingts. Est-ce que ça vous semble grand ?

— Merci de ne pas faire de suggestions, inspecteur, intervint le Dr Gettleberg d'une voix ferme. Il faut que tout ceci tienne la route en cas de procès.

En particulier parce qu'un avocat de la défense décidé réduirait le témoignage de Sam en morceaux minuscules avant de les jeter en pâture au jury comme des poignées de confettis. De quoi garantir un super-moment au tribunal, n'est-ce pas ?

— Il faudrait qu'ils tournent tous sur leur droite, dit Sam, dont le regard passait d'un visage à l'autre. Je n'ai vu que son profil.

Après quelques instants, les hommes obtempérèrent, bien que Sam n'ait entendu personne leur donner d'instructions.

Les hommes aux cheveux plus longs, grands tous les deux, avaient la peau lisse. Quelqu'un pouvait-il simuler l'épiderme grêlé qu'elle avait aperçu ? Un très bon maquilleur, un artiste travaillant pour le cinéma, aurait sans doute pu. Mais l'ampoule au plafond de la cave à vin avait capté l'ombre de la peau abîmée et les marques étaient très nettes. Sur ce point, Sam n'avait pas de doute.

Elle élimina les candidats un et trois et tourna son attention vers les quatre autres. Le deuxième était un peu petit. Quoique, elle était accroupie derrière les casiers de vin la nuit en question ; cela avait pu altérer sa perception de la taille du tueur. Les quatrième et cinquième avaient clairement le nez assez gros et les cheveux assez courts et l'un d'eux affichait un début de barbe qui recouvrait ce qui pouvait être des joues grêlées.

Pouvait-elle demander à ce qu'il se rase ?

— Vous voulez les revoir de face ? proposa l'inspecteur Larkin.

— Non, attendez.

Elle plissa les yeux pour observer le barbu. Il y avait chez lui une certaine maigreur, une posture un peu avachie. Le tueur n'était pas spécialement costaud mais il avait… de l'élégance. Il portait une veste sombre et donnait l'impression de faire partie des clients de *Chez Paupiette*. Ce type-là était trop… négligé.

Mais c'était peut-être un artifice. Un tueur professionnel – un assassin – avait sans doute un certain talent pour la comédie. L'homme qui avait éliminé Sterling avait-il opté pour cette posture pour mieux se fondre dans le décor ? Portait-il une perruque, de fausses cicatrices ?

Le doute tordait les tripes de Sam. Elle vida ses poumons et ferma les yeux pour tenter de faire visuellement table rase. Qu'avait-elle vu d'autre chez lui ce soir-là ?

Ses mains.

— Réfléchissez bien, Sam, dit l'inspecteur Larkin avec une pointe d'impatience dans la voix. Essayez de vous souvenir.

— S'il vous plaît… souffla Sam. J'essaie.

Elle les regarda tous de nouveau. Si elle choisissait celui que les policiers avaient inclus pour la faire passer pour une idiote, certaines personnes dans la pièce seraient sans doute ravies.

— Elle *essaie*, fit remarquer O'Hara depuis le fond. Elle devrait faire plus qu'essayer.

Elle ne lui prêta pas attention et repensa à la main qui tenait le pistolet. Il l'avait cachée sous sa veste, sa main droite refermée sur l'arme, le dos au mur et sa joue gauche tournée vers elle. Quand il avait sorti le pistolet, avait-elle vu une alliance ? Un grain de beauté ? Une marque ?

Ou bien son regard était-il braqué sur Sterling à cet instant ? Son visage stupéfait, la façon dont ses yeux s'étaient agrandis au moment de l'impact ?

Elle se tourna vers le sixième homme. Il était aussi grand que le premier, avec la bonne longueur de cheveux et la peau abîmée. Celle-ci lui avait-elle paru grêlée à cause de la pénombre qui régnait dans la cave ? Son nez était-il aussi plat que ça à son sommet ? Et ses oreilles n'étaient-elles pas un peu plus grandes ?

Ça pouvait être l'homme en question. C'était possible. Cet individu, là, devant elle, était peut-être celui qui avait logé une balle dans le corps de Joshua Sterling… ou peut-être pas.

La dernière chose dont elle avait envie était de semer ne serait-ce que le doute à propos de quelqu'un qui n'était pas impliqué. Il suffisait de penser à Billy Shawkins. De fines gouttes de transpiration s'amoncelaient sur sa nuque avant de s'écouler le long de sa colonne vertébrale.

Elle avait déjà fait incarcérer un innocent par le passé.

— Je ne le vois pas.

Sans pouvoir l'expliquer, elle avait su dès son arrivée au commissariat que ce serait sa réponse. Elle n'accuserait plus jamais un autre homme. Jamais. Ce tueur qui avait son visage en vidéo pouvait se reposer sur ses deux oreilles ; il profitait du meilleur témoin possible. Un témoin qui doutait.

— Vous êtes sûre ?

Larkin semblait atterré.

C'était bien le problème. Elle n'était sûre de rien.

— Je ne peux pas identifier formellement l'un de ces hommes.

Ce qui signifiait qu'elle n'était pas près de retrouver la sécurité et l'insouciance d'une vie normale.

Derrière elle, O'Hara ouvrit brusquement la porte et sortit sans même lui adresser un mot. Le Dr Gettleberg dévisagea attentivement Sam avant de noter quelque chose sur son bloc-notes.

— Vous n'avez pas de suspect, c'est ça ? demanda Sam. (Larkin ne répondit pas.) C'était pour me tester, n'est-ce pas ?

— Pas du tout, répondit Larkin.

— Je ne vous crois pas.

— Vous devriez. Et en sortant vous me croirez. Nous avons fait venir d'autres employés du restaurant et clients de *Chez Paupiette* pour assister à la même séance, pour voir s'ils se souviennent de ces hommes comme des clients la nuit en question. Vous étiez évidemment la première en tant que témoin oculaire.

— Vraiment ? Et ces gens sont ici, là, maintenant ? (Elle avait soudain envie de voir des collègues, vivants et en sécurité.) Inspecteur Larkin, si l'individu qui a tué Sterling a aussi tué Teddy Brindell parce qu'il sait qu'il y a un témoin, vous ne croyez pas que ça mérite d'avertir tous ceux qui travaillent là-bas ?

Il lui tapota l'épaule avec condescendance.

— La mort de M. Brindell est sans rapport, Sam. Il avait récupéré beaucoup d'argent et il s'est fait dépouiller, c'est tout. Si vous cherchez un autre lien, vous n'en trouverez pas. Croyez-moi, nous avons envisagé toutes les possibilités.

— Mais, juste au cas où, vous ne pensez pas que les autres employés devraient savoir que…

— Allons… (Il se pencha pour insister sur la phrase suivante :) Personne ne sait que vous avez assisté au meurtre. Nous devons faire en sorte que cela ne change pas.

Pourtant, *quelqu'un* savait.

— Tous ces employés pensent que vous avez trouvé le corps de Sterling. Ne laissez pas filtrer la vérité ou nous perdrons notre seul avantage.

Elle n'était pas certaine de bien suivre ce raisonnement mais il lui fit signe de ressortir et de repartir dans le couloir, mettant ainsi un terme à la conversation. Le premier visage familier qu'elle aperçut fut celui de René et, malgré son peu de sympathie pour le sommelier, un sentiment de réconfort l'envahit. Ils étaient tous dans le même bateau.

— René ! dit-elle, très consciente du coup d'œil acéré que lui lançait l'inspecteur Larkin.

— Bonjour, Sam.

Il tendit les bras vers elle, un geste inhabituellement chaleureux mais qui paraissait parfaitement normal. Ils se serrèrent brièvement dans les bras l'un de l'autre puis reculèrent.

— T'es au courant pour Teddy ? demanda-t-il immédiatement.

Elle hocha la tête.

— C'est tellement triste.

— Tu étais... ?

Il leva la main pour se protéger les yeux et mimer le fait d'observer les suspects de la séance.

— Allons-y, monsieur !

Sorti de nulle part, O'Hara faisait signe à René d'avancer.

— L'inspecteur Larkin va vous raccompagner, mademoiselle Fairchild. Et souvenez-vous... (Il pointa un doigt vers le visage de Sam :) Nous voulons savoir où vous êtes en permanence. Et ça veut dire à chaque minute.

— Il exagère, indiqua Larkin à voix basse en la guidant vers la sortie. Mais restez en contact. Et ne dites à personne que vous êtes un témoin, Sam. Personne. Pas même quelqu'un à qui vous pensez faire confiance. Parce que, à cet instant, vous ne pouvez vous fier à personne.

— Mais il le sait, dit-elle.

— Qui ça ?

— L'homme qui a fait le coup et qui possède la cassette.

Larkin haussa les épaules.

— Peut-être. Mais nous ne savons toujours pas si l'appareil a bien fonctionné et s'il a même regardé la vidéo. Il a très bien pu la jeter dans le fleuve pour se débarrasser de preuves incriminantes.

— Je vous demande juste de l'attraper, dit-elle. Histoire que j'arrive de nouveau à dormir.

— C'est bien notre intention.

Lorsque les portes de l'ascenseur s'ouvrirent au rez-de-chaussée, elle balaya du regard les gens et les policiers qui vaquaient à leurs occupations, à la recherche de Zach. Son regard s'arrêta sur les détecteurs à métaux. Avait-il pu entrer en laissant son arme dans la voiture ? Ou bien était-il toujours dehors, là où elle l'avait laissé ?

Son besoin de voir Zach était si fort qu'elle fut surprise par cette intensité. Ce n'était pas seulement parce qu'elle se sentait en sécurité avec lui, elle avait vraiment besoin de le voir. Ça n'avait aucun sens, mais rien à propos de Zach Angelino n'avait de sens.

— Sam ? Sam ?

Elle se retourna au son d'une voix masculine, scrutant la foule à la recherche d'un homme grand, sombre, dangereux... pour trouver à sa place quelqu'un de taille moyenne, au teint pâle et à l'air avenant. Il lui fallut une seconde pour le situer et un peu plus pour se souvenir de son nom. Mais elle y parvint, alors même qu'il arrivait jusqu'à elle, les mains tendues.

— Comment ça va, Larry ?

Elle fut étonnée de parvenir à se souvenir du nom de l'homme avec qui elle avait discuté au bar quelques instants avant que sa vie bascule. Cette prouesse élargit encore un peu plus le sourire de Larry.

— Je ne pensais pas vous croiser de nouveau. J'ai entendu dire que vous aviez démissionné après l'incident.

— En effet, admit-elle. C'était simplement trop...

— Je sais. (Il lui prit brièvement les mains et se rapprocha d'un pas.) Je n'arrive pas à croire qu'ils organisent une séance d'identification. C'est un truc de la vieille école. J'ai l'impression d'être dans un épisode de *Capitaine Furillo*.

Elle ne rit pas, incapable de communiquer à quel point la situation était horrible pour elle.

— Ouais, je sais, dit-elle sans conviction.

— Je vois bien que non, répondit-il. Vous ne savez sans doute même pas ce qu'est *Capitaine Furillo*, et ça ne me rajeunit pas. Mais je vais quand même vous poser la question : ça vous dirait de prendre un café un peu plus tard ? Je devrais en avoir fini avec l'identification dans un petit moment et...

Il ne termina pas sa phrase, sans doute parce qu'il avait déjà décodé l'expression de Sam.

— Je ne peux pas, Larry. Je dois partir. Alors peut-être une autre fois.

— Est-ce qu'une autre fois est envisageable ? demanda-t-il, l'air sérieux. J'aimerais bien vous inviter à sortir, si vous êtes libre. Vous l'êtes ?

Sam eut un sourire un peu crispé. Était-elle libre ou bien avait-elle déjà été capturée par Zach Angelino ? Donnerait-elle un jour sa chance à un autre homme, même à un type gentil et ordinaire comme celui-ci ? *En particulier* à un type gentil et ordinaire comme lui.

— Pas exactement, non. Je veux dire...

— Je ne suis pas marié, lui assura-t-il. Je gagne bien ma vie. Je ne traîne pas de casseroles et... attention au choc... je sais cuisiner.

Elle se mit à rire, surprise par cette pointe d'esprit qu'elle n'avait pas remarquée quand ils s'étaient rencontrés cette nuit-là au bar de *Chez Paupiette*.

— Impressionnant comme CV, mais tant que tout ceci ne sera pas terminé...

Elle désigna leur environnement comme si le commissariat tout entier était inclus dans « ceci ».

— On va dire que je suis préoccupée, dit-elle pour finir.

— À cause de quoi ? Je pensais que vous aviez démissionné.

L'avertissement de Larkin résonnait encore à l'oreille de Sam.

— Disons que tout ça m'a secouée, si vous voyez ce que je veux dire.

— Je vois, répondit-il avec un sourire triste. Bon. Peut-être que vous changerez d'avis.

— Peut-être, dit-elle sur un ton qui ne promettait pas grand-chose.

Il s'éloigna après des salutations empreintes de malaise. Elle partit dans la direction opposée et repéra Zach de l'autre côté du hall, le regard de son œil unique braqué sur elle. Le simple fait de le voir – ses longs cheveux noirs, le bandeau sur son œil, le tee-shirt de dur à cuire, la barbe de trois jours – provoqua en elle une montée d'adrénaline qui la fit flageoler.

Larry n'avait aucune chance face à lui. Aucun homme ne soutenait la comparaison.

Zach s'approcha d'elle à pas lents mais déterminés, avec un demi-sourire totalement craquant.

— C'est qui le mec avec la perruque ?

Elle eut un petit rire.

— Vraiment ? C'était un postiche ?

Pauvre Larry, il était réellement plus vieux qu'elle ne l'avait cru.

— Un bon, mais ouais. Tu lui as donné ton numéro ?

— On pourrait croire que tu es jaloux.

Il passa son bras autour de ses épaules.

— Il en bavait presque.

— Tu nous regardais ?

— C'est mon boulot.

Il la guida vers la porte, un bras massif et protecteur plaqué contre son dos. Son *boulot* était la seule raison pour laquelle elle s'autorisait à se tenir aussi proche de lui. Parce qu'elle ne devait pas oublier la leçon apprise durant la séance d'identification : son jugement personnel n'était vraiment pas fiable.

12

— Bon, si toi et tes copains du FBI avez vu juste, la prostitution ça rapporte.

Vivi marqua un temps d'arrêt devant l'étendue glaciale du sol de marbre blanc du Clarendon. Le complexe tout entier était tellement neuf qu'on captait presque l'odeur de sciure qui accompagnait l'aménagement des derniers appartements de luxe.

— On a raison. Et oui, ça rapporte, répondit Marc.

— Alors pourquoi vous ne l'avez pas coincée ?

— Elle a des amis haut placés, voilà pourquoi. Ce que j'aimerais savoir, c'est ce que tu imagines qu'elle va te dire qu'elle n'a pas déjà dit aux flics. Surtout habillée comme tu es, ajouta-t-il avec un regard en biais.

Vivi fit volontairement cliqueter ses talons hauts sur le marbre. Elle prit un air suffisant et passa les mains sur son jean hyper moulant et son tee-shirt qui lui couvrait à peine le ventre.

— C'est l'équivalent d'une robe de cocktail pour moi, lui lança-t-elle avec un grand sourire. Et puis je suis ici pour un job de mannequin. Ces filles-là ne s'habillent pas en tailleur. Pas la peine de donner à Mme Sly une raison de changer d'avis sur moi et mon potentiel de cover-girl.

Elle hésita en arrivant devant la rangée d'ascenseurs. Elle eut beau regarder autour d'elle, il n'y avait personne dans le coin susceptible d'être Anthea, l'assistante personnelle de Taylor Sly au sein de l'agence de mannequins On The Sly[1].

— Asseyons-nous, proposa-t-elle en indiquant un banc recouvert de cuir blanc. On ne peut pas monter sans être accompagnés.

— Moi je pourrais, rétorqua Marc.

Comme ils s'asseyaient, elle lui pinça fraternellement la jambe.

— Je n'en doute pas, dit-elle. Et c'est pour ça que tu feras un fabuleux Gardien Angelino.

L'expression des yeux sombres de Marc était sérieuse.

— Je ne vais pas te mentir, Vivi : j'adore ton idée. L'action me manque énormément.

— Tu envisages parfois de réintégrer le FBI ?

Il secoua la tête.

— Trop de ponts ont été coupés. Et le passif est trop lourd.

— Tu pourrais de nouveau avoir à agir comme agent infiltré si tu travailles avec nous.

— Tant que ça ne compromet pas ma relation avec ma femme, dit-il.

— Ah, tu dis ça comme si tu pensais pouvoir en trouver une autre !

— On peut toujours rêver. Mais, sérieusement, j'aime le concept de l'entreprise, Vivi. Je pense que tu as l'intelligence et le sang-froid nécessaires pour réussir.

— Sans parler de mon frère et de mes cousins. Je ne suis pas assez présomptueuse pour imaginer faire le boulot toute seule. J'ai besoin de Zach, j'ai besoin de toi, j'ai besoin de Chessie. En fait, j'ai même besoin d'oncle Nino pour me cuisiner de bons petits plats.

— Tu pourrais aussi avoir besoin de JP.

Elle leva une main.

---

1. Le nom de l'agence reprend celle de sa propriétaire, Taylor Sly, mais l'on notera qu'en anglais « *sly* » signifie « rusé » et l'expression « *on the sly* » peut être traduite par « en cachette ». (*N.d.T.*)

— Pas si ça doit me priver de Zach. Tu as vu comment ils étaient hier, tous les deux. Certaines choses ne changent pas.

Marc secoua la tête.

— Je crois que JP fait des efforts. Vraiment. Il se comporte parfois comme un connard arrogant, je suis le premier à l'admettre. Il pense tout savoir et veut tout contrôler. Et Dieu sait que quand Zach traversait sa phase sauvage...

— Qui s'est en gros étalée de ses onze ans jusqu'au moment où il a rejoint l'armée, dit Vivi.

— Ouais, JP en a eu assez de lui. Mais bon, nous sommes adultes maintenant. Je voudrais que Zach comprenne les avantages d'une famille. Même s'il ne considère pas les Rossi comme la sienne.

Vivi s'appuya contre le dossier, les yeux tournés vers les ascenseurs mais l'esprit occupé par son frère et ses blessures.

— Peut-être que Sam l'y aidera.

— Peut-être, reprit Marc, si elle est capable de faire des miracles.

Les portes d'un ascenseur s'ouvrirent et ils virent émerger une immense gazelle métisse aux cheveux d'ébène hérissés, vêtue d'une minijupe blanche qui remontait encore plus haut qu'à mi-cuisse. Elle s'avança d'un pas nonchalant, ses yeux dorés braqués sur Marc.

— Je te parie ma Fender dédicacée par Eric Clapton que c'est Anthea, chuchota Vivi, la bouche en coin.

— Ouaip. La call-girl dans toute sa splendeur, répondit Marc.

La jeune femme flotta dans leur direction, son regard toujours concentré sur Marc, comme pour prendre le temps de le jauger.

— Mademoiselle Angelino ? Je suis Anthea Newcomb, l'assistante de Mme Sly.

Un sourire se dessina lentement sur ses lèvres comme elle s'adressait à Marc.

— Elle n'a mentionné qu'une seule candidate. Mais avez-vous apporté votre book, monsieur ? Je suis sûre qu'elle vous trouverait intéressant.

— Je n'en doute pas un instant, répondit-il avec un sourire taquin. Mais je ne suis pas dans le métier.

— Il est avec moi, expliqua Vivi. Et je promets qu'il ne mord pas.

— En fait si, admit Marc. Mais seulement si vous me le demandez.

Une fois dans l'ascenseur, Anthea décocha quelques œillades supplémentaires à Marc en ignorant complètement Vivi. Heureusement que ce boulot de mannequin ne l'intéressait pas réellement ; elle aurait été horriblement déçue.

— Alors, depuis combien de temps travaillez-vous pour On The Sly ? demanda Vivi.

— Je suis la toute première employée, répondit Anthea de sa belle voix. Un bon moment, donc.

Les portes s'ouvrirent sur le hall du vingt-septième étage, une version miniature de celui du rez-de-chaussée. Un concierge était assis derrière son bureau, au milieu des éclairages tamisés et du marbre luisant.

Anthea lui fit un signe de tête au passage et leur fit emprunter un grand couloir jusqu'à une double porte en acajou magnifiquement sculptée. Elle se servit d'un petit appareil pour composer un code chiffré et la porte s'ouvrit avec un cliquetis discret.

Anthea poussa les deux battants en même temps, comme si elle présentait Marc et Vivi à quelque royal personnage. L'entrée formait un cercle immense presque exclusivement décoré de tons crème et blancs aveuglants, à l'exception d'une table ronde centrale surmontée d'un arrangement floral qui devait bien faire la moitié de la taille du jardin public. L'endroit donnait sur d'autres pièces mais Anthea les escorta sur la droite, jusqu'à un autre salon blanc doté de deux parois de verre surplombant la ville.

— Asseyez-vous, monsieur. Mademoiselle Angelino, venez avec moi.

Ils échangèrent un rapide regard. Marc haussa un sourcil dans ce qui ressemblait à un avertissement. Puis Vivi repartit vers l'entrée avec Anthea pour passer le seuil d'une autre suite. Tout était si lumineux, léger et blanc qu'on se serait cru dans la maison d'un ange. Et c'était immense. Il devait s'agir de deux appartements fusionnés en un seul, songea Vivi. Ce qui représentait sans doute cinq ou six cents mètres carrés de surface.

Diriger une agence de mannequins rapportait certainement, mais ça ne pouvait pas payer aussi bien. Taylor Sly disposait clairement d'autres sources de revenus. Arrivée devant une seconde double porte, celle-là peinte en blanc, Anthea l'ouvrit et recula d'un pas.

— Voici le bureau de Mme Sly, dit-elle. Où est votre book, mademoiselle Angelino ?

— Je n'en ai pas apporté.

Vivi ne s'arrêta pas à sa réaction de surprise et reporta son attention vers l'immense baie vitrée qui offrait une vue sur le centre-ville de Boston, jusqu'à l'immense panneau Citgo près du stade.

Cette pièce ne ressemblait pas à un bureau ordinaire. Elle accueillait de grands canapés, des tables basses, un bar et un panorama superbe. Mais pas de bureau. Pas de téléphone. Pas de classeurs de rangement, de porte-documents ou de couvertures de *Cosmo* affichées sur les murs. Et pas de Taylor Sly.

— Vous êtes une journaliste.

Au son de la voix dans son dos, Vivi se retourna.

Taylor Sly ressemblait à une fleur exotique. Où qu'on la croise, elle était jolie. Mais une fois dans son élément, évoluant dans son environnement naturel, elle devenait franchement éblouissante, comme parvenue à une maturité parfaite.

— Il est certain que vous n'êtes pas un mannequin. (Vivi lui adressa un rictus pincé.) Pourquoi ne pas m'avoir dit que vous étiez journaliste ? lui demanda Taylor Sly.

— Je ne pensais pas que vous accepteriez de me parler.

Vivi glissa la main dans sa poche et en sortit une paire de gants d'entraînement tout neufs.

— Mais j'ai apporté ceci, ajouta-t-elle.

— Merci.

Taylor Sly prit les gants et les déposa avec indifférence sur l'une des tables basses. Son regard demeurait rivé sur Vivi, au point que c'en était un peu déconcertant.

— Vivi Angelino.

Elle prononçait le nom comme si elle le connaissait.

— C'est bien moi.

Avec un petit sourire, la maîtresse des lieux fit quelques pas autour de Vivi. Elle n'agissait cependant pas comme un prédateur, plutôt comme si elle était intriguée.

— Pour que les choses soient très claires, je ne suis pas venue ici pour le job de mannequin. J'ai menti pour obtenir un rendez-vous avec vous.

Taylor s'immobilisa. Une lueur dansait dans ses yeux bleu vert qui tiraient presque sur le turquoise.

— Ça me plaît, dit-elle.

— Vraiment ?

Le sourire s'élargit, laissant voir une dentition parfaite.

— J'ai menti pour obtenir mon premier emploi, admit-elle. J'ai dit que j'avais seize ans. J'en avais à peine treize. Et je l'ai obtenu. La couverture du magazine *Seventeen*.

Surprise, Vivi écarquilla les yeux.

— J'imagine que le reste appartient à l'histoire.

— J'imagine. (Taylor lui désigna un siège.) Asseyez-vous et dites-moi ce qu'il y a de si important pour que vous m'ayez menti afin d'arriver jusqu'ici.

Vivi s'assit et Taylor s'installa juste en face d'elle. Son pantalon de soie émit un léger bruissement ; un doux parfum de cannelle flottait tout autour d'elle. Son visage, éclairé par les rayons du soleil qui se déversaient par la baie vitrée, était une œuvre d'art. Yeux en amande, pommettes saillantes, lèvres pleines.

Pas étonnant que cette femme ait pu vendre un milliard de dollars de produits et lancer sa propre agence de mannequins. Se pouvait-il qu'elle soit aussi une proxénète ? Ça semblait délirant mais Vivi avait eu affaire à assez de monde pour savoir que tout était possible. Et Marc était autrefois l'un des cadors du FBI. S'il affirmait que Taylor dirigeait un réseau de prostitution, alors c'était sans doute le cas.

— Je ne suis pas ici en tant que journaliste. Je travaille en tant qu'enquêteur privé.

Un sourcil à la courbe parfaite se redressa d'un millimètre.

— J'imagine que c'est à propos du meurtre de Joshua Sterling ?

— Oui. Ma société enquête dessus.

— Vous avez une carte de visite ?

Merde.

— À vrai dire, c'est nouveau. Tout nouveau. Nous nous appelons les Gardiens Angelino et je suis vice-présidente, chargée des enquêtes.

Son interlocutrice paraissait intriguée.

— Vous lancez votre propre entreprise. J'adore. Je soutiens particulièrement les entreprises dirigées par les femmes.

— Je suis cofondatrice avec mon frère, ajouta Vivi. Il s'occupe de la sécurité et de la protection rapprochée.

Un sourire rusé accompagnait à présent le regard si remarquable et pétillant de Taylor.

— Excellent. Je suis totalement pour le fait d'exploiter les hommes et leurs muscles tandis que nous fournissons les cerveaux.

— Il a de la jugeote lui aussi, répondit Vivi, sur la défensive. Mais c'est moi qui ai la formation en matière d'investigation.

— Pour *Boston Bullet*. J'ai fait quelques recherches avant notre réunion, ajouta-t-elle devant l'air surpris de Vivi. Comme vous, sans aucun doute. C'est ce que ferait n'importe quelle femme d'affaires intelligente. (Elle se pencha un peu plus vers la jeune femme.) Que puis-je faire pour vous, Vivi ? Votre entreprise démarre tout juste et vous avez sans doute besoin d'un petit coup de pouce.

— C'est certain.

Vivi se détendit ; cette femme lui plaisait un peu plus chaque seconde.

— Vous essayez de résoudre le meurtre de Sterling.

Vivi inclina la tête sur le côté.

— Je n'essaie pas de faire le boulot de la police de Boston, madame Sly.

— Taylor.

— Taylor. Je tente d'aider un client impliqué indirectement dans l'affaire.

Taylor adopta une expression sérieuse.

— Un suspect ?

— Non.

— Un témoin ?

— Seulement quelqu'un qui a grand intérêt à voir l'affaire résolue.

Taylor hocha la tête. Elle comprenait que Vivi ne lui en dirait pas plus.

— Vous savez que j'étais au restaurant ce soir-là.

— Oui. Et je sais aussi que vous avez parlé avec M. Sterling. Vous le connaissiez bien ?

Quelque chose s'alluma dans le regard de Taylor.

— Je le connaissais très bien.

— Dans ce cas, mes condoléances pour la perte d'un... ami ?

Elle l'avait formulé comme une question mais Taylor ne répondit pas.

— Ou s'agissait-il d'une relation d'affaires ? poursuivit-elle.

Genre l'un de ses meilleurs clients.

— Nous étions amants.

Vivi se contenta de la regarder, estomaquée.

— Et, oui, la police est déjà au courant. Ils m'ont longuement questionnée. Je ne vais pas cacher la vérité. Nous nous aimions et il avait prévu de quitter sa femme pour moi.

La stupeur de Vivi devait se voir sur son visage.

— Et ça aussi, ils le savent ? s'enquit-elle.

Taylor opina brièvement du chef, une lueur de défi dans le regard.

— Et ils ont innocenté cette petite garce.

Ils avaient innocenté la femme de Sterling ? Une femme trahie de la sorte ?

— N'est-il pas possible qu'ils disent ça simplement pour avoir le temps d'amasser des preuves ? s'interrogea Vivi.

— Ce qui est possible...

Taylor secoua la tête et s'interrompit pour éviter de s'étendre.

— Taylor, je vous en prie. Dites-moi. Je peux vous aider.

— Peut-être, en effet, répondit Taylor, l'air pensif. Peut-être qu'un enquêteur indépendant est exactement ce qu'il faut à cette affaire parce que ces putains de flics... Pardonnez mon langage mais ce sont vraiment des salopards. Ils ne veulent pas toucher à Devyn Sterling parce qu'elle fait partie de la famille Hewitt et qu'ils sont juste en dessous de Dieu dans cette ville.

Vivi savait qu'elle disait vrai.

— Pour ma part, je n'aurais aucun problème à faire tomber les Hewitt ou Dieu, alors expliquez-moi comment je peux vous aider.

— Très franchement, et ça me désole de le dire, je ne crois pas qu'elle ait fait le coup. Je veux dire, de toute évidence, ce n'est pas elle qui l'a tué. Elle était au beau milieu de la salle de restaurant quand c'est arrivé. Mais je ne crois pas non plus qu'elle ait payé pour le faire assassiner.

— Elle avait clairement un mobile si son mari et vous...

— Elle n'a pas les tripes pour ça, poursuivit Taylor. Mais elle a les gènes.

— Les gènes de la famille Hewitt ?

Un sourire affleurait sur les lèvres de Taylor.

— Ma chère, si je pouvais vous révéler ce que je sais, non seulement vous tiendriez le scoop de la décennie mais votre petite entreprise serait ensuite obligée de refuser des clients.

Allumeuse.

— Comment puis-je vous convaincre de m'en parler ?

Taylor se contenta de secouer lentement la tête, comme si c'était tout bonnement impossible.

— Je suis tentée, je l'admets, pour aider une femme et faire de cette...

— Hé ! Stop !

Toutes les deux se retournèrent en entendant la voix d'Anthea au dehors. Puis deux hommes surgirent.

— Je suis navrée, madame Sly... soupira Anthea.

Le côté chaleureux de Taylor disparut, remplacé par une fureur glaciale.

— Je suis en pleine entrevue, inspecteur O'Hara. Qu'est-ce que vous voulez ?

Évidemment, songea Vivi. C'était l'inspecteur en charge de l'affaire. Elle n'avait jamais pu l'approcher d'assez près durant les conférences de presse pour bien le voir. Et elle n'avait jamais vu non plus le flic qui l'accompagnait.

— J'ai là un mandat de perquisition, annonça O'Hara. Et nous allons nous en servir.

Il transperça Taylor de son regard bleu sombre, accusateur.

— Sortez d'ici, inspecteur O'Hara. Je vous ai déjà dit tout ce que j'avais à dire sans la présence de mon avocat.

Taylor regarda à peine l'autre homme, comme s'il n'avait pas d'importance, et mit les mains dans les poches de son pantalon. Un geste étrangement masculin pour une personne aussi féminine.

— Où est l'inspecteur Larkin ?

— Il organise une séance d'identification, répondit O'Hara. Il est donc trop occupé pour vous protéger.

Taylor secoua la tête.

— Non, je ne vous autorise pas à fouiller ici.

— Alors je vous arrête pour obstruction, rétorqua O'Hara en montrant les dents. C'est un début, Sly.

Celle-ci tourna la tête vers Vivi.

— Bien. Vous avez gagné. Faites votre perquisition. Mais donnez-moi une minute pour dire au revoir à mon nouveau mannequin.

O'Hara sembla enfin remarquer la présence de Vivi et hocha la tête.

— N'espérez pas beaucoup de travail ici à l'avenir, mademoiselle.

Vivi ne répondit rien ; elle laissa Taylor la raccompagner à la porte. Cette dernière se tourna alors vers elle et, de façon inattendue, l'enlaça. C'était même tellement déconcertant qu'il y eut un instant de flottement quand elles faillirent se cogner la tête. Puis Taylor décala rapidement la sienne pour approcher ses lèvres de l'oreille de Vivi.

— Finn MacCauley, lui souffla-t-elle.

Après quoi, elle défit son étreinte et lui adressa un long regard lourd de sens.

— Je vous prédis un grand succès dans ce nouveau projet. Saisissez toutes les occasions qui se présenteront.

Vivi hocha la tête. Ces paroles résonnaient toujours dans son esprit quand Anthea l'escorta jusqu'à la sortie. Elles retrouvèrent Marc à l'extérieur, où patientaient également deux inspecteurs et deux policiers en uniforme.

— Ils ont bien choisi leur moment, commenta-t-il en sortant avec Vivi. Elle fait partie des suspects ?

Vivi attendit qu'ils soient dans l'ascenseur et, même alors, elle jeta des coups d'œil autour d'elle à la recherche de caméras de surveillance.

— Oui, chuchota-t-elle. Je pense que oui.

Ils sortirent dès l'ouverture des portes et rejoignirent la rue. Immédiatement, un flot de paroles jaillit de la bouche de Vivi pour partager toutes les informations qu'elle venait de recevoir.

— C'était son amant ? Et ils ne s'en prennent pas à son épouse ? s'étonna Marc.

— Exactement, répondit Vivi dont les talons claquaient avec assurance sur les pavés. Mais, Marc, ce n'est pas le plus important. Tu ne croiras pas le nom qu'elle m'a chuchoté à l'oreille quand je suis partie.

Il se tourna vers elle, curieux.

— Finn MacCauley ! dit-elle.

Marc écarquilla les yeux.

— Le gangster de la pègre irlandaise ?

— Tu connais un autre Finn MacCauley ?

Marc secoua la tête, incrédule.

— Vivi, on accuse ce type chaque fois qu'un meurtre est commis dans la ville de Boston. Il ne s'est pas montré depuis au moins vingt-cinq ans. La rumeur veut qu'il ait été abattu par ses lieutenants et enterré sous le tronçon d'autoroute de la Central Artery durant les énormes travaux de l'époque. Et j'ai tendance à croire que c'est vrai.

— Son nom n'est pas toujours sur la liste des suspects les plus recherchés par le FBI ?

— Si, mais seulement parce qu'ils n'ont pas retrouvé son corps. Dans une dizaine d'années, il atteindra les quatre-vingt-dix ans et sera présumé décédé.

— Je pense quand même que Taylor Sly est une source très fiable, rétorqua Vivi avec un haussement d'épaules.

— Ouais, une proxénète dirigeant un réseau de prostitution, qui admet ouvertement avoir eu une aventure avec le défunt et est clairement le suspect numéro un de l'inspecteur chargé de l'affaire. Elle est super-crédible.

Vivi le fusilla du regard.

— Elle m'a plu.

— Règle numéro un en matière d'enquête, chère cousine : apprécier une personne ne signifie pas qu'elle est honnête.

Vivi réfléchit un instant avant de demander :

— Quelle est la règle numéro deux ?

Marc la prit par les épaules et la guida en direction du Starbucks au coin de la rue.

— Tu sais, quand des gens te donnent une piste pour retrouver un tueur ? Quand par exemple on te murmure un nom à l'oreille. En général, c'est parce qu'ils essayent de faire porter le chapeau à quelqu'un d'autre qu'eux-mêmes.

13

Sam passa le reste de la matinée et le début de l'après-midi dans sa chambre. Zach ne savait pas précisément ce qu'elle faisait, mais il était clair qu'elle ne voulait pas l'y associer. Aussi resta-t-il au rez-de-chaussée en attendant l'arrivée de Nino. Il eut une longue conversation avec Vivi au sujet de son rendez-vous avec Taylor Sly. Mais même le fait de savoir que la police semblait proche de démasquer le commanditaire du tueur – car Taylor Sly n'aurait évidemment pas appuyé elle-même sur la gâchette – ne rendit pas Sam plus bavarde ou plus avenante quand il monta à l'étage pour le lui annoncer.

Zach songeait que l'épreuve de l'identification avait dû être éprouvante. Pour tuer le temps durant l'après-midi, il s'était servi de l'ordinateur de Sam afin d'en savoir plus sur l'histoire de la disculpation de Billy Shawkins, Mission Innocence et les activités extra-professionnelles de l'une de leurs bénévoles. L'une de leurs plus brillantes, belles et merveilleuses bénévoles.

Zach avait eu d'autant plus de respect pour elle, et cela lui avait rappelé que Sammi avait besoin dans sa vie d'un égal, d'un homme aussi physiquement attirant qu'elle, capable de réussir de manière aussi fabuleuse qu'elle le ferait sans aucun doute, et plus engagé émotionnellement que lui-même ne le serait jamais.

Pas une coquille endommagée qui n'était jamais vraiment à sa place nulle part, qui avait passé l'essentiel de ces vingt dernières années sans partager la vie de quiconque, et qui passerait le restant de son existence tiraillé par sa culpabilité au sujet d'erreurs qu'il n'aurait pas dû commettre.

Elle méritait un homme entier, à l'intérieur comme à l'extérieur.

La tristesse devait transparaître sur son visage car, lorsqu'il fit entrer oncle Nino et l'aida à porter les sacs de nourriture qu'il amenait, il eut droit à un « tss-tss » sonore et vit Nino secouer la tête.

— Quoi ? demanda Zach.

— Tu as l'air bien malheureux, *ragazzino*.

— J'ai faim. Qu'est-ce que tu nous prépares ?

Nino tira un salami d'un sac en plastique et le lui glissa au creux de la main.

— Le dîner est pour plus tard. Mange ça pour l'instant. Où est ta petite amie ?

— Mandante.

Nino lui lança un regard par-dessus son épaule.

— Quoi ?

— Ce n'est pas ma petite amie, c'est ma mandante. C'est un terme technique qui désigne la personne protégée par un garde du corps.

— Mandante, tu parles. C'est ta petite amie, ou en tout cas elle devrait l'être.

Zach sourit et s'installa à la table de la cuisine pour découper des tranches de salami et des morceaux de parmesan tandis que son grand-oncle cuisinait, une activité tellement familière qu'il n'avait même pas besoin de regarder Nino. Il savait ce que celui-ci découpait rien qu'au son de son couteau et au parfum qui envahissait la pièce. De la sauge.

Mais le sentiment de déjà-vu était plus profond et fit ressurgir une image plus ancienne. Naples. Sa mère. Un dosseret d'évier aux petits carreaux bleus peints à la main et un chien errant qu'ils avaient accueilli et nommé Aldo. Ce qui signifiait « le vieux ».

Mince, cela faisait très longtemps qu'il n'avait pas pensé à Aldo. Quand il avait été emmené, Vivi avait pleuré jusqu'à en vomir et Zach avait dû la laver. Sa colère au sujet d'Aldo s'était réveillée quand ils étaient arrivés aux États-Unis et n'avaient pas pu avoir de chien parce que Chessie était allergique.

— Elle a pu identifier le tueur durant la séance ? voulut savoir Nino en l'arrachant à ses souvenirs.

— Non. Et ce genre de truc l'intimide pas mal.

Il fit à Nino un bref résumé de l'histoire de Billy Shawkins. Mais son esprit revenait sans cesse à Aldo. Et à cette cuisine bleue et blanche.

— Je me demande ce que ma mère aurait pensé de Sam... dit-il sans avoir pleinement conscience qu'il venait de parler à voix haute.

Mais le bruit sec du couteau de Nino sur la planche à découper le lui confirma.

— Ta mère savait très bien cerner les gens. Et elle était incroyablement têtue.

— Tu ne l'as pas vraiment connue, rétorqua Zach.

— Je l'ai rencontrée plusieurs fois et elle est du même sang que moi, donc ça veut dire qu'elle est comme moi. Et moi, je me connais. Doué pour cerner les gens.

Zach mordit dans le fromage dur ; c'était le goût et l'odeur de son pays. De quoi rendre ses souvenirs plus poignants encore.

— Elle devait l'être, dit-il. Parce qu'elle m'aimait vraiment beaucoup.

Nino se retourna et il y avait de la douceur dans ses yeux sombres.

— Il y a de la souffrance dans ta voix.

— J'ai du parmesan dans la bouche, répondit Zach en mastiquant. Pas de la souffrance.

— Elle ne t'aimait pas.

Zach cessa de mâcher et se renfrogna.

— Alors ça, c'est faux.

— Ça allait bien au-delà de l'amour, en particulier avec toi. Elle t'adorait. À ses yeux, le soleil se levait et se couchait en même temps que toi. Tu étais sa raison de vivre, de respirer, de travailler, de marcher, de dormir. Elle pensait…

Zach leva son couteau à salami.

— J'ai compris l'idée.

— Vraiment ? demanda Nino. Vraiment, Zaccaria ? Parce que je n'ai pas l'impression que tu lui aies jamais pardonné d'être morte et d'être partie en te laissant dénué de fan-club personnel.

Zach regardait fixement le vieil homme.

— Tu as discuté avec Nicki ? Tout ça c'est des trucs perchés de psy qui n'ont rien à voir avec la réalité.

Nino se contenta de secouer la tête, comme il le faisait chaque fois que les mots lui manquaient, dans une langue comme dans l'autre.

— Tu ne pourras pas avoir de petite amie si tu ne t'aimes pas toi-même. C'est aussi simple que ça.

Zach reposa le salami à côté du fromage et se leva en direction de la porte.

— Merci pour l'en-cas, Nino. Je vais aller vérifier…

Sammi se tenait dans le salon, téléphone à la main, à un mètre du seuil. *Merde*. Avait-elle entendu ces conneries ?

— Nous devons ressortir, dit-elle.

— Retour au commissariat ?

— À Revere. Je dois voir Billy.

Il lui décocha un regard interrogateur et elle leva son portable comme si celui-ci avait la réponse. Mais tout ce que Zach put déchiffrer sur l'écran était la mention « Service de libération conditionnelle de Suffolk ».

— Ça provient d'Adam Bonner, son agent de probation. Il dit qu'il y a un problème d'absentéisme au travail avec Billy et que ce serait bien que j'aille lui parler.

— En personne ? Tu ne peux pas l'appeler ?

Elle secoua la tête, le regard triste.

— Je veux le voir, Zach. J'ai besoin de le voir. Il faut vraiment que je lui parle s'il s'est mis à ne plus aller au travail, ce qui ne lui ressemble pas. Mais… je sais pas, après aujourd'hui, ce truc… (Elle agita son téléphone.) C'était comme un message de l'au-delà. Je dois vraiment aller le voir. Je préférerais y aller seule mais je sais que tu ne me laisseras jamais faire.

— Sur ce point, tu ne t'es pas trompée.

De toute façon, tout était préférable au fait de rester ici, à subir une psychanalyse sauvage de la part de son grand-oncle.

Nino leur promit qu'ils pourraient repartir en s'assurant que les lieux étaient sécurisés. Ils sortirent donc par la ruelle de derrière, où la voiture de Zach était stationnée. Malgré la circulation de la fin d'après-midi, il trouva sans mal son chemin au milieu des voies sinueuses du quartier des entrepôts de Revere. Il restait constamment sur ses gardes, guettant un éventuel poursuivant, jusqu'à ce qu'ils traversent une voie ferrée pour s'arrêter sur le parking d'un énorme bâtiment sans fenêtre surmonté d'un panneau annonçant « Peintures North Side ».

— Il sort généralement par cette porte latérale là-bas, expliqua Sam en indiquant les battants d'un porche en métal près du parking à moitié vide.

— Tu viens souvent ici ? s'étonna Zach.

— Quand je peux. Il n'a pas de voiture et doit prendre, genre, trois bus et un train pour rentrer chez lui. Alors parfois, durant mes jours de congés, je viens le chercher quand sa journée est finie. Ce qui devrait être le cas dans quelques minutes, ajouta-t-elle après un coup d'œil à l'horloge du tableau de bord.

Zach se gara sur un emplacement d'où ils pouvaient voir l'entrée, sans cesser d'observer les alentours.

— J'ai vu une usine de peinture prendre feu au Pakistan il y a quelques années, raconta-t-il en étudiant le bâtiment. Un incendie violent, avec des explosions.

Bien sûr, on y avait mis volontairement le feu. Mais l'odeur était impossible à oublier.

— Je ne savais pas que tu étais allé au Pakistan.

Bien sûr qu'elle n'en savait rien. Parce qu'il avait rompu tout contact bien avant cette mission.

— Qu'est-ce que tu faisais là-bas ? demanda Sam.

— Je faisais sauter des usines de peinture, entre autres choses.

Elle laissa échapper un hoquet de surprise.

— C'est *toi* qui avais mis le feu ?

— Pas tout seul.

Il tapota le volant tout en évaluant la hauteur et la profondeur de l'usine pour déterminer mentalement comment ils auraient géré la chose.

— Mais c'était propre, je tiens à le dire. Personne n'a été blessé.

— Vraiment personne ?

— Enfin, pas chez les gentils. Dont je faisais partie, ajouta-t-il, tête inclinée sur le côté.

— Tu en fais toujours partie, dit-elle à mi-voix. Même si tu fais sauter des usines de peinture.

— Parlons-en au passé. Je ne fais plus rien exploser en ce moment.

— Mais tu fais toujours partie des gentils. Tu fais partie des Gardiens Angelino, lui lança-t-elle avec un sourire moqueur.

Il émit un petit « pfff ».

— Ma sœur et toi !

— Ta sœur et moi quoi ?

Il perçut la taquinerie rieuse dans sa voix et coula un regard vers elle. Ses yeux brillaient comme des saphirs.

— Tu te sens déjà mieux, hein, Sam ?

— Je me sens toujours mieux quand je viens ici, répondit-elle en indiquant l'édifice.

— Ouais, rien de mieux qu'une usine de peinture pour vous mettre de bonne humeur.

Elle rit de nouveau.

— Je sais que je vais voir Billy. Et ça suffit à me faire plaisir.

Les flammes de la jalousie s'éveillèrent en lui avec une force qui le surprit.

— Tu l'aimes à ce point ?

— Je l'adore, dit-elle en jetant de l'huile sur le feu.

— Sérieusement ?

— Sérieusement. Comment pourrais-je ne pas l'aimer ? En gros, j'ai détruit la vie de cet homme, je lui ai volé ses jours et ses nuits et je l'ai envoyé en prison pour dix ans, et maintenant qu'il est sorti, il m'appelle Bouton-d'or.

— Bouton-d'or ? Toi ?

Les émanations de jalousie semblaient sur le point de l'étouffer à présent. Sam lui décocha un coup-de-poing amical.

— Pas besoin d'avoir l'air aussi surpris qu'un homme m'appelle par un petit nom.

— Je ne suis pas surpris. Je faisais pareil.

— Mais pas pour la même raison.

Bon sang, il espérait bien que non.

— Et c'est quoi, sa raison à lui ?

Du menton, elle désigna l'usine.

— Laissons-le te le dire lui-même.

Un groupe d'hommes venait de sortir par la porte. Ils portaient tous des combinaisons anthracite, des masques et de petites boîtes contenant leur déjeuner ; ils discutaient en marchant. Parmi les six ou sept d'entre eux, des gros, des vieux, des Noirs, des Blancs, et apparemment un type qui appelait Sam Fairchild *Bouton-d'or*. Zach avait vu des photos de lui en faisant ses recherches sur Internet mais il n'était pas en mesure de le reconnaître à cette distance.

— Je peux aller le chercher ? Il ne connaît pas ta voiture.

Il jeta un nouveau coup d'œil circulaire aux alentours, faisant appel au sixième sens qu'il avait aiguisé au fil de centaines de patrouilles.

— Ouais, mais je viens avec toi.

Une minuscule étincelle de panique passa dans le regard de Sam.

— Non, il ne saura pas qui tu es.

Avait-elle honte de l'apparence de Zach ? Sous le simple effet de l'afflux sanguin vers son visage, sa cicatrice parut s'embraser.

— Je suis sûr qu'il a vu pire que moi en prison.

— Je voulais juste... m'entretenir avec lui d'abord. Lui dire... qui tu es.

Elle semblait vraiment angoissée.

— Je me présenterai.

Il ouvrit sa portière et sortit du véhicule. Sam fit de même de son côté, puis contourna la voiture, une expression circonspecte sur le visage.

Les hommes levèrent la tête en entendant claquer les portières, et Sam leur adressa un signe de la main.

— Hé, Billy !

Les ouvriers échangèrent quelques mots suivis de rires, puis l'un d'entre eux émergea du groupe et sourit à Sam. C'était l'un des Noirs, un homme mince avec des mèches grises dans ses cheveux coupés très court. Comme Billy se rapprochait, Zach distingua une dent en or à l'avant de sa mâchoire et des marques de pigmentation d'un noir profond sur sa peau couleur chocolat au lait.

Un homme à l'apparence très particulière qu'il serait difficile de confondre avec quelqu'un d'autre, songea-t-il alors que Sam le rejoignait.

L'attention de Billy passa de la jeune femme à Zach et il ralentit visiblement l'allure. Zach s'en moquait, à ceci près que Sam aussi remarqua ce changement. Il détestait quand les gens réagissaient de cette façon à sa blessure.

— Bonjour Billy. Surprise !

— Eh ben, regarde-toi ! (Billy tendit les bras et serra gentiment Sam contre lui.) Tu es un cadeau de Dieu, ma parole. J'ai tellement hâte de rentrer chez moi ! Et j'avais vraiment pas envie de prendre ces bus puants.

Il se tourna vers Zach et fit un pas en arrière, comme pour mieux le jauger.

— Billy, je vous présente…

— Je sais qui c'est.

Ah bon ? Sam ne dit rien ; elle arborait un sourire pincé.

— Je le reconnais.

Étonné, Zach entrouvrit la bouche.

— Vraiment ?

— Je me souviens pas de son blase, commenta Billy en grattant sa barbe quasi inexistante.

— Zach, dit Sam à mi-voix. Il s'appelle Zach.

— C'est ça ! dit Billy en le pointant du doigt. Angel ou Angelo ou…

— Angelino, termina Zach en lui tendant la main. J'ai bien peur de ne pas me souvenir de vous avoir rencontré, Billy.

Ils se serrèrent la main et Billy laissa apparaître sa dent en or sur laquelle était gravé un crucifix.

— On s'est jamais vus, mais Samantha m'a tout raconté sur toi.

Elle avait parlé de lui ? Zach sentit son être traversé par une décharge d'énergie inhabituelle, quelque chose qu'il aurait pu décrire comme… un frisson de plaisir.

— Billy… souffla Sam sur un ton d'avertissement.

De quoi voulait-elle l'avertir ? Quelque chose qu'il ne devait pas dire ? Un secret qu'ils partageaient ? À son sujet ?

— Ben, tu m'as tout raconté sur lui. Pourquoi mentir, Bouton-d'or ? On peut pas mentir quand Jésus nous regarde. Et Il nous regarde.

Il posa la main tenant son masque à gaz sur le dos de la jeune femme et celle qui portait son pique-nique sur celui de Zach afin de les faire pivoter vers la voiture.

— On a eu un paquet de longues discussions ces dernières années, et mon amie Samantha m'a parlé du garçon qui était parti à la guerre et l'avait oubliée. Par quoi t'as été atteint ? Shrapnel ? Bombe artisanale ?

Ce fut au tour de Zach d'hésiter sur la conduite à adopter.

— Je ne l'ai pas oubliée.

— Ah non ? Alors qu'est-ce qui t'est arrivé, bordel ? À part une rencontre avec un explosif énervé ? T'as plus d'œil là-dessous ? C'est une sacrée cicatrice.

Le regard de Zach passa au-dessus de Billy pour capter celui de Sam, qui semblait affreusement mal à l'aise. Pas étonnant qu'elle ait voulu « prévenir » Billy de qui il était. Elle voulait surtout lui demander de se taire !

Mais Zach, au contraire, avait envie qu'il parle. Envie de savoir tout ce que Sam avait dit à son sujet.

— C'est bien ça, m'sieur. Plus d'œil, répondit-il. Je suis désolé, mais la mission était confidentielle.

— Ah, confidentielle !

Billy avait insisté exagérément sur le mot en étirant les syllabes. Il fit une grimace moqueuse à l'intention de Sam.

— Et la raison pour laquelle tu n'as jamais appelé Mlle Samantha Fairchild est confidentielle, elle aussi ?

— Non, répondit simplement Zach. C'était simplement... stupide.

— Tu peux le dire, fiston, assura Billy. Carrément stupide. C'est ça, ta voiture ? Cette guimbarde est presque aussi vieille que moi.

— Pas tout à fait, rétorqua Zach. Mais elle fait autant de bruit.

Billy gloussa et ne cessa plus de parler depuis Revere jusqu'à Roxbury. Mais, Dieu merci, il ne revint pas sur la longue liste des défauts de Zach. En particulier après que Sam eut abordé le sujet de son assiduité au travail.

Billy se retourna depuis le siège passager – où elle avait insisté pour qu'il s'asseye – et lui lança un regard noir.

— Adam Bonner est et a toujours été un homme qui ne vit que pour créer des problèmes.

— Au contraire, Billy, il veut vous aider. Il vous a permis d'obtenir ce boulot et si vous ne vous présentez pas...

— J'ai pris une journée de maladie, Sam, et j'étais vraiment HS. Une diarrhée comme t'as jamais vu. Je suis désolé, mignonne, fais pas cette tête. C'est la vérité : tu pourras demander à Alicia. Elle était là pour me tenir la main pendant tout le temps que ça a duré.

— Ça, c'est de l'amour, commenta Sam. Mais Adam m'a donné l'impression que vos absences au travail étaient plus régulières, Billy. Vous êtes sûr que tout va bien ?

— On vient de me promouvoir au chargement des lots de vernis, Bouton-d'or ! Pourquoi ils feraient ça s'ils pensaient que j'avais un problème pour venir bosser ? Tu sais à quel point ce job est important sur la chaîne ?

— Non, mais je vous crois. Je me demandais seulement si tout allait bien.

— Plus que bien, promit-il. Surtout maintenant que je sais que t'as récupéré ton gros béguin.

Zach s'autorisa un coup d'œil dans le rétroviseur pour jauger de la réaction de Sam, mais l'attention de celle-ci était toujours concentrée sur Billy.

— Vous êtes sûr ? Et votre demande à Alicia ?

Il soupira lourdement.

— Je... J'y réfléchis.

— Billy, le gronda Sam, c'est une femme merveilleuse. Ne la laissez pas partir. Ne ratez pas l'occasion d'une vie. Vous ne retrouverez jamais quelqu'un comme elle. Vous lui demanderez ce soir ?

Il sourit.

— Là, elle est allée à Natchez pour voir sa mère. Mais elle reviendra dans une petite semaine. De toute façon, j'attends que le Seigneur me fasse un signe. Et pour l'instant, je n'en ai pas encore vu.

— Bon, eh bien n'attendez pas que le signe soit de la voir faire ses bagages et s'en aller, Billy. Ce sera trop tard pour la récupérer. (Sam se cala contre le dossier de son siège. Elle le regardait toujours un peu de travers.) Et allez travailler tous les jours, même si ça vous oblige à prendre des médicaments contre la diarrhée.

Billy se mit à rire puis pointa du doigt l'intersection suivante.

— Tourne ici, fiston, et remonte la colline jusqu'à la dernière petite maison sur la droite. C'est chez moi, précisa-t-il avec fierté. Là où je n'aurais jamais pu vivre, avec mon Alicia et mon siège de relaxation tout neuf, sans cette jeune femme ici présente.

Sam se pencha vers lui et posa sa main sur son épaule.

— Billy… Vous savez ce que ça me fait quand vous dites ça.

— Tu as l'impression d'avoir foutu ma vie en l'air plus que de l'avoir améliorée. Oublie ça, Sam. Et au passage, fais-moi plaisir, deviens donc la meilleure avocate de Boston. Voilà, vous pouvez me laisser là. Merci, Zaccaria.

Sam avait aussi mentionné son prénom complet ?

— Pas de problème.

Billy défit sa ceinture de sécurité et descendit lentement de la voiture. Il envoya un baiser à Sam avant de lui demander :

— Si je l'épouse, tu seras mon témoin, n'est-ce pas ?

Sam se mit à rire puis ouvrit sa portière pour s'installer sur le siège passager.

— Bien sûr. C'est pour ça que je veux que vous fassiez votre demande.

— Alors, je pourrais bien me lancer.

Billy fit signe à Zach.

— Accompagne-moi jusqu'à la porte, jeune homme.

Zach hésita une seconde mais le voisinage semblait très calme et désert et il avait soigneusement observé chaque voiture sur le trajet. Ils n'avaient pas été suivis. Il sortit et fit le tour de la voiture pour marcher avec Billy.

— Écoute-moi et écoute bien, dit Billy d'une voix basse et sévère. Cette fille-là... (Il pointa du doigt par-dessus son épaule.) C'est une vraie perle. Traite-la bien. Promets-le-moi.

Zach s'humecta les lèvres et déglutit.

— Elle est entre de bonnes mains. Je vous assure.

Billy se pencha un peu plus près et posa une main osseuse sur le bras de Zach. Il plongea son regard couleur d'ébène dans l'œil indemne de Zach.

— Tu ferais bien de me le promettre parce que je n'ai pas peur de retourner en taule. Alors crois-moi quand je te dis que si tu lui fais encore du mal, je te ferai réellement la peau.

Zach ne répondit rien. Face à cet homme qui faisait deux têtes de moins et la moitié de son poids, il se sentait légèrement intimidé. Il chassa ce sentiment.

— C'est compris.

Mais pas de promesses.

Billy refusait de lâcher prise.

— C'est ton affaire si tu ne veux pas l'épouser, fiston. Dieu sait que je comprends le poids de cette décision. Mais voilà ce que je te demande, et je veux ta parole d'honneur, jurée sur la tombe des hommes qui sont morts à tes côtés le jour où tu as perdu cet œil.

L'estomac de Zach se serra.

— Ils étaient cinq, dit-il sur un ton solennel. Qu'est-ce que vous voulez que je vous jure ?

— De lui dire pourquoi.

— Pourquoi.

— Tu sais ce que je veux dire. Dis à cette femme pourquoi tu es parti et l'as abandonnée.

— Billy, c'était...

Comment pouvait-il dire à ce vieil homme que c'était « seulement du sexe » ? Il refusait de faire quoi que ce soit pour nuire à l'image qu'il avait de Sammi et ce type ne comprendrait pas.

— Sur les âmes des hommes morts auprès de toi, reprit Billy, son regard perçant. Tous les cinq. Tu dois lui dire. Et lui dire ce soir.

— Je le jure, murmura Zach.

Billy parut satisfait.

— Il y a un raccourci juste derrière cette allée, indiqua-t-il en désignant la direction opposée. Le goudron est un peu abîmé et la colline assez escarpée mais ça vous ramènera à Tremont beaucoup plus vite qu'en prenant tous les lacets. Il n'y a pas beaucoup de gens qui connaissent ce chemin. Par contre, dis à Sam de ne pas l'emprunter toute seule ; c'est trop abrupt pour elle.

L'affection qu'il portait à Sam était évidente dans ses moindres paroles et dans le regard qu'il lui adressa avec un dernier signe de la main.

— J'aime vraiment cette fille, tu sais ça ?

— Je sais.

— Toi ?

Zach se contenta de le regarder. La question n'était pas claire. Est-ce qu'il le savait vraiment ou est-ce qu'il l'aimait lui aussi ?

— Oui, répondit-il.

Cela parut suffire.

— Dieu vous bénisse tous les deux, dit Billy à mi-voix avant d'entrer dans sa petite maison à bardeaux.

Zach le regarda faire puis regagna sa voiture et se glissa derrière le volant sans regarder Sam. Que venait-il de promettre ?

— Tu vois pourquoi je l'adore ? demanda-t-elle.

— Je vois que c'est réciproque.

— J'ai tellement de chance qu'il m'ait pardonnée. Plus que pardonnée, si c'est possible. Il est… Eh bien, ce n'est plus le même homme.

Zach hocha la tête en démarrant la voiture. Il étudia l'itinéraire suggéré par Billy et le panneau au bout de la rue qui indiquait « Sans issue ».

— Où est-ce que tu vas ? voulut savoir Sam.

— Il a dit qu'il y avait un raccourci.

— Vraiment ? Je ne savais pas.

— Il ne voulait pas t'en parler. Le chemin n'est pas assez sûr.

— Il est très protecteur.

— J'ai vu.

Elle rit doucement et tira sur sa ceinture de sécurité comme si celle-ci la serrait trop.

— Je viens d'envoyer un texto à Adam pour comprendre où est le problème avec un jour d'absence. Billy n'est pas du genre à mentir…

Elle se tut et regarda longuement son compagnon.

— Tout va bien ?

Est-ce qu'il allait bien ?

— Ouais, ça va.

— Tu sais, j'ai essayé d'éviter que ça se passe comme ça. Je ne voulais pas… (Elle inspira puis expira très lentement :) Je ne voulais pas vraiment que tu saches que je parlais à ce point de toi.

— Ouais, j'avais compris.

Il trouva le raccourci et le suivit en descendant le long d'un coteau escarpé, étonné que cela mène à Tremont. Il demeura silencieux tandis que la dernière heure de conversation, et principalement les dernières minutes, se rejouaient dans son esprit.

Sam ne dit rien, le regard tourné vers la fenêtre.

Le silence était si pesant qu'il en devenait pénible. Zach décida de le rompre.

— Sam, ça fait trois ans… et…

Il pouvait pratiquement sentir le corps de la jeune femme se crisper par anticipation. Par où commencer ? Comment pouvait-il dire ça ?

Il le fallait. Après tout, il venait de le jurer sur l'âme de cinq hommes.

— Oui ? dit-elle pour l'inviter à continuer.

— Pourquoi est-ce que tu n'es pas avec quelqu'un aujourd'hui ?

— Eh bien... (Elle eut un petit rire.) J'ai failli décrocher un rendez-vous cet après-midi avec un avocat sympa mais il a fallu que tu viennes tout gâcher en me disant qu'il portait un postiche.

Il ne réussit pas à sourire. La question était trop importante.

— Sam, est-ce que tu... est-ce que tu pensais vraiment être amoureuse de moi ?

Le rouge monta aux joues de la jeune femme.

— Allez, ramène-nous vite à la maison. J'ai hâte de voir ce qu'oncle Nino nous a concocté.

— Sam.

Elle laissa échapper un long soupir.

— Je te l'ai dit le matin où tu es parti, Zach. Je t'aimais.

L'espace d'une seconde, il retrouva cette étrange sensation de déjà-vu. Les carreaux bleus. L'odeur de nourriture. Aldo.

— Je me dis toujours que l'amour... prendra fin, admit-il. Alors peut-être que je me suis juste débrouillé pour que ça arrive le plus tôt possible.

Elle le dévisagea un moment avant de répondre.

— Tu sais, dans le genre explications bidons, tu te poses là.

Effectivement. Mais au moins n'avait-il plus à s'inquiéter à propos des cinq âmes sur lesquelles il avait juré. Il avait tenu sa promesse.

14

En voyant la 300E beige métallisé s'arrêter devant la maison de Shawkins, le Tsar avait eu un sourire d'autocongratulation.

Bordel, il était vraiment doué.

Il avait eu l'intuition que Sam irait retrouver Billy sur son lieu de travail après qu'il lui eut envoyé ce texto. Et il avait également raison à propos du type qu'il avait vu en sa compagnie au commissariat. Garde du corps. Un garde du corps dans une Mercedes à l'ancienne.

Et voilà qu'elle arrivait pour ramener Billy Shawkins chez lui, exactement comme il l'avait espéré.

Évidemment, Levon avait aussi espéré qu'elle sortirait de la voiture et entrerait pour prendre un café, ce qui lui aurait permis de grimper à l'arrière du véhicule et de faire sauter la cervelle de la fille et de son garde du corps à leur retour. En maquillant le tout pour qu'on pense que le méchant Billy avait fait le coup. Qui irait croire un ancien taulard, de toute façon ? L'affaire aurait été vite emballée. Bien sûr que Shawkins avait ruminé sa haine pendant des années et finalement pété les plombs : cette garce l'avait envoyé dix ans en prison pour un crime qu'il n'avait pas commis.

Ça aurait été simple et facile. Mais la vie de Levon n'était jamais aussi évidente.

Cela dit, avec ce nouveau contretemps, son doigt posé sur la gâchette commençait à le démanger. Si le gros affreux au bandeau restait un peu plus longtemps à taper la discute avec l'ancien taulard, Levon pourrait tirer de là où il se trouvait, à quelques allées de distance. *Boum.* Une balle dans le crâne de Samantha alors qu'elle descendait du siège arrière pour monter à l'avant.

Mais il ne pouvait pas prendre de risque avec ce type. Il ne faisait aucun doute qu'il était armé et tout dans sa posture trahissait le soldat, même si ses cheveux disaient le contraire. Clairement un militaire, avec la blessure de guerre pour le prouver.

Levon sourit. Cette pensée lui rappelait sa chanson préférée. *Levon arbore sa blessure de guerre comme*[1]...

Il cessa de fredonner quand le vieil homme se remit en route vers sa maison. Levon observa la Belle et la Bête qui échangeaient quelques mots avant de passer la marche arrière. Devait-il tirer maintenant ? Le garde du corps devrait s'occuper de la fille et Levon pourrait s'enfuir. Mais ça restait brouillon. Et elle pourrait ne pas mourir.

Et puis cette approche était digne d'un amateur. Le même genre de conneries que leur tentative d'attaque en voiture à Somerville la veille. Il devait s'y prendre correctement et cela signifiait faire preuve d'un peu de patience et de beaucoup de créativité.

Ils allaient repasser devant lui à présent, en repartant par là où ils étaient arrivés. Alors il sortirait de l'allée, comme un voisin lambda partant de chez lui, et les suivrait à distance.

Il était temps de découvrir où Sam Fairchild passait ses nuits.

Mais la Mercedes partit dans l'autre direction. Qu'est-ce que c'était que ce bordel ? Il s'agissait pourtant d'une voie sans issue... Il attendit de les voir faire

---

1. Citation du début de la chanson « Levon » interprétée par Elton John (et reprise plus tard par d'autres artistes). (*N.d.T.*)

demi-tour mais la berline métallisée disparut au coin d'une maison et il la perdit totalement de vue.

Merde, il y avait bel et bien une sortie par là-bas. Ça n'apparaissait pourtant sur aucun GPS, et il en avait consulté trois. Il sortit de l'allée en faisant crisser ses pneus, passa devant chez Billy et remonta jusqu'au sommet de la colline, lequel était goudronné mais n'avait pas vu passer un camion de bitume depuis un bon moment. Et la pente était escarpée, sans doute impraticable en hiver. Il aperçut la Mercedes à mi-chemin du coteau.

S'ils le voyaient, il risquait d'être grillé. C'était une voie très peu utilisée, sans doute un petit chemin qu'elle connaissait pour être venue souvent. Levon entreprit à son tour de descendre la colline. Il se rapprocha d'eux avec l'idée de les suivre sans être vu.

Les feux stop de la Mercedes s'allumèrent et Levon envisagea de faire marche arrière, mais il risquait de se faire repérer. Il choisit de progresser très lentement pour les laisser prendre de l'avance et pouvoir les suivre avec précaution.

Mais la Mercedes s'était arrêtée.

Levon laissa sa camionnette glisser sur quelques mètres de plus.

La Mercedes ne bougeait toujours pas. Et pire, Levon était désormais dans leur rétroviseur. Il tenta de ralentir pour rester en arrière mais c'était trop tard.

M. Bandeau leva l'œil vers son rétro et Samantha pivota brièvement sur elle-même avant que le conducteur la pousse au fond de son siège pour la mettre à couvert.

Putain de merde. Son pouls s'accéléra et ses paumes devinrent moites au contact du volant. Un phénomène rare chez le Tsar ; mais il agissait rarement de façon stupide.

Allait-elle le reconnaître ? Dieu merci il ne portait pas de perruque et elle n'avait jamais vu ses cheveux roux naturels. Il portait un maquillage, des lentilles de couleur et du rembourrage pour ses joues. Et sans les talons compensés qu'il avait portés pour tuer Sterling, il faisait à peine plus d'un mètre soixante-quinze.

Devait-il continuer sa route, faire demi-tour ou rester sur place ?

Ou bien tirer deux fois en espérant que les vitres ne soient pas pare-balles ?

Ou enclencher la marche arrière et reculer rapidement ?

Mais s'il faisait ça, Samantha saurait sans l'ombre d'un doute qu'il l'avait repérée. Il jeta un coup d'œil à son propre rétroviseur pour jauger la pente. Remonter la colline en marche arrière foutrait sûrement en l'air la transmission de cette bagnole pourrie. La Mercedes ancienne, elle, serait capable de gravir la pente à toute vitesse, même à l'envers.

Pourquoi ce mec s'était-il arrêté, d'ailleurs ?

Parce qu'il était malin. Et sans doute armé. Il voulait forcer à Levon à descendre du véhicule, ou à les contourner, ou quelque chose du même genre. Pour pouvoir lui tirer dessus.

Il vit le conducteur défaire sa ceinture de sécurité. Allait-il passer à l'attaque ? Levon serait-il en mesure de les éliminer tous les deux, là, tout de suite ?

Moche, très moche. Oui, il pourrait faire le boulot mais les chances de laisser des traces étaient énormes. De même que celles de se faire tuer. Il fallait qu'il se sorte de là.

Il enclencha la marche arrière et appuya sur l'accélérateur. Il fut projeté vers l'avant sous l'effet d'une brusque secousse puis les pneus trouvèrent leur prise sur le bitume plein de nids de poule et la fourgonnette fut catapultée en arrière. Le moteur rugit pour contrer la gravité. Un exploit pour un engin en bon état ; un vrai miracle pour ce véhicule.

La Mercedes s'ébranla à son tour, pour faire exactement ce qu'il faisait, mais plus vite et mieux. *Bordel de merde !*

Il écrasa le champignon et la camionnette oscilla follement, le forçant à se débattre avec le volant pour rester sur la route et aller plus vite, plus loin. La 300E était à un mètre cinquante à peine. Elle aussi rugissait mais d'une manière beaucoup plus puissante et maîtrisée.

Ce serait un vrai plaisir de tuer ce salopard. Mais il ne pouvait pas risquer toute sa carrière pour cet unique petit plaisir.

Il atteignit enfin le sommet de la colline et fit un demi-tour serré pour se retrouver face à la route avant de repasser la première. À l'instant où il appuyait de toutes ses forces sur l'accélérateur, la Mercedes déboula, tournoya sur elle-même et lui coupa la route en s'arrêtant dans un crissement de pneus.

Levon dut aplatir la pédale de freins pour éviter de lui rentrer dedans.

Il était piégé et il ne lui restait plus qu'une chose à faire.

— Je vais le sortir de sa bagnole, dit Zach.

Il fit coulisser la glissière du pistolet que Marc lui avait donné. La sonorité du « clic » avait quelque chose d'agréablement irrévocable.

— Sam, tu ne bouges pas tant que je ne l'ai pas complètement maîtrisé. Ensuite tu pourras venir voir à quoi il ressemble.

Elle regarda par-dessus l'épaule de Zach et inspira profondément pour tenter de rester calme. La remontée à flanc de colline droit vers ce qui pouvait s'avérer être le tueur lui avait remué les tripes.

— Il fait quelque chose. Il a peut-être une arme ? Fais attention, Zach.

Celui-ci opina à peine du chef puis ouvrit brusquement la portière. Il sortit, son pistolet tenu à deux mains et braqué devant lui ; il avait l'air plus dur et menaçant que tout ce qu'elle avait pu voir jusqu'alors. Il s'avança vers la camionnette à grandes enjambées mesurées.

Il avait laissé sa portière ouverte afin qu'elle puisse entendre ce qui se passait. Mais les vitres de la camionnette étaient teintées et relevées, si bien qu'elle distinguait difficilement la silhouette du conducteur au travers de la lunette arrière de la Mercedes. Il pouvait simplement s'agir d'un idiot qui les avait suivis. L'un des voisins de Billy, peut-être, à qui ils auraient fait peur en s'arrêtant en pleine descente. Ou un type pressé qui s'était emporté quand la voiture devant lui s'était immobilisée dans le raccourci et avait décidé de faire marche arrière.

Ou il pouvait s'agir de l'homme qui avait tué Joshua Sterling, en train de la traquer.

Le type finit par baisser sa vitre. Sam retint son souffle, de crainte d'entendre une détonation, mais il leva ses mains vides devant lui.

— C'est quoi ce délire, mec ? cria-t-il à Zach.

— Sortez de la voiture.

— Montrez-moi votre insigne et là je sortirai.

— Vous l'avez sous les yeux. Descendez.

Il y avait quelque chose du prédateur dans chaque geste de Zach, une intensité, une concentration. Si le type qui conduisait la camionnette n'était… personne… alors il devait sans doute être en train de dire ses dernières prières. Parce que Zach avait vraiment l'air d'un tueur.

— Hé, prends mon portefeuille, l'ami. Y a mes cartes de crédit et je dois avoir soixante dollars. Mais laisse-moi la camionnette. S'il te plaît. J'en ai besoin.

— Sortez et mettez les mains sur le toit.

L'homme ouvrit la portière. Il portait un pull à col roulé brodé d'un logo de chez Sears et un pantalon noir, ainsi qu'une ceinture porte-outils.

— Enlevez ça et posez-la par terre, dit Zach en désignant du menton la ceinture.

L'homme défit la boucle et laissa la ceinture tomber au sol. Puis il leva de nouveau les mains en l'air.

— Où est votre portefeuille ? demanda Zach.

— Dans ma poche arrière, dit-il en abaissant le bras doit.

— Tournez-vous, ordonna Zach. Et ne bougez plus.

L'homme obtempéra, donnant à Sam une première occasion de voir son visage. Son cœur se serra en constatant que rien chez lui ne semblait ne serait-ce que vaguement familier. Il n'avait en tout cas rien à voir avec le grand meurtrier aux cheveux courts et au visage grêlé qu'elle avait vu dans la cave à vin.

— Qu'est-ce que vous faites à Roxbury, monsieur Martin ? demanda Zach après avoir ouvert le portefeuille. On est loin de Brockton.

— J'essaie de trouver une adresse pour la réparation d'un lave-linge. Voilà ce que je fais. Je travaille pour Sears[1].

Il jeta un coup d'œil à Zach par-dessus son épaule.

— Et tout le monde me paie par chèque, mec, alors j'ai pas beaucoup de liquide.

— Quelle adresse vous cherchez ?

— Je crois que c'est… heu… 329 Hale Street. Mais le numéro n'existe pas. J'ai vu votre voiture descendre cette colline et le chemin n'est même pas sur mon GPS, alors je vous ai suivi.

— Décalez-vous sur le côté et posez les deux mains sur le capot.

Il obéit et Zach garda le pistolet braqué sur lui tout en plongeant la main dans l'habitacle, apparemment pour débrancher le GPS. Sam plissa les yeux pour examiner le visage de l'inconnu. Ses cheveux descendaient sous

1. Sears est un très gros groupe de distribution américain qui possède à la fois des boutiques et un vaste réseau de vente par correspondance. (*N.d.T.*)

son col. Et il n'était clairement pas aussi grand que dans son souvenir. Ou peut-être que si ?

Bon sang. Elle avait l'impression de revivre la séance d'identification.

Le pistolet dans une main et le GPS dans l'autre, Zach appuya sur quelques boutons. Puis il rejeta l'appareil dans la voiture et inclina son menton en direction du conducteur.

— Mains sur le capot. Jambes écartées.

Il eut droit à un regard mauvais mais l'homme appuya ses paumes sur le capot et décala ses pieds afin que Zach puisse le fouiller.

Zach fit un pas en arrière accompagné d'un signe de tête à l'intention de Sam.

— Sors et viens jeter un œil.

— Jeter un œil sur quoi ? demanda l'homme. Vous êtes des pervers tous les deux, ou quoi ?

Sam ne prêta pas attention à son commentaire et s'approcha d'un peu plus près.

— Dans le GPS, l'adresse « maison » correspond à celle indiquée sur son permis, dit Zach. Tu le reconnais ?

L'homme étrécit ses yeux bleus pour la regarder.

— Mais qui vous êtes, putain ? Pourquoi elle me reconnaîtrait ?

— Tournez la tête, dit Sam.

L'homme la fixait.

— Va te faire voir.

— Tourne-toi ! ordonna Zach en levant son arme à la hauteur de sa tempe.

Le conducteur laissa voir son profil et Sam l'examina de plus près. Pas de peau grêlée. Pas de bosse sur le nez. Et personne ne pouvait se laisser pousser autant de cheveux en une semaine.

À moins qu'il ait porté un déguisement la nuit du meurtre.

— Vous voulez bien me regarder de nouveau en face, s'il vous plaît ?

Il obéit ; son expression s'était radoucie.

— Qui est-ce que vous cherchez, ma petite dame ? Pourquoi vous m'observez comme ça ?

Elle n'avait entendu que trois mots de la bouche du tueur : « J'y suis. » Mais la voix de cet homme était complètement différente. En tout cas, c'était son impression.

Le nœud par trop familier dans ses tripes, quand elle se mettait à douter de tout, était de retour.

Puis elle secoua la tête et se tourna vers Zach.

— Non, dit-elle. Ce n'est pas lui.

— Tu en es absolument certaine ?

Elle n'était absolument certaine de rien du tout, à part du fait qu'ils venaient d'intercepter un réparateur de chez Sears dont le seul crime était de s'être égaré. Du moins, elle l'espérait.

— Ce n'est pas lui, répéta-t-elle.

Elle retourna vers la voiture, s'arrêta pour le regarder une dernière fois, puis eut un haussement d'épaules contrit.

— Désolée, monsieur. Vraiment.

Zach lança son portefeuille au conducteur qui tenta maladroitement de l'attraper, sans succès. Le temps qu'il se relève en l'ayant récupéré, de même que sa ceinture porte-outils, ils disparaissaient déjà au bout de la rue.

Sam l'observa dans le rétroviseur latéral et le vit secouer la tête tout en remontant dans sa camionnette.

— Parfois, je me dis que je ne pourrai plus jamais me fier à mon jugement, admit-elle.

— Alors tu vas avoir des problèmes au tribunal, Sammi. Et partout ailleurs dans la vie.

— Je ne le sais que trop.

— Il va falloir que tu reprennes confiance en ton instinct à un moment ou à un autre. Même s'il se trompe, comme le mien vient de le faire.

Il posa sa main sur les siennes, comme si c'était la chose la plus naturelle du monde. Et, bizarrement, ça l'était. Sam ne bougea pas, profitant seulement de la chaleur et de la force de cet homme qui, quelques instants plus tôt, brandissait un pistolet, prêt à tuer pour elle si nécessaire.

— C'est vrai, dit-elle.

— Sans quoi tu ne prendras plus jamais une décision sans en douter ensuite, poursuivit-il. Tu ne croiras plus en toi.

C'était exactement ça.

— C'est ma plus grosse crainte.

— Alors bats-toi contre elle. Ne laisse pas une unique erreur te hanter pour le restant de tes jours. Il n'y a pas pire manière de vivre sa vie.

— On dirait que tu parles d'expérience, Zach.

Il se contenta d'un haussement d'épaules évasif.

— Je sais que je ne devrais pas revenir sur chacune de mes décisions, dit-elle. Par exemple, forcer ce type à s'arrêter était la chose à faire.

— Et comment ! Si c'était l'homme qui a tué Sterling et qui te court après, alors…

— Qui *pourrait* me courir après, le corrigea-t-elle. Nous n'avons aucune preuve.

— Et cette voiture qui a failli nous faucher derrière ton appartement et qui a tiré deux coups de feu dans notre direction ? Tu crois que ce n'était qu'une de ces fusillades occasionnelles typiques des nuits de Somerville ?

Elle ferma les yeux avec un soupir, sans chercher à défendre son point de vue.

— Mais ce n'était pas lui, dit-elle. Quoique, tu sais, je me pose une question : et s'il portait un maquillage ce soir-là ? Pour ce que j'en sais, ça pourrait être un roi du déguisement. Il pourrait être n'importe où.

Elle désigna un homme qui montait dans une voiture à l'arrêt :

— Ça pourrait être lui. (Puis un autre, qui marchait sur le trottoir, un portable collé à l'oreille.) Ou lui.

Elle tendit le doigt vers une jeune femme au volant d'un 4 × 4 bleu.

— Ou même elle.

Zach lui serra la main.

— Tu sais ce qu'il te faut, Sammi ?

Une étincelle de désir sexuel s'éveilla en elle au son de la question et au ton qu'il avait employé. Oui, c'était ça qu'il lui fallait. Un autre orgasme sans les mains.

— Quoi ?

— Un verre du vin maison de Nino. Je lui ai demandé de nous le laisser.

— Pendant que vous parliez de ta mère ?

Il enleva sa main.

— Je savais que tu nous épiais.

— Entendre ce qui se dit en entrant dans la pièce n'a rien à voir avec le fait de vous épier. En tout cas, moi aussi je me demande ce qu'elle aurait pensé de moi.

— Ma mère ? Sachant que je t'aimais bien, elle aussi t'aurait appréciée.

— Et tu m'aimes bien ? demanda-t-elle, un sourire au coin des lèvres.

Il se contenta de lui décocher un regard de biais.

— À ton avis ?

Elle ne répondit pas et le laissa se garer derrière la maison. Puis il l'escorta à l'intérieur par la porte de derrière, un petit manège devenu plus ou moins normal à présent. Il vérifia chaque pièce du rez-de-chaussée et, une fois certain que tout était en ordre, lui fit signe de sortir de la cuisine. Il inspecta ensuite le premier puis le deuxième étage.

Pendant qu'elle patientait, Sam huma les délicieux effluves de ce que Nino avait concocté pour eux. Son regard s'arrêta sur la carafe de vin rouge posée sur le comptoir. *Que Dieu bénisse cet homme*, songea-t-elle. C'était exactement ce qu'il lui fallait.

À côté se trouvait le sac en plastique plein du courrier qu'elle avait récupéré chez elle la veille au soir. Elle n'y avait même pas jeté un coup d'œil. Elle l'ouvrit pour en sortir catalogues et factures ainsi qu'une enveloppe légèrement plus grande que la normale avec une adresse dactylographiée. Il n'y avait pas de mention de l'expéditeur mais elle portait le cachet de la poste de Boston.

Le cœur de Sam fit un bond dans sa poitrine. Était-ce ce qu'elle espérait ? Elle s'empara vivement de l'enveloppe ; elle avait tellement besoin de bonnes nouvelles. De nouvelles ordinaires. De nouvelles qui lui apporteraient une certitude vis-à-vis de son avenir, de son diplôme de droit, de son rêve.

Zach entra dans la cuisine.

— Tout est normal.

— Mon Dieu, j'espère que c'est vraiment ce que je crois, dit-elle en regardant le bord de l'enveloppe encore scellée.

— C'est-à-dire ?

— Une approbation pour ma bourse d'études. J'ai envoyé environ vingt dossiers mais je n'avais pas reçu… Aïe !

Elle retira vivement sa main et porta automatiquement à sa bouche le doigt qu'elle venait d'entailler sur le papier.

— Merde, ça fait mal.

— Attends, laisse-moi faire.

— Ça va aller, dit-elle.

Elle suça son doigt une minute encore avant de laisser un peu de sang s'écouler sur l'enveloppe.

— Comme si je n'allais pas déjà suer sang et eau à Harvard, dit-elle en riant.

Zach décacheta l'enveloppe et souffla pour agrandir l'ouverture avant de la lui rendre.

— À vous l'honneur, Maître.

Elle lui sourit et glissa sa main dans l'enveloppe. Le sourire disparut.

— Il n'y a qu'une page. Je pressens la lettre de refus.

Sans prêter attention aux traces de sang qu'elle laissait sur le document, elle ouvrit la feuille pliée en trois pour en étudier le contenu.

Et le reste de son sang se glaça.

— Tiens, une serviette en papier, Sam.

Les paroles de Zach étaient difficilement audibles, étouffées par les battements exagérés du cœur de Sam qui contemplait la photo imprimée.

Son propre visage. Son expression apeurée. C'était comme se regarder dans un miroir. Sauf qu'il s'agissait d'une image... filmée par une caméra... avec au bas de la page, tracé à l'aide d'un marqueur aussi rouge que le sang qu'elle venait de verser :

À très bientôt.

Elle leva les yeux vers Zach ; la feuille s'échappa de ses doigts tremblants.

— Ça vient de lui.

— Merde.

Il tendit la main pour rattraper le papier mais elle l'arrêta.

— N'y touche pas. Ça pourrait contenir des preuves. Ne... (Ses yeux se posèrent sur l'expression qu'elle affichait sur la photo.) Je ne peux plus prétendre qu'il ne me connaît pas, Zach. Il me cherche. Et il veut me voir morte.

À l'aide de la serviette en papier, Zach agrippa le coin de la feuille, laquelle avait été imprimée en noir et blanc depuis une imprimante laser.

— Comment il a pu tirer ça d'un caméscope ? demanda Sam.

— Il y a pas mal de possibilités, je pense. Il a pu le copier sur un ordinateur et faire un arrêt sur image.

De son autre main, Zach saisit une serviette propre et l'étala sur la table avant d'y déposer précautionneusement le document, face imprimée vers le haut.

— Ça doit être le moment où j'ai vu le meurtre. La seconde où il a tiré. J'étais... (Elle fronça les sourcils et secoua la tête.) Tu vois à quel point nos souvenirs sont faussés ? Je croyais que la caméra était plus inclinée vers le sol, qu'elle aurait plutôt filmé le haut de mon crâne. Là, c'est comme si le tueur en personne avait pris la photo.

Zach s'assit sur le siège en face d'elle et se pencha sur l'image.

— À moins que ce type soit un imbécile complet, ça n'a aucun sens.

— Pourquoi ?

— Pourquoi t'avertir qu'il est au courant ?

— Pour me faire peur, dit-elle en frottant ses bras parcourus de frissons. Ce qu'il a magnifiquement réussi à faire.

— Dans quel but ?

— Pour me faire savoir qu'il connaît mon nom, qu'il sait où j'habite. Que je ne peux pas lui échapper.

Sa voix se brisa sur ces mots et elle s'en voulut. Zach tendit vers elle une main rassurante.

— Exactement. Ce qui ne ferait que te rendre plus vigilante. Et t'inciterait à te cacher plus soigneusement encore sans rien faire qui puisse lui permettre de t'approcher.

Elle hocha la tête et observa la photo, sourcils froncés. Elle n'arrivait toujours pas à comprendre comment la caméra avait pu la filmer sous cet angle.

— Alors pourquoi me l'envoyer ?

— Ce n'est peut-être pas lui.

De nouveau, les bras de Sam se couvrirent de chair de poule.

— Alors qui ?

— C'est ce que nous allons devoir découvrir. (Il tourna la tête pour examiner de nouveau l'image.) Tu as dit qu'il avait le caméscope avec lui. J'imagine qu'il aurait pu donner la cassette à quelqu'un d'autre. La personne qui l'a embauché pour tuer Sterling, par exemple. Peut-être que quelqu'un à intérêt à ce que tu restes cachée.

Sam sentit sa gorge se serrer à cette idée.

— Je crois que je devrais appeler l'inspecteur O'Hara.

— Pas si vite, dit Zach. Donnons le document à Marc demain. Il a de très bons contacts avec les labos du FBI et on devrait essayer d'en tirer un maximum d'informations avant de le transmettre à la police. Il ne se passera rien ce soir. Je mettrai Marc et Vivi au courant demain et ensuite, on décidera quoi faire.

Sam s'écarta de la table.

— Je crois que j'ai encore perdu l'appétit.

— Va prendre un bain, suggéra-t-il. Et, tiens, prends un peu de vin.

Il se leva pour aller lui chercher un verre.

— Et appelle-moi si tu as besoin de compagnie, ajouta-t-il.

Sam sourit, pour la première fois depuis qu'elle avait ouvert l'enveloppe.

— Tes paroles risqueraient de me faire faire... des choses, répondit-elle en prenant le verre. Et j'ai besoin d'être un peu seule.

Une heure plus tard, le vin avait fait son effet et le bain était sur le point de parachever le travail quand une pensée lui vint.

Si Zach avait raison, si l'expéditeur de la photo préférait qu'elle reste cachée, était-il possible que cette personne ne veuille pas que le tueur la retrouve ? Et pourquoi ?

Il fallait qu'elle demande l'avis de Zach.

Elle sortit de l'eau tiède, s'essuya et passa une brosse dans ses cheveux humides avant d'enfiler le pantalon de pyjama et le débardeur qu'elle avait apportés dans la salle de bains. Ses tongs aux pieds, elle ouvrit la porte et se figea avec un hoquet de surprise.

Du rez-de-chaussée provenaient des notes de musique douce accompagnées d'une lumière dansante et d'arômes délicieux. Elle descendit les marches sur la pointe des pieds et se pencha par l'entrebâillement de la porte pour découvrir une table éclairée par des bougies, sur laquelle étaient disposés deux verres de vin et un panier de pain.

Zach émergea de la cuisine avec deux bols de pâtes fumantes.

— J'allais justement t'appeler pour les linguine à la sauce de palourde de Nino. Ne me dis pas que tu n'as pas faim.

Debout sur la dernière marche, elle hésitait en tentant de réprimer un sourire.

— C'est une belle surprise.

— Je suis plein de surprises, Sammi.

L'emploi de ce surnom intime et la façon dont il lui tendait la main la firent frissonner d'excitation. Elle prit ses doigts dans les siens et se sentit fondre sous la douceur de son contact.

— Tu te sens mieux ? demanda-t-il.

— Oui. Je vais m'en remettre.

Elle se laissa guider jusqu'à la table.

— Je voulais te demander quelque chose, dit-elle, mais…

Elle se contenta de secouer la tête tandis qu'il lui tirait une chaise avec toute la prévenance dont Keegan aurait pu faire preuve pour son meilleur client.

— J'ai oublié ce que c'était, souffla-t-elle.

— Qui voudrait que tu restes cachée ?

Il s'installa sur la chaise au coin de la table, à côté d'elle. Pour la première fois depuis des jours, il se trouvait sur sa droite, sa cicatrice et son bandeau aisément visibles et éclairés par la lueur des chandelles.

— C'est exactement la question que je me posais, répondit-elle. Nous avons dû penser la même chose au même moment.

— Je me le suis demandé il y a une heure, dit-il. Le reste du temps, c'est à toi que je pensais.

Elle eut un petit rire embarrassé.

— Qu'est-ce que tu as mijoté, Zach ?

— Un dîner. C'est un crime ? Quoique, j'imagine que, pour quelqu'un qui travaille dans un restaurant quatre étoiles, ça l'est. (Il lui tendit une serviette en papier.) Ni coton d'Égypte ni verres en cristal ce soir.

— Trois étoiles. Et ça ira très bien.

Elle posa la serviette sur ses genoux et tendit la main pour prendre son vin.

— Pas sûr que je sois capable d'encaisser un deuxième verre, dit-elle. (*Ni tout ce... romantisme.*) Mais « santé ! ».

— Au plaisir des longues conversations, Sam, dit-il en faisant tinter son verre contre le sien. À la première de beaucoup d'autres.

Elle ne but pas.

— Conversations ? Ça veut dire que tu veux...

— Parler, répondit-il en avalant une gorgée. Et plus particulièrement, je veux te raconter ce qui m'est arrivé.

Une boule inexplicable se forma dans la gorge de Sam.

— Comment tu as reçu ta blessure ?

— Comment j'ai pris la décision la plus stupide de mon existence, que je regretterai sans doute jusqu'à la fin de mes jours.

C'était donc bel et bien la voix de l'expérience qu'elle avait entendue un peu plus tôt dans la voiture.

— La raison pour laquelle tu as été blessé ?

Zach reposa son verre et referma ses mains sur les siennes.

— Non, dit-il. Celle qui fait que *tu* l'as été.

15

— Je ne vais pas te mentir et te raconter que je savais que je t'aimais au moment de monter dans cet avion pour le Koweït.

Les yeux de Sam, même dans l'éclairage des bougies, lui montrèrent qu'il l'avait touchée en plein cœur.

— Mais je dirais que c'était le cas quand j'ai atterri.

Elle leva sa fourchette, puis la reposa.

— Ça a dû être un sacré vol.

— C'était long, dit-il. J'ai passé les vingt et quelques heures à côté de mon lieutenant, Scott Pillius. On avait déjà été en service ensemble. À Bagdad. Un millier de patrouilles à pied, des centaines de tragédies évitées de justesse, une vingtaine d'hommes et de femmes de valeur perdus sous nos yeux. On était devenus comme des frères après ça. Et le fait de monter dans cet avion, de savoir qu'on se lançait dans cette mission tous les deux ? (Il secoua la tête.) Bon, on ne repartait pas pour patrouiller dans les quartiers et entraîner les soldats irakiens comme je te l'ai dit.

Elle prit enfin une gorgée de vin.

— Tu as menti sur ta mission ?

— Je ne t'ai pas dit la vérité. Chez les militaires, on fait une subtile distinction entre les deux.

— Alors qu'est-ce que vous partiez faire, le lieutenant Pillius et toi ?

Rien que la manière dont elle prononçait le nom de son frère d'armes, la façon mélodieuse dont il roulait sur ses lèvres, ravivait un peu la peine de Zach. Scott aurait adoré Sam.

— Du soutien pour les opérations de traque de terroristes menées par les Delta et les Navy SEALs. Forcer des pourris d'Al-Qaeda à évacuer leurs grottes et leurs planques. J'étais le sergent de division, responsable de cinq escouades, soit trente-cinq soldats environ. Je les faisais entrer dans le cordon intérieur pour trier les kamikazes, les femmes et les enfants, ce qui représentait parfois un seul et même individu. Un nettoyage de base avant que les Deltas et les SEALs débarquent pour choper leurs cibles.

Zach but à son tour. Le vin fort de Nino lui brûlait la gorge, autant que la confession qu'il avait répétée pendant qu'elle prenait son bain. Elle l'écoutait avec attention, ses yeux bleus rivés sur lui, son corps figé, à l'exception d'une veine qui battait le long de son cou.

— Bref, Scott et moi on a discuté pendant tout le trajet. Personne ne se faisait d'illusions sur le fait que la mission serait facile. Alors, peut-être pour garder la tête sur les épaules, on s'est raconté comment on avait profité de notre temps libre avant le service.

Le rouge monta aux joues de Sam.

— Tu lui as dit ce qu'on a fait pendant ces trois semaines ?

— Ça ne faisait pas trois semaines, la corrigea-t-il en évitant délibérément de répondre. Seulement dix-neuf jours.

Elle ferma les yeux.

— Tu as compté.

— Chaque jour.

Elle porta les doigts à sa bouche, comme si cela la choquait, ou qu'elle ne savait pas quoi dire.

— Tu n'as pas compté ? demanda-t-il. Tu n'as pas compté chaque jour et chaque nuit ?

— Pour être franche, je l'ai fait après ton départ, pas pendant que tu étais là.

Il soupira, secoua la tête. Il en était tellement désolé.

— Bon, moi j'ai compté ceux que nous avions parce que…

Parce que c'était tellement important.

— Alors, qu'est-ce qui s'est passé dans l'avion ?

— D'abord, je voudrais que tu saches que je t'ai entendue pleurer quand je suis sorti de la douche ce matin-là.

Les larmes montèrent aux yeux de Sam.

— Je ne voulais pas que tu partes.

— Tu sais, Sammi, pour la première fois depuis que j'avais intégré l'armée en 2001, je ne voulais pas partir non plus. J'adorais l'armée. C'était la vraie famille que je n'avais jamais eue, une famille que j'avais choisie moi, pas dictée par le destin et une mère qui avait ses raisons.

Il se dit que leurs pâtes étaient en train de refroidir mais il était clair que ni l'un ni l'autre ne s'en souciait.

— Mais là, je ne voulais pas repartir à la guerre. Je ne voulais pas te quitter.

Elle cligna les paupières et une larme s'écoula jusqu'au creux de son cou. Pour Zach, c'était aussi douloureux à regarder que s'il s'était agi d'un filet de sang.

— Et quand je t'ai avoué que je t'aimais ? demanda Sam.

La gorge de Zach se serra.

— Je ne savais pas comment répondre. Je n'en étais pas encore sûr. Je ne voulais pas le dire seulement parce que le sexe était incroyable et que je partais pour la guerre. Ça faisait tellement… cliché.

— Les clichés existent pour une bonne raison, dit doucement Sam. Parce qu'ils sont… réels.

— Je ne l'ai pas dit parce que j'avais peur de le faire, dit finalement Zach.

— Moi aussi j'avais peur. Mais je l'ai fait. Et je prévoyais de continuer à te répéter ces mots. Je me disais que je t'enverrais des lettres d'amour parfumées et qu'on échangerait des coups de fil pleins d'émotion et de sanglots. Mais ça n'a jamais eu lieu.

Sa voix s'était fêlée mais elle ravala son sanglot.

— Après, poursuivit-elle, j'ai pensé que je te le dirais peut-être de nouveau quand tu me prendrais dans tes bras lors d'une cérémonie patriotique pour fêter votre retour. On aurait couru l'un vers l'autre en agitant des drapeaux, avec un orchestre en toile de fond. Jamais je n'avais imaginé que je n'aurais plus aucune nouvelle de toi.

Les larmes s'étaient mises à couler et le cœur de Zach se serrait un peu plus à chacune de ses tristes paroles.

— Il n'y avait pas d'orchestre quand je suis rentré, dit-il d'une voix douce.

Elle s'essuya les yeux et tenta de retrouver une certaine maîtrise.

— Alors, qu'est-ce qui s'est passé dans cet avion ?

Il laissa échapper un long, très long soupir.

— Scott m'a annoncé que sa femme était enceinte de jumeaux. Ce que j'ai trouvé évidemment plutôt cool, vu que j'en suis un moi-même. Ils savaient que c'était un garçon et une fille et, avant qu'il parte, ils avaient acheté une maison à Columbus, là où était stationné le 75e régiment. Son plan... (Il eut un petit rire en repensant à Scottie et à la malice dans ses yeux quand il lui avait avoué tout ça.) Il voulait terminer son service, quitter l'armée et devenir père au foyer. Milly, sa femme, était comptable avec un bon salaire, et ils avaient décidé qu'il allait devenir M. Maman.

Elle sourit.

— Inattendu pour un Ranger.

— Je sais, répondit Zach, amusé en imaginant son copain souriant de toutes ses dents au moment de changer une couche. Il était super-excité. Il voulait cuisiner, laver le linge, aller se promener dans les squares. Bref, élever ces gamins jusqu'à l'université. Il voulait la totale, une vie avec… une femme.

— Et toi…

— J'ai pris conscience qu'en fait je voulais plus ou moins la même chose. Avec toi.

Un son discret s'échappa de la gorge de Sam, une sorte de feulement douloureux, et il eut l'impression de recevoir une dague dans la poitrine.

— J'ai dit à Scottie que… que j'avais peut-être trouvé la fille qu'il me fallait. Ma femme. Ma vie.

Elle le dévisageait sans rien dire, des larmes plein les yeux.

— Zach…

— Il a été tué deux jours après notre arrivée.

— Oh non. (Elle cligna les yeux et des larmes s'échappèrent.) Quel horrible gâchis…

— C'est toujours un horrible gâchis, Sammi. (Il percevait aussi l'émotion râpeuse dans sa propre voix.) Chacune de ces morts dénuées de sens est une honte. Et chaque soldat laisse quelqu'un derrière lui. Une épouse, une mère, un enfant. Chacun d'eux laisse un sillage de chagrin et de souffrance pour la personne qu'ils aiment.

— Alors tu as changé d'avis…

Il perçut la défaite dans le ton de Sam, la lut dans ses yeux.

— Pas d'amour, pas de vie, pas de femme… poursuivit-elle. Personne ne sera touché si tu meurs.

Il haussa les épaules.

— Le jour où il est mort, j'ai compris que mes chances de survie craignaient et que si je t'écrivais, que je t'appelais ou que j'alimentais… ce… cette relation, tu finirais par te retrouver à plier le drapeau durant mes funérailles. Je me suis dit que tu méritais une chance de tourner la page pour quelque chose de plus stable. J'ai pensé que, si je te laissais partir, tu repartirais à zéro avec quelqu'un d'autre.

Il laissa ces dernières paroles retomber vers la table comme un point final.

— Tu t'es trompé. (Elle repoussa son bol de pâtes froides et se pencha au-dessus de la table.) Et tu aurais pu me demander ce que je pensais de l'idée de devenir cette femme, de mener cette vie. Je n'avais pas mon mot à dire ?

— Je connaissais ta réponse, Sam. Tu m'aurais dit que tu m'attendrais. Tu aurais prié pour moi. Tu aurais créé des liens avec ma famille, tu aurais mis ma photo sur ta table de nuit et tu n'aurais plus vécu que pour quelques e-mails et des coups de téléphone plus rares encore. Puis tu aurais dû faire face à ce type venu sonner à ta porte avec l'inéluctable nouvelle.

Elle abattit sa main sur la table et repoussa sa chaise en arrière, bouillante de colère.

— Eh bien tu avais tort, Zach. Ce n'était pas inéluctable. Il n'y a eu ni messager à la porte, ni funérailles. Et, merde, j'ai quand même passé mon temps à attendre ces e-mails et ces appels. (Sa voix se brisa :) J'ai attendu ce... cette... cette putain de carte postale qui n'est jamais arrivée.

— Je suis désolé.

Des mots tellement creux.

— Non, tu ne l'es pas. (Ses larmes avaient séché, à présent. Mais sa fureur enflait.) Depuis combien de temps es-tu rentré, Zach ? Un an ? Et tu es forcément revenu chez toi au moins une ou deux fois avant ça, non ?

— Deux fois.

— Rah ! (Elle donna un coup-de-poing dans les airs, comme si elle pouvait le frapper.) Et tu ne pouvais pas appeler ? Alors même que tu étais vivant et en bonne santé ?

Il ne fit même pas la grimace.

— J'étais de passage pour quelques semaines et je n'ai même pas vu tous les membres de ma famille durant ces permissions.

— Et quand tu es rentré pour la dernière fois ?

— J'étais blessé, se contenta-t-il de répondre comme si cela expliquait tout.

— Qu'est-ce que tu insinues, là ? Que je n'aurais pas pu m'intéresser à un homme borgne ?

Il se releva avec lenteur.

— Cette conversation n'était pas censée tourner autour de ma blessure.

— Ah non ? Eh bien, désolée, mais on ne peut plus éviter le sujet maintenant ! rétorqua-t-elle en levant les mains comme pour l'empêcher de fuir.

— Je n'y pense même pas, Sam.

Il rassembla les bols et couverts à peine utilisés.

— Sale menteur !

Il reposa la vaisselle sur la table.

— Je ne suis *pas* un menteur, dit-il. Je viens de te dire la vérité. Celle qui vient du cœur. Toutes ces questions auxquelles tu voulais des réponses... Je te les ai données. Et maintenant tu voudrais me clouer au mur et me faire chier à propos de mon *œil* ?

— C'est un truc essentiel, Zach. Tu essaies de faire comme si le problème n'existait pas, mais il est bien là. Comme si tu étais normal, mais tu ne l'es pas. Comme si tu ne voulais pas qu'on te manifeste de pitié, mais quand quelqu'un te traite de monstre tu...

— Non, coupa-t-il d'un ton tranchant. Je ne veux pas de pitié.

— Alors qu'est-ce que tu veux ?

Nous. L'amour. Éternel. Retrouver la vue. Redevenir entier. Toi.

Rien que Zaccaria Angelino puisse espérer avoir un jour.

— Qu'est-ce que tu veux ? répéta-t-elle plus doucement, sur un ton de défaite.

Il opta pour le plus simple.

— Toi.

— Moi aussi c'est toi que je veux, Zaccaria... (Elle murmura son nom et lui tendit les bras.) Je veux tellement être avec toi.

Mais il était incapable de se laisser aller entre ces bras.

— Tu mérites mieux.

Et là se trouvait, il le savait, la véritable raison pour laquelle il n'avait pas pu écrire cette putain de carte postale. Même lorsqu'il était indemne.

Alors elle combla la distance qui les séparait, fit le pas qu'il ne pouvait faire. Et son cœur se gonfla d'amour pour elle.

— Zach...

Elle prit son visage entre ses mains, comme elle l'avait fait dans son appartement. Sa paume chaude et douce se referma sur la cicatrice.

— Je ne veux pas mieux.

Il la regarda sans rien dire.

— C'est toi que je veux, dit-elle. Tel que tu es. *Toi.*

Elle effleura la balafre, menaçant de glisser un doigt sous le bandeau. Il tenta de maîtriser un mouvement de recul.

— Je veux cet homme qui m'a laissée en pleurs, reprit-elle. Celui qui parlait avec moi toute la nuit, me faisait rire, me rendait folle. Je veux cet homme-là, peu importe son apparence. Parce que cet homme, celui que tu étais et que, j'en suis certaine, tu es encore, cet homme... (Elle tira sur le bandeau, le releva au niveau du front de Zach et le fit glisser pour le lui retirer.) Cet homme a exactement l'apparence qu'il est censé avoir.

Elle fit courir ses doigts sur la chair recousue, les plis de peau à l'endroit où un œil s'ouvrait et se refermait autrefois. La brûlure lui faisait l'effet d'un véritable incendie. Il était incapable de parler, incapable de prononcer un seul mot de ce qui lui emplissait le cœur. Il ne pouvait pas dire ce qu'il ressentait ; il aurait eu l'air complètement stupide.

Mais Sam ne remarqua rien, parce qu'elle était occupée à le toucher.

— Cet homme qui a pris des décisions dans un avion puis est revenu dessus sans me consulter... Cet homme est toujours le plus beau que j'aie jamais rencontré.

Il serra les dents.

— Là je sais que tu me mens.

— Je ne mens pas, Zach.

Elle se hissa sur la pointe des pieds et embrassa sa joue valide. Puis sa joue mutilée. Puis ses lèvres. Une vague de chaleur le submergea. Son corps trahissait son esprit ; son désir l'emportait sur son orgueil.

— Je veux te faire l'amour, murmura-t-elle. Et ensuite je veux qu'on discute toute la nuit.

— Au moins tu fais les choses dans l'ordre.

Il referma ses bras autour de la taille de Sam et l'attira à lui. Sa bouche écrasa la sienne, il la serra avec passion, dévorant ses lèvres et sa langue. Il la sentit qui fondait, s'abandonnait, coulant la douceur de son corps de femme contre son désir durci d'homme.

Il se pencha et la souleva, un bras passé sous ses genoux et l'autre glissé derrière ses épaules, puis porta son visage à hauteur du sien pour poursuivre le baiser. Elle enveloppa son cou de ses bras et se cambra pour l'embrasser avec fougue.

Quand le baiser prit fin, ils étaient déjà au milieu de l'escalier. Il gravit les dernières marches et, du pied, ouvrit la porte de la salle de bains. Humant les effluves citronnés qui persistaient après le bain de Sam, il s'inclina pour plonger la main dans sa trousse de toilette.

— On va en avoir besoin ce soir.

Elle eut un sourire accompagné d'un soupir et se blottit dans ses bras pour le laisser récupérer ce dont il avait besoin.

— Prends toute la boîte, souffla-t-elle.

Ce qu'il fit, avant de remonter jusqu'à la chambre de Sam et de la déposer sur son lit. Elle s'étira comme un félin et se mit pratiquement à ronronner, bras écartés et dos arqué, comme une invitation.

Il commença par le débardeur qu'il fit doucement passer par-dessus la tête de Sam, à la manière d'un strip-tease, révélant centimètre après centimètre de peau appétissante les courbes douces de ses seins et ses mamelons, tels de délicieux bourgeons.

Il avait terriblement envie d'y goûter.

Elle pencha la tête pour l'extraire du tee-shirt et libéra ses bras, à demi-nue sous lui.

— Oh mon Dieu, Sam. Oh, mon Dieu…

Il contempla ses seins et tendit la main vers l'un d'eux pour caresser la peau soyeuse comme celle d'un bébé avant de s'incliner pour embrasser l'autre. Les doigts de Sam couraient dans ses cheveux, guidaient sa bouche vers son téton. Un petit gémissement jaillit de la gorge de la jeune femme tandis qu'il l'aspirait entre ses lèvres.

Il finit par relâcher le mamelon et s'assit pour se débarrasser de son propre tee-shirt. Le regard de Sam descendit vers sa poitrine, s'attarda sur le tatouage, puis se fixa plus bas, à l'endroit où sa verge formait une bosse bien visible sous son jean.

— Belle arme, dit-elle avec un sourire, en indiquant le holster et le pistolet qu'il portait encore.

— Tu aimes ?

Il retira le harnais puis déboutonna son pantalon et abaissa la braguette.

Elle contemplait son sexe avec gourmandise ; le gland apparaissait déjà sous le prépuce. Mais ce fut le tatouage en forme de poignard dentelé qui courait le long de sa hanche, parallèlement à son érection, qui capta son attention. La mission au Pakistan.

Elle referma sa main autour de son membre et entreprit de faire coulisser la peau de haut en bas autour du gland. Des vagues de plaisir accompagnaient chacun de ses gestes.

— Oh, il est vraiment beau.

Elle lui avait toujours fait des compliments. Elle adorait le fait qu'il ne soit pas circoncis, affirmait que son plaisir n'en était que plus grand.

— Quand on s'est connus, dit-il en glissant ses doigts sous l'élastique de son pantalon de pyjama, tu n'avais jamais connu d'homme non circoncis. Et depuis ?

Elle leva les yeux vers lui et son regard était tout ce qu'il y a de plus sérieux.

— Je n'ai connu personne d'autre depuis ton départ.

Les doigts de Zach se figèrent.

— Personne. (Elle secoua la tête.) Qu'est-ce que tu attendais ?

Elle referma sa main sur les poignets de Zach et guida ses doigts sous son pantalon, jusqu'à ce doux renflement entre ses jambes où une moiteur sucrée imprégnait déjà la minuscule touffe de soie.

— C'est toi que j'attendais. (Elle souleva les reins pour s'offrir pleinement à ses mains.) Même si tu ne le voulais pas, j'ai attendu, je me suis inquiétée, et je n'ai jamais cessé de me demander ce que tu devenais.

Chaque mot était comme un coup-de-poing dans le ventre, chaque centimètre de sa chair sous ses doigts déclenchait une décharge de désir.

— J'ai prié, j'ai regardé les infos et je me suis mise à fantasmer ton retour.

Elle le frappait au cœur à présent, tandis qu'il suivait de ses doigts le dôme velouté entre ses cuisses. L'émotion le disputait à l'excitation, la douleur au plaisir.

Elle baissa son pantalon au niveau des genoux et écarta les jambes afin qu'il puisse voir ce qu'il caressait, tout ce dont il avait été privé. Elle souleva les hanches pour lui montrer la peau douce, rose et humide de féminité, son regard à elle braqué sur son visage, sa cicatrice, son éclat ténébreux.

— Je sais que ce n'était pas ce que tu souhaitais, mais je t'ai attendu quand même, Zach.

Il voulut parler mais aucun son ne sortit de sa bouche. Il avait la gorge tellement serrée qu'il sut que seul un sanglot serait susceptible d'en émerger.

Il l'attira à lui afin qu'ils se retrouvent à genoux, face à face. Et cette fois, ce fut son tour de lui prendre le visage entre ses mains et de l'embrasser. Il l'embrassa aussi délicatement qu'il en était capable, tenta d'employer sa bouche contre la sienne pour exprimer tous les mots qu'elle méritait d'entendre. Appréciation. Adoration. Affection. Amour.

Le baiser s'intensifia, leurs lèvres de plus en plus affamées, leurs mains cherchant désespérément le contact qui leur avait tant manqué. Ils se déshabillèrent mutuellement et retombèrent sur le lit. Il enfila un préservatif sur son membre engorgé et ils roulèrent l'un contre l'autre, se caressèrent, s'embrassèrent. Elle avait un goût de citron et de beurre, une odeur de sexe et de savon qui monopolisaient tous les sens de Zach, chaque cellule de son être.

— D'accord, Sammi. Maintenant.

Il se redressa à califourchon et souleva les genoux de Sam. Leurs regards plongèrent l'un dans l'autre. Lorsqu'il la pénétra, elle ferma les paupières et se mordit la lèvre inférieure, hochant la tête pour lui donner la permission d'aller jusqu'au bout. Il s'enfonça un peu plus, faisant glisser son sexe au plus profond d'elle, et laissa échapper un sifflement comme la fente étroite se refermait sur lui et, de façon magnétique, magique, l'attirant plus profondément encore.

— Merci de m'avoir attendu, souffla-t-il, plongé en elle jusqu'à la garde.

— Merci d'être revenu.

Les battements du corps de Zach faisaient vibrer ses tympans, au point d'étouffer pratiquement les halètements rocailleux de Sam, ses petits râles et sa façon de murmurer son nom. Emporté, débordant de désir, à quelques secondes à peine de l'explosion, il s'immobilisa totalement, luttant contre son envie d'aller et venir en elle. Il se souvenait exactement de la manière dont elle aimait jouir.

Elle se frottait contre son pelvis, la bouche entrouverte, les yeux fermés, le visage rosi par le plaisir. Puisant dans ses ressources intérieures pour garder le contrôle, Zach resta immobile tandis qu'elle se mouvait sous lui. Il entendit un sanglot s'échapper entre deux gémissements, suivi d'un long cri d'extase au moment où elle atteignit l'orgasme.

Presque immédiatement, elle s'ébattit de nouveau contre lui à un rythme régulier, le faisant sortir puis rentrer en elle pour faire monter la jouissance du plus profond de Zach. Ses bourses étaient en feu, le désir lui contractait le bas du dos et la tension remonta le long de sa hampe jusqu'à ce qu'il n'en puisse plus.

Il fut comme aveuglé par une lumière blanche. Ses doigts se crispèrent dans les cheveux de Sam dont le parfum envahit ses narines et il s'abandonna, martelant contre ses reins ; tout son être céda, encore, encore et encore. Ses propres grognements étaient lointains, assourdis par le plaisir.

Il retomba sur elle, haletant, le corps couvert de sueur, sans défense, sans honte, hagard.

Il pressa son visage contre celui de Sam, sa cicatrice contre son teint crémeux, leurs peaux jointes dans leurs moiteurs.

Elle s'écarta juste assez pour pouvoir le regarder et ses yeux se posèrent sur l'orifice mutilé, balafré et recousu, où s'était autrefois trouvé un œil.

Elle passa de nouveau son doigt sur les contours de chair.

— Je commence à m'habituer à ce que tu y touches, chuchota Zach.

— Zach... Tu pleures, dit-elle d'une voix où se mêlaient l'émerveillement et l'incrédulité.

Il sourit.

— Ces salopards n'ont pas eu mes conduits lacrymaux.

— Pourquoi tu as décidé de tout me dire ? Qu'est-ce qui s'est passé ?

Il la serra un peu plus fort dans ses bras, huma sa merveilleuse odeur et lui embrassa la joue.

— J'ai fait une promesse à quelqu'un, dit-il en l'embrassant de nouveau. J'ai juré sur...

Il se redressa brusquement et lui plaqua une main sur la bouche. Un craquement minuscule au loin... dans la cuisine... venait de capter toute son attention.

— Merde.

Il saisit son arme et roula hors du lit pour atterrir silencieusement sur ses pieds nus.

Le double claquement distinctif de la glissière d'un pistolet que l'on chargeait résonna dans l'escalier.

— Oh mon Dieu, chuchota Sam. Il y a quelqu'un dans la maison.

Des bruits de pas sur le parquet du salon. La musique douce se tut.

Zach pointa du doigt le côté opposé du lit et mima silencieusement : « Cache-toi ! »

Sam roula sur elle-même et se laissa glisser au sol, sans bruit.

Une botte fit grincer la première marche de l'escalier.

Zach se concentrait sur la porte de la chambre, son esprit passant en revue les divers scénarios possibles afin de déterminer la meilleure position d'attaque. Tous ses sens étaient en alerte, comme s'il se retrouvait soudain dans une mission de détection et de nettoyage de bombes, prêt à faire face au pire à chaque seconde.

Mais à l'époque, il disposait de deux yeux pour la reconnaissance visuelle. Désormais, il devait s'appuyer sur quatre autres sens, et sur ses tripes. Et, pour une raison stupide, incompréhensible, ses tripes n'étaient pas en feu.

Pourquoi ?

Avait-il perdu la main ? Sa fameuse capacité à détecter la moindre anomalie aux alentours ? Le corps merveilleux de Sammi lui avait-il liquéfié le cerveau ?

Non pas qu'il eût besoin de *détecter* une anomalie, vu qu'un connard était en train de grimper l'escalier avec un pistolet chargé à la main et que ce salopard mourrait le premier.

Comment un professionnel s'y prendrait-il pour attaquer ? Il s'agissait d'un tueur à gages, d'un assassin. Il s'approcherait avec prudence. Mais il n'était foutrement pas discret. Pourquoi ça ? Il avait à présent atteint le sommet des marches et se trouvait sur le palier du premier étage.

Restant dans l'ombre, Zach se déplaça discrètement, heureux que sa nudité lui permette de ne pas faire le moindre bruit et que sa vision soit bonne, habitué qu'il était à l'obscurité.

Il s'accroupit, plongea de l'autre côté de la porte et se mit en position, le battant servant de couverture. À l'instant où ce bâtard mettrait un pied dans la chambre, il mourrait.

L'intrus était en train d'atteindre le second niveau ; encore trois marches et il serait sur eux. Zach n'osa pas prendre le risque de bouger, de bondir dans le couloir en tirant. S'il émettait le moindre son, il risquait d'être touché en premier. Il fallait qu'il conserve l'avantage de la surprise.

Cela dit, le type avait forcément vu les bougies, le repas, autant de signes de leur présence. Il savait qu'ils étaient là. Il avait même coupé la musique pour les en *avertir*.

Encore un pas.

Zach percevait à présent son souffle, lent, régulier. Un tueur sans peur, sans culpabilité, sans scrupules.

Il n'y avait qu'un problème avec le fait de le liquider : ils ne sauraient jamais qui avait embauché ce salopard et quelqu'un là, dehors, pourrait toujours en avoir après Sam. Donc Zach devrait lui extorquer un nom avant de lui faire sauter la cervelle.

L'intrus avait atteint la dernière marche. Zach jeta un coup d'œil vers le lit pour s'assurer que Sam restait bien cachée de l'autre côté, contre le mur. Aucun signe d'elle. Tant mieux. Elle n'aurait pas envie d'assister à ce qui allait suivre.

Une botte résonna dans le couloir et Zach se prépara à attaquer.

Le pied d'un homme apparut sur le seuil et Zach identifia immédiatement la chaussure coquée. Un militaire.

Un frisson presque surnaturel remonta le long de son échine jusqu'à sa nuque. Certaines personnes ne méritaient pas de porter ne serait-ce qu'une pièce de l'uniforme.

Au moment où l'homme pénétra dans la chambre, Zach leva la jambe et, d'un coup de son pied nu, écrasa la porte dans son dos. Puis il bondit sur l'intrus qui vacillait et l'agrippa par-derrière.

L'autre lui décocha un puissant coup de coude dans le ventre et pivota sur lui-même pour le faire chuter. Mais Zach le frappa à la tempe à l'aide de son pistolet, l'atteignit au bas-ventre de son genou et le tira vers le sol.

Il n'entendit qu'un « putain ! » haletant, puis un bras musclé s'écrasa sur son visage avec assez de force pour faire craquer son nez. Zach parvint néanmoins à prendre le dessus, une main plaquée sur la gorge de l'intrus. Mais celui-ci le fit basculer et lui écrasa la tête contre la porte. Zach lança un coup de pied vers sa main et eut la satisfaction d'entendre le pistolet du tueur glisser à travers la pièce.

Zach leva son propre revolver mais un pied botté le cueillit à l'estomac et le projeta à terre, sur le flanc. Le type bondit sur lui, le bras levé pour un nouveau crochet du droit. Mais Zach était parvenu à braquer son arme vers lui, le doigt sur la gâchette. Une pression, un simple contact, et le bonhomme serait cuit.

Mais il fut soudain aveuglé par l'éclat puissant du plafonnier. Sam avait allumé la lumière.

— J'ai son arme. Je peux le descendre.

Surpris, l'homme se tourna en direction de Sam. La diversion permit à Zach de le renverser et de l'écraser au sol.

— Ne tire pas ! cria-t-il à Sam. Il doit d'abord nous dire qui... (Il s'interrompit, et cligna son unique paupière face au regard brûlant qui rencontrait le sien. La stupeur envahit les yeux des deux hommes, puis l'horreur et l'incrédulité.) L'a envoyé, termina-t-il.

Il était livide, et du sang s'écoulait de son nez pour éclabousser le visage en dessous du sien.

— Bon Dieu de merde ! Putain, mec... dit-il en essuyant le sang sur sa figure.

— Je l'ai dans ma ligne de mire, Zach.

La voix de Sam tremblait, mais pas tant que ça.

— Ne lui tire pas dessus, parvint-il à dire.

Il relâcha sa prise et se redressa. L'idée d'avoir failli tuer cet homme lui fit l'effet d'une bombe artisanale qui aurait détonné au cœur de son cerveau.

— Pourquoi ?

Malgré le sang qui s'écoulait du nez de Zach et lui éclaboussait le visage, Gabe afficha lentement un sourire effronté.

— Parce que je suis son putain de cousin. Et, vieux, si tu me permets, t'as vraiment pas une gueule de porte-bonheur.

16

Les genoux de Billy le faisaient souffrir mais il s'agenouilla néanmoins sur le parquet et joignit ses mains en prière, appuyé contre son lit, sur lequel sa Bible était ouverte aux pages des Psaumes.

— Bonjour, Jésus. C'est moi, M. Shawkins.

Si Alicia avait été là et non dans le Mississippi, cela l'aurait fait rire. Elle aimait lui préciser que Jésus l'aurait simplement appelé Billy. Mais il devait y avoir tellement de dénommés Billy qui priaient ; et puis Jésus avait trop de respect envers lui pour l'appeler par son prénom. Jésus l'aimait, là-dessus il n'y avait aucun doute.

— J'ai vu mon amie Samantha Fairchild aujourd'hui.

Il leva les yeux en direction du plafond recouvert d'une couche inégale de plâtre, en imaginant les nuages où vivait son Dieu.

— Elle m'a dit de guetter un signe me disant d'épouser Mlle Beckerman. Qu'est-ce que vous en pensez, Jésus ? Vous pourriez m'en envoyer un ?

Un tintement métallique discret résonna plus bas dans le couloir. Cela fit sourire Billy. Le chat d'Alicia avait sans doute buté dans quelque chose, mais il prendrait ça pour un signe malgré tout.

— Vous croyez que je devrais la surprendre, Jésus, ou bien la laisser choisir sa propre bague ? Comme vous savez, j'ai deux mille dollars dans ce tiroir, là. On pourrait y aller ensemble, elle et moi, et choisir ce qu'elle...

Billy se tut. Il était certain d'avoir entendu un nouveau bruit.

Qu'avait encore fait ce satané chat ? Alicia n'allait pas sans cette petite boule de poils, il l'avait accepté. Mais cette bestiole était une vraie fauteuse de troubles.

— Évidemment, c'est une dame plutôt traditionnelle et elle pourrait vouloir...

Encore ce bruit. Était-ce le chat qui miaulait ? Ou... s'agissait-il de la porte de derrière, toujours en attente de l'huile qu'il avait promis d'appliquer sur les gonds ?

Il se figea dans sa position de prière et reposa lentement les mains sur le couvre-lit vert en chenille. Puis, sans faire de bruit, il se redressa en prenant appui sur ses bras. Il avait conscience que ses poils s'étaient dressés sur sa nuque, de la même manière qu'à la prison de Walpole quand de gros ennuis se préparaient parmi les détenus.

Quand quelqu'un était sur le point d'être blessé, ou pire.

Une fois debout, ses mains lui parurent regrettablement vides. À une autre époque, dans une autre vie, il aurait été armé. Personne ne devrait vivre à Roxbury sans arme. Un homme devrait avoir le droit de se protéger tout seul.

Mais les anciens taulards n'avaient pas de tels droits, peu importe qu'ils aient ou non été disculpés. Et puis Alicia détestait les armes.

Était-ce un bruit de pas ? Est-ce qu'il y avait quelqu'un dans la cuisine ?

Il se tourna vers la fenêtre fermée, assez proche du sol pour qu'il puisse s'échapper par là. Il n'y avait aucun autre moyen de quitter la maison sans passer par la cuisine.

Le couloir était plongé dans la pénombre, à peine éclairé par une veilleuse coincée dans une prise parce qu'Alicia affirmait que le chat détestait l'obscurité. Et, pour cette raison, Billy avait laissé une lampe allumée dans le salon ainsi que la lumière du four dans la cuisine.

Une semelle frotta sur le linoléum. Qu'est-ce qu'on pouvait lui voler ?

Ses deux mille dollars, sa télé, son fauteuil. Il n'avait qu'à les prendre, ce misérable accro au crack. Billy n'allait pas mourir pour ces bêtises, et le voleur se ferait prendre bien assez tôt. Il découvrirait alors ce qui se trouvait de l'autre côté de la barrière.

Sans faire de bruit, il contourna le lit en étudiant les différentes possibilités. La fenêtre s'ouvrait difficilement, la porte du placard grinçait, le lit était trop bas pour qu'on puisse se cacher en dessous.

Il regarda de nouveau dans le couloir et ne vit personne. Il entendit cependant s'ouvrir la porte qui menait au garage, reconnut sa façon très distinctive de réclamer qu'on la graisse, elle aussi. De combien de temps disposait-il ? Il n'avait aucun objet de valeur dans le garage. Mais de toute façon, il n'avait aucun objet de valeur nulle part.

Sauf dans ce tiroir de commode. Son estomac se noua à l'idée de cet argent durement gagné, gaspillé pour acheter du crack ou du speed.

Les mains tremblantes, il fit coulisser le tiroir du bas et glissa ses doigts sous les caleçons soigneusement pliés pour récupérer l'enveloppe. Il reporta son regard vers la fenêtre, le bois gonflé par les pluies de la semaine passée et collé au montant comme ces pigments vieux de plusieurs jours qui s'accumulaient dans le broyeur de couleur. Peut-être devrait-il tenter le coup malgré tout. Alors qu'il tirait sur le rideau, il entendit un outil heurter le sol du garage ; le bruit lui parut assourdissant.

Ses bras se couvrirent de chair de poule et il serra l'argent. Certains pourraient le tuer pour cette somme.

S'il sortait en courant par la cuisine, il pouvait tout à fait se retrouver nez à nez avec quelqu'un brandissant un marteau, une clé à mollette ou une arme à feu.

Son argent au creux de la paume, il fila dans le couloir et s'arrêta devant la porte du sous-sol, qu'il ouvrit aussi discrètement que possible pour plonger au sein des ombres et refermer la porte sans un bruit derrière lui.

Il hésita en haut des marches ; la poussière et l'odeur de moisissure lui chatouillaient les narines. Il connaissait les moindres cachettes en bas. Dans le coin derrière la cuve inamovible, dans l'espace de rangement sous l'escalier. Mais la chaudière et le chauffe-eau constituaient le meilleur emplacement. Un coin trop étroit pour la plupart des hommes mais il avait réussi à s'y glisser quelques semaines plus tôt quand la pompe s'était mise à fuir.

Parfait. Il se mouvait à présent avec détermination, bien décidé à se montrer plus malin que le petit con qui était entré chez lui. Avec Jésus derrière lui pour le guider. Arrivé au bas de l'escalier, il tendit les mains tel un aveugle pour trouver son chemin à tâtons, ses pieds nus frottant sur le ciment, les yeux rivés sur la petite lumière bleue vacillante au pied de la chaudière. Elle n'était pas en fonctionnement, évidemment, mais la veilleuse restait allumée.

Au-dessus de sa tête, il entendit des bruits de pas plus lourds. L'intrus se sentait sans doute à l'aise, persuadé qu'il n'y avait personne dans la maison. Billy se faufila entre le métal chaud du chauffe-eau et la paroi froide de la chaudière éteinte. Si tout ceci s'était produit en janvier, il se serait brûlé rien qu'en la touchant.

Mais on était en juillet, et Jésus était avec lui. Il dut rentrer le ventre et pivoter sur le flanc mais il parvint à rejoindre l'étroite cachette, serrant toujours ses deux mille dollars entre ses doigts.

Si ça n'était pas un signe, alors il ne savait pas ce que c'était. Une fois que le voyou serait reparti, il appellerait Alicia à Natchez pour lui demander de rentrer à la maison et de l'épouser. Il avait sa…

La porte de la cave s'ouvrit et la lumière inonda les lieux. Billy serra la mâchoire pour ne pas laisser échapper un cri de surprise. Il n'avait pas pensé à la lumière. Il était désormais visible mais, s'il restait parfaitement immobile, un voleur n'irait jamais regarder du côté de la chaudière.

Il jeta un coup d'œil par l'étroit passage qu'il venait d'emprunter, incapable de bouger d'un centimètre sans risquer de faire du bruit.

Impossible de voir l'escalier depuis cette position mais il entendit des bruits de pas.

Lorsque l'homme contourna le muret de planches clouées qui séparait le chauffe-eau du coin du lave-linge, Billy recula au plus profond de sa cachette en récitant une prière, si vite que les mots s'entrechoquaient les uns contre les autres sous son crâne.

L'intrus se rapprocha.

Billy retint son souffle et ferma les yeux en remerciant Jésus pour son pyjama de couleur sombre et sa peau noire. Ce soir, à cet instant précis, il aurait voulu être une ombre.

— Bonsoir, monsieur Shawkins.

Billy ouvrit les paupières et hoqueta en découvrant l'homme à quelques centimètres de lui, juste à l'entrée de sa planque.

— J'ai de l'argent, dit-il en levant lentement son enveloppe. C'est tout ce que j'ai. Prenez-le et partez.

— Non, non, monsieur Shawkins. Je ne veux pas de votre argent.

L'homme paraissait déçu et même vaguement agacé ; il braqua un pistolet vers le visage de Billy.

— Qu'est-ce que vous voulez ?

— La même chose que vous, répondit l'inconnu en souriant. Me venger de Samantha Fairchild.

Billy fronça les sourcils. Samantha.

— Non, non. J'ai rien à lui reprocher. Ne lui faites pas de mal.

— Oh, mais je ne compte pas lui en faire. Vous si, par contre.

Ça, sûrement pas.

— Eh bien, je ne sais pas où elle est. Elle est passée ici aujourd'hui, mais elle est repartie. Je vous le jure ! Je le jure sur la Bible et sur le nom de Jésus qui est au paradis : je ne sais pas où elle se trouve.

L'homme soupira. Il portait une casquette de base-ball à la visière si basse qu'il était impossible de voir ses cheveux ou ses yeux, juste une mâchoire anguleuse et des dents minuscules.

— Bon, eh bien alors il va falloir qu'on l'incite à revenir, n'est-ce pas ?

— Je ne sais pas comment faire.

Le pistolet de l'homme se rapprocha un peu plus encore.

— Vous feriez bien de trouver le moyen, monsieur Shawkins. Parce que je ne quitterai pas cette maison sans laisser un cadavre derrière moi. Ce sera soit le vôtre, soit le sien. Et je dirais... qu'elle vous doit bien ça.

Sam avait fini par sombrer dans le sommeil, bercée par les voix graves et sécurisantes des hommes. Personne ne pourrait l'atteindre avec ces deux-là pour monter la garde. Mais en se réveillant, elle trouva Zach auprès d'elle, un bras musculeux enroulé autour de sa taille et, de nouveau, sa joue balafrée pressée contre sa chevelure.

Elle ne bougea pas. Peu importait à quel point elle en avait envie, elle sentait instinctivement que cette position lui apportait un tel réconfort, un tel soulagement que le simple fait de se glisser hors du lit pour aller aux toilettes romprait cette paix.

Elle ferma les yeux et l'écouta respirer en se laissant envahir par le plaisir tellement inattendu d'être dans ses bras. La chaleur de leurs jambes emmêlées. La pression des hanches de Zach contre son dos. Zach Angelino, de retour dans son lit. De retour dans son cœur.

Oh, Sammi. Grosse, grosse erreur.

Mais en était-ce vraiment une ?

Elle chassa ses inquiétudes et s'abandonna à la félicité.

Bientôt, elle entendit un bruit dans la cuisine au rez-de-chaussée et se représenta mentalement Gabriel Rossi, l'intrus que Zach et elle avaient bien failli tuer. Un peu plus petit que Zach mais pas moins musclé, Gabe se déplaçait avec une grâce animale, riait de bon cœur et jurait comme le meilleur ami de Satan.

Et, comme le reste de l'arbre généalogique Rossi-Angelino, Gabe était magnifique. Ses cheveux étaient tondus si court qu'ils laissaient voir un crâne superbement formé et mettaient en valeur des yeux bleus de loup sous de fins sourcils noirs. Il avait le cou plus épais que Zach, une mâchoire un peu moins définie et le sourire tellement facile qu'il en devenait contagieux.

Il n'avait pas dit ce qu'il faisait, pourquoi il était là ni combien de temps il comptait rester, du moins pas pendant que Sam était éveillée. Elle avait capté suffisamment de son langage non-verbal pour savoir qu'il était préférable de ne pas poser de questions.

De l'eau s'écoula dans l'évier puis elle entendit la porte de derrière s'ouvrir et se refermer. Elle se crispa légèrement, prête à se lever.

— Il ne va nulle part, chuchota Zach dans ses cheveux. Et toi non plus.

— C'est notre invité. On devrait lui préparer du café.

Il émit un petit gloussement puis lui lâcha la main pour lui caresser le corps.

— Tu étais endormie quand je suis revenu, dit-il.

Son érection se raidit contre le dos de Sam alors que des tintements de vaisselle se faisaient entendre dans l'évier de la cuisine. La culpabilité l'emporta sur le plaisir.

Sam libéra sa chevelure de sous la tête de Zach, ce qui lui valut un petit grognement de déception. Elle se retourna et lui sourit, ravie de voir qu'il n'avait pas remis son bandeau. Il pouvait le porter en public mais face à elle, il n'avait pas besoin de se cacher.

— Je vais aux toilettes. Et puis j'irai voir s'il a besoin de quelque chose.

— Oh, il a besoin de certains trucs, affirma Zach. Mais rien dont tu puisses t'occuper.

— C'est-à-dire ?

— Il va partir en mission dans les quarante-huit heures. Ce dont il a besoin c'est de chance, d'un super-timing et d'yeux derrière la tête. Heureusement, il dispose déjà de deux trucs sur les trois.

Elle se glissa hors du lit et récupéra son pantalon de pyjama qu'elle enfila avant de rajuster son débardeur.

— Donc il ne sera là qu'un jour ou deux ?

— Au plus. Il pourrait partir ce matin après…

Il laissa sa phrase en suspens.

— Après quoi ?

Zach sourit et roula sur lui-même en tendant la main vers son bandeau.

— Va chercher du café et je te raconterai ce que mon cousin l'espion et moi avons concocté pendant que tu dormais. Je descends dans cinq minutes.

Elle descendit l'escalier en se demandant ce qu'il avait en tête. Arrivée en bas, elle balaya le salon du regard. Le seul élément laissant deviner que quelqu'un avait dormi là était une couverture en lainage qu'elle n'avait jamais vue, soigneusement pliée et posée sur le dossier du sofa. La vaisselle de leur dîner avait été faite.

La cuisine était immaculée, à l'exception d'un sac à dos et d'un rouleau qui devait être un sac de couchage attaché en dessous. La cafetière était allumée, une unique tasse lavée et rincée posée sur un torchon plié avec une précision toute militaire.

Sur la pointe des pieds, elle se dirigea vers la porte et souleva légèrement les stores pour découvrir un ciel matinal très couvert.

Gabe était installé sur l'herbe et effectuait des pompes sur un bras. Rapidement et sans faire de pause. Son tee-shirt blanc était humide de transpiration et son pantalon de camouflage laissait apparaître le haut de ses reins.

Elle ne put s'empêcher de regarder.

Après ce qui devait bien constituer plus de cent pompes sur un bras, il se releva d'un bond, pivota la tête de gauche à droite jusqu'à faire craquer son cou puis leva les yeux vers les cieux menaçants. Il les ferma ensuite, fit le signe de croix puis revint vers la porte à grands pas. Un homme pieux qui jurait comme un sataniste ?

— Bonjour, Sam, lança-t-il lorsqu'elle lui ouvrit la porte.

Il ne semblait pas le moins du monde surpris de la voir.

— Tu as compté ? J'ai perdu le compte après cent soixante-quinze.

— Et moi à vingt et quelques. Tu fais ça tous les jours ?

Il tira sur son tee-shirt trempé de sueur et sourit au bruit de succion que le tissu émit en se décollant de sa peau.

— Et comment ! À cinq heures du matin, qu'il pleuve ou qu'il vente. Il dort toujours ton Roméo ?

Elle eut un petit rire.

— Il va descendre. J'ai cru comprendre que vous prépariez quelque chose tous les deux.

— Juste un petit délit. On s'est dit qu'on connaissait une bonne future avocate.

Un délit ?

— Trois ans avant d'avoir mon diplôme, et sans doute un de plus avant de passer l'examen du barreau…

Elle se versa une tasse de café auquel elle ajouta du lait.

— … donc vous feriez mieux de ne pas vous faire prendre, poursuivit-elle. Ou de vous trouver un vrai avocat.

Alors qu'elle s'apprêtait à remettre la brique de lait dans le réfrigérateur, il la retint par le bras.

— Je ne me fais jamais prendre.

Son attention se porta sur le lait et une lueur d'envie s'alluma dans son regard.

— À mes yeux, cette putain de bouteille ressemble au Saint Graal. Je peux en avoir ?

— Bien sûr. Sers-toi, répondit-elle en lui tendant la brique.

— Zach a vu juste à ton sujet.

Il retira le bouchon en plastique, le jeta sans regarder dans la poubelle et porta le goulot à ses lèvres pour boire à grands traits.

L'estomac de Sam avait fait un double salto en tentant d'imaginer ce que Zach avait pu dire qui était « juste » à son sujet. Mais elle se refusait à poser la question et préféra lui lancer un sourire désabusé tandis qu'il s'essuyait la bouche comme un gamin de douze ans, sachant pertinemment qu'il transgressait les règles et s'en moquait.

— Qu'est-ce qui te fait marrer ?

— Ta mère te laisse boire à la bouteille ?

— Je vais te dire un truc, Sam, gloussa-t-il. Ma mère a deux faiblesses, il faut le savoir. Chessie et moi. T'as jamais remarqué que nous étions les seuls Rossi avec des yeux bleus ?

Il referma l'une de ses paupières aux cils épais, le temps d'un clin d'œil.

— Frannie a eu un amant secret, voilà ce que j'en pense. Chess et moi ? Nous ne sommes pas les enfants du juge Jimmy. Ça se voit rien qu'en nous regardant.

L'espace d'une minute, elle crut qu'il était sérieux. Puis il éclata de rire et lui donna un coup de coude amical.

— La famille tout entière est complètement folle, t'es d'accord ? Ajoutes-y deux orphelins venus d'Italie – soit un vrai petit démon et carrément *le* diable, et je n'ai pas besoin de te préciser qui est qui – et tu obtiens un sacré bordel. Ils me manquent tous !

Elle le dévisagea en imaginant ce qu'il apporterait au chaos, aux insultes et aux mots d'amour qui fendaient l'air autour de la table de « Frannie ».

— Je parie que ta mère ferait n'importe quoi pour te voir, Gabe. Même garder un secret.

Il leva une main comme pour dire « ne parlons pas de ça ».

— Cocotte, je n'ai pas peur que ma mère crache le morceau. Ce qui m'inquiète, c'est que quelqu'un remonte ma piste jusqu'à elle. Y a un paquet de tarés qui veulent ma peau.

— Bienvenue dans mon monde, dit-elle d'un air pince-sans-rire. Tu as peut-être besoin de l'aide des Gardiens Angelino ?

— Oh, arrête ! Vivi a encore fumé du crack.

— Le concept ne te plaît pas ?

— Si, carrément ! J'adore l'idée, mais ce nom vaut peau de zob, si tu vois ce que je veux dire.

Sam éclata de rire.

— D'accord, mais si on oublie le nom de l'entreprise, tu penses que l'idée de Vivi peut marcher ?

— L'idée de *Vivi* ? Alors ça, c'est fort. Je veux bien la laisser tirer la couverture à elle mais c'est moi qui l'ai mise en contact avec notre lointain cousin ou cousin germain, je ne sais plus trop, là-bas à New York. J'ai bossé sur une affaire avec ce mec, Christiano, et c'est un vrai killer. En plus il cuisine comme cet enfoiré de Nino. Mais ouais, Vivi et Zach pourraient faire le même genre de trucs... (Il marqua une pause volontairement dramatique avant de conclure, avec un grand sourire :)... s'ils avaient un petit million de dollars !

— Donc ils ont besoin d'un investisseur.

Gabe lança la brique de lait vide dans la poubelle.

— Légèrement, oui, dit-il. C'est toi la cliente numéro un ?

— Ouais, et ils font ça en tant que bénévoles. Donc pas de millions de dollars avec ce job.

— Il y aurait des clients prêts à payer, cela dit. Putain, j'en connais même quelques-uns, c'est sûr. Et il faut bien quelque chose pour alimenter le besoin d'aventures de ce bon vieux Zach maintenant qu'on l'envoie plus au casse-pipe en première ligne. Et, crois-moi, il peut s'occuper du recrutement. Ce salopard a sauvé la peau de tellement de Deltas et de SEALs, tu ne peux pas imaginer le nombre de faveurs qu'on lui doit. T'as pas idée de ce que cette brute a fait là-bas.

— Non, c'est vrai, admit-elle. Il n'en parle pas beaucoup.

— Il est amer, c'est tout.

— À cause de sa blessure ?

— Du fait d'avoir dû partir, plutôt. (Gabe s'installa sur l'un des sièges et tapota le comptoir en Formica du bout de ses doigts pour souligner son propos.) Ce mec n'aurait jamais quitté l'armée s'ils ne l'avaient pas forcé à se barrer.

— Ils l'ont évincé ?

Il haussa les épaules.

— Un job de bureau. Ça revient au même pour un type comme lui. Et n'écoute pas ces conneries qui disent qu'on ne peut pas être un Ranger en cas de malvoyance. Il ne peut peut-être pas faire certains des trucs qu'il faisait avant mais, même avec un œil définitivement fermé, il peut encore sentir le danger dans une planque, nettoyer une pièce de têtes de nœud terroristes et obtenir des infos capitales pour une mission au cœur même d'une situation de combat. Mais l'Oncle Sam était pas d'accord. Et la patronne vénère de Christiano non plus.

— Tu ne pourrais pas parler un peu plus correctement devant une dame ?

Zach venait d'entrer dans la cuisine, torse nu, la braguette de son jean délavé ouverte. Ses tatouages et certaines de ses cicatrices étaient parfaitement visibles, à l'exception de son œil, recouvert par le bandeau en cuir. L'autre dardait sur Gabe un regard ombrageux.

— Et voilà Joyeux, le nain numéro sept !

Gabe se leva et retira son tee-shirt, laissant apparaître quelques tatouages étrangement similaires à ceux de Zach et tout autant de muscles. Installé devant l'évier, il y jeta le vêtement, ouvrit le robinet d'eau froide et l'arrosa de liquide vaisselle.

— Alors, Sam, tu es prête pour un peu d'action ? On va avoir besoin de toi sur ce coup.

— Qu'est-ce qu'il faut faire ?

Zach se passa les mains dans ses cheveux humides et s'assit sur l'autre siège, les yeux tournés vers la photo de Sam, toujours posée sur la table.

— Gabe est un expert en imagerie numérique, expliqua-t-il. Est-ce qu'il t'a dit ce qu'il avait remarqué sur le cliché, ou bien était-il trop occupé à faire la liste des trous de shrapnel dans mon CV ?

— J'adore quand tu te plains, lança Gabe avec un petit rire moqueur.

Il s'appuya contre l'évier en abandonnant sa lessive.

— C'est quoi le problème avec la photo ? voulut savoir Sam.

Gabe tourna ses yeux bleus vers elle.

— Voilà ce que je vois sur cette image, Sam. D'abord, elle provient d'une caméra numérique haute définition plutôt coûteuse ; ça se voit à la manière dont la lumière s'incurve sur ton visage. Même la bande d'une caméra vidéo d'excellente qualité – et ça n'a pas l'air d'être le genre de celle que ton assassin a emportée – n'offrirait pas un spectre aussi large entre l'ombre et la lumière. Tu vois ?

Elle examina la photo, les yeux plissés. Mais elle ne voyait rien du tout. Elle hocha néanmoins la tête parce qu'elle acceptait son expertise.

Il essora et secoua son tee-shirt puis l'étala bien à plat sur le rebord de l'évier.

— Tu as dit que la caméra était au-dessus de toi, n'est-ce pas ? Pointée vers le bas à environ, quoi, quarante-cinq degrés ?

— Oui, à environ trois mètres ou trois mètres cinquante de haut.

— Alors il y avait un autre appareil dans la pièce. Une caméra de surveillance bien meilleure qui diffusait ses images quelque part. Désolé de te le dire, mais Joe l'Assassin n'est pas le seul à avoir ta photo, cocotte.

Sam resta bouche bée, en tentant de saisir toutes les implications de ce qu'il venait de lui apprendre.

— À mon avis, si nous découvrons de qui il s'agit, nous saurons qui a commandité le meurtre de Sterling.

— Bingo ! lança Gabe. Et, vois-tu, le tueur n'aura pas sa solde tant que des témoins peuvent l'identifier. S'il ne peut pas t'éliminer, la personne qui l'a embauché n'aura pas à le payer. Ou, si elle fait le boulot à sa place, elle pourra lui donner moins. C'est une vieille astuce, généralement compliquée par un autre petit souci. (Zach se pencha vers Sam.) Pour récupérer son argent, l'assassin devra prouver qu'il t'a tuée. À moins que le commanditaire ne te retrouve en premier.

Sam sentit son corps tout entier se glacer.

— Vous êtes en train de me dire qu'il y a deux personnes à mes trousses ? La personne qui a embauché l'assassin *et* l'assassin lui-même ?

Zach hocha la tête.

— C'est possible. J'aimerais savoir exactement où cette autre caméra transmet ses images et qui est au courant. Gabe pourra peut-être nous obtenir cette information si on peut récupérer la puce.

— Connaissant ta taille et l'angle de l'image, je pense qu'on devrait pouvoir la trouver. Je suis plutôt doué pour ce genre de trucs, ajouta Gabe avec un sourire plein d'assurance. Merde, je suis doué pour tout en fait.

— C'est ça, le délit dont tu parlais ? demanda Sam.

— Une petite intrusion dans le restaurant, répondit Gabe. Rien de grave. Si je peux extraire la puce de la caméra de surveillance cachée, je connais quelqu'un qui pourrait déterminer la destination programmée pour la vidéo. On saurait alors où elle va et on pourrait apprendre – en supposant que ce n'est pas un système légitime installé par le proprio du restaurant – qui a suivi le déroulement du meurtre et peut-être qui a payé pour.

— Pour le moment, c'est la seule piste dont nous disposons que la police ne suit peut-être pas, dit Zach. Je pense que ça vaut la peine d'essayer pour récupérer le plus d'infos possible.

Sam était d'accord.

— Mais la police a passé la cave au peigne fin. C'était une scène de crime. Tu voudrais me faire croire qu'ils n'ont pas trouvé de caméra cachée et ne savent donc pas qui a reçu les images ? Ils auraient dû réquisitionner tout ça en tant que preuves.

— Hé, peut-être qu'ils l'ont fait, dit Gabe. Peut-être que ce sont des connards de flics qui t'ont envoyé cette photo.

Zach et elle échangèrent un regard ; tous les deux repensaient à ce que JP avait trouvé sur son dossier.

Impliquer, intimider, prouver une inclination pour le mensonge.

Mais est-ce que quelqu'un irait vraiment jusqu'à détruire les preuves d'un meurtre pour lui faire du tort ?

— Ça paraît assez improbable, dit-elle.

— L'improbable, c'est ma spécialité, rétorqua Gabe. Qu'est-ce que t'en dis, cousin ? Prêt pour un peu d'aventure ?

Gabe et Zach échangèrent des sourires à la manière de voyous sur le point de vandaliser un terrain de jeu.

— Je ne voudrais surtout pas vous gâcher le plaisir, dit Sam, mais j'ai une clé et je connais le code de l'alarme. On peut se contenter d'entrer normalement.

— Les clés de la cave à vin ? demanda Zach.

— Je sais où l'une d'entre elles est cachée. Par contre, rien ne garantit que le restaurant soit vide. Le chef vient souvent à des heures indues ; même chose pour le chef de salle et le sommelier. Et puis il y a l'équipe de nettoyage. On a donc peu de chances d'entrer et de ne trouver personne. Mais l'idée me plaît quand même et je pense qu'on devrait le faire.

— Écoutez, si on n'utilise aucun subterfuge, moi j'y vais pas ! (Gabe éclata de rire devant l'air médusé de Sam.) Je plaisante, mignonne. Mais sérieusement, si vous n'avez pas besoin de moi, alors je serai ravi de vous laisser gérer la chose et de n'apparaître sur aucun radar. Si tu me donnes ta taille exacte, au demi-centimètre près, je filerai à Zach une formule qui l'aidera à déterminer où est la caméra, ou au moins la zone précise où elle se trouve. Alors vous pourrez récupérer la puce, ce qui vous prendra quelques minutes avec les outils que je vous passerai, et on se retrouvera ensuite. Je m'occuperai du reste.

— Un mètre soixante-sept quand je suis pieds nus, dit-elle. Est-ce qu'on va appeler l'inspecteur O'Hara pour lui dire qu'on m'a envoyé cette photo ?

Zach la dévisagea comme si elle était devenue folle.

— Non.

— Ouais, tu as raison. Je vais aller me préparer. Plus tôt on y sera, moins il y aura de risques de croiser quelqu'un dans les cuisines.

Comme elle passait devant Zach, il fit courir un doigt sur la main de Sam et la gratifia d'un sourire secret.

— Et on arrête de douter de tout, Sammi.

— Promis.

Elle sortit et traversa le salon en direction de l'escalier. Baissant les yeux, elle aperçut ses tongs abandonnées sous la table au moment où Zach l'avait soulevée et emportée vers le lit dans le plus pur style *Autant en emporte le vent*. Son sourire s'agrandit et elle s'arrêta pour se pencher et récupérer les chaussures.

— Tu vois, qu'est-ce que je t'avais dit ? dit Zach.

Il parlait à voix basse, sur un ton de conspirateur, mais assez fort pour qu'elle l'entende.

Elle se figea, les doigts serrés sur les lanières des tongs. Laisser traîner ses oreilles n'était jamais une bonne idée, mais quand il s'agissait de l'homme qu'elle avait autrefois aimé qui parlait d'elle... comment aurait-elle pu résister ?

— Oh, t'as raison, dit Gabe. Tu ferais bien de t'enfuir à toute berzingue.

— C'est ce que je vais faire, dès que cette histoire sera terminée.

Le sourire de Sam vacilla puis disparut. Elle ramassa silencieusement son bien et monta l'escalier sur la pointe des pieds. Plus la peine de douter de tout : elle savait à présent exactement à quoi s'attendre.

Une fois de plus.

17

— Je te déteste. Je te hais avec l'intensité d'un millier de soleils ! gronda Vivi à l'intention de son téléphone.

Elle savait que son patron avait raccroché et n'entendrait pas ses exclamations écœurées. La dernière chose dont elle avait envie était d'aller courir après des infos au sujet d'une agression sur le campus d'Emerson. Sérieusement, il appelait ça du journalisme d'investigation ?

— J'ai un meurtre à résoudre, mec ! dit-elle au téléphone avant de jeter l'appareil sur la table basse de son salon. Tom Futé, je te déteste !

Bon, son vrai nom était Futt, mais le rédacteur en chef de *Bullet* n'était pas toujours très malin, ce qui lui avait valu ce surnom. Le téléphone émit un nouveau carillon. Un texto, cette fois.

Attaque-toi à l'interview, Vivi. Ça fait des jours que tu n'as pas écrit d'article.

Bon Dieu, il ne s'arrêtait donc jamais ? Elle écrivit *Va te faire*... puis l'effaça. Ce n'était probablement pas le meilleur moment pour se faire virer. Elle avait encore besoin de revenus et les contacts de *Boston Bullet* pourraient fournir un flux régulier de clients potentiels pour les Gardiens Angelino.

Je vais aller à Emerson pour retrouver la victime.

Elle appuya violemment sur « Envoyer » en maugréant un juron. Certaines personnes n'étaient tout simplement pas faites pour avoir un patron, songea-t-elle en récupérant un sweat-shirt léger à capuche. Il ne faisait pas froid mais le ciel était menaçant, ce qui voulait dire qu'elle allait prendre le tramway et garder sa planche sous le bras.

Où avait-elle mis son passe ? Elle vérifia tous les endroits habituels, en vain. Sentant monter la frustration, elle enfouit les mains dans les poches de sa veste. Pas de passe, mais elle en sortit une minuscule clé USB. Celle-ci lui appartenait-elle ? Elle la fit tourner entre ses doigts, certaine de ne l'avoir jamais vue avant.

La curiosité l'emporta sur la nécessité de se rendre à Emerson. Vivi préféra allumer son ordinateur portable et insérer la clé dans le port USB tout en tentant de se rappeler d'où elle pouvait bien provenir. Peut-être l'avait-elle récupérée la dernière fois qu'elle était passée dans les bureaux de *Boston Bullet* ?

Il y avait trois documents dans un dossier appelé FM. Le premier était un jpeg, les deux autres des documents Word. Elle ouvrit d'abord l'image, qui se révéla être un article de journal scanné. Un article du *Boston Globe*, estima-t-elle, mais ancien. Très ancien. Rédigé avec une police de caractère qu'elle n'avait croisée que sur des microfiches, qui dataient sans doute de la fin des années 1970.

Le titre avait été coupé mais, dès les premières lignes, elle comprit ce que signifiait « FM ».

Une fois de plus, le meneur présumé de la mafia irlandaise Finley MacCauley a échappé à une arrestation...

Un petit frisson fit joyeusement danser les cheveux sur sa nuque, comme chaque fois qu'elle tenait quelque chose. Elle réduisit l'image et cliqua sur le premier document sans nom.

Au sommet de la page s'étalaient les mots CONFIDENTIEL/BROUILLON en caractères massifs. Vivi baissa les yeux vers le paragraphe d'introduction...

Une bombe est sur le point d'exploser au sein des grandes familles bostoniennes... preuve que la très mondaine

Devyn Hewitt Sterling, épouse du chroniqueur Joshua Sterling, est en réalité la fille illégitime du célèbre fugitif Finley MacCauley, lequel est porté disparu voire, selon certains, mort. Adoptée durant un échange légal secret qui n'a laissé aucune trace du nom de sa mère biologique…

La femme de Joshua était la fille de Finn MacCauley ? Le nom que Taylor Sly lui avait murmuré la veille ?

Voilà où elle avait récupéré la clé USB ! En la serrant dans ses bras, Taylor avait dû la glisser dans la poche de Vivi… s'assurant par la même occasion qu'elle échapperait aux fouilles de la police. Mais pourquoi ne voulait-elle pas que ces documents tombent entre les mains des flics ? Joshua avait-il donné tout ceci à Taylor ? Pourquoi ? Parce que sa femme avait un lien avec Finn ?

Devyn Sterling avait-elle organisé son assassinat avant qu'il ne rende la chose publique ? Pourquoi lui aurait-il fait ça ? Pour la même raison qu'il était prêt à avoir une liaison avec Taylor Sly. C'était un salaud. Mais même les salauds ne méritaient pas de mourir.

Son téléphone sonna et elle sut tout de suite qui c'était. Un regard à l'écran confirma qu'elle avait vu juste.

— J'irai cet après-midi, Tom, dit-elle avant qu'il ne puisse lui aboyer dessus.

— Je vais mettre quelqu'un d'autre sur l'affaire, rétorqua-t-il d'un ton dégoûté.

— Non, s'il te plaît. Je vais m'en occuper. Promis. Cet après-midi.

— Ce sera sur le site du *Boston Globe* d'ici là, Vivi. Tu te laisses aller, gamine.

Le commentaire et le sobriquet la hérissèrent.

— Je vais y aller tout de suite, Tom. Après quoi, j'aurai besoin de mon après-midi pour travailler sur autre chose.

— Vivi, fais l'interview et ramène tes fesses ici avant onze heures pour la réunion d'équipe. Si tu la rates, c'est fini pour toi. C'est clair ?

— Comme de l'eau de roche.

Elle raccrocha, ses pensées toujours dirigées vers Taylor Sly. Si elle était la première à révéler cette info, Tom ne pourrait pas la virer. Mais non ! Si elle résolvait ce meurtre, les Gardiens Angelino seraient lancés, deviendraient une entreprise avec laquelle il fallait compter.

Le coach sportif n'avait pas dit que Taylor s'entraînait le dimanche et le mardi ? Si Vivi ne pouvait guère aller lui parler chez Equinox, Taylor – en bonne personne routinière qu'elle était – serait dans sa limousine devant Starbucks dans moins de deux heures.

Pendant que Vivi serait coincée dans une saloperie de réunion de rédaction.

Mais les Angelino constituaient une équipe et il n'y avait aucune raison de rater cette occasion.

Quelques secondes plus tard, elle avait Marc au bout du fil.

— Tu veux réellement travailler pour les Gardiens Angelino ? lui demanda-t-elle.

— Tu sais bien que oui.

— J'ai ta première mission.

Si l'information était source de pouvoir, alors Sam aurait dû être un super-héros. Elle savait que cet interlude avec Zach était temporaire, qu'il allait s'enfuir « à toute berzingue » une fois sa tâche terminée. Il ne lui restait donc plus qu'à sortir vivante de cette épreuve et sans abandonner son cœur entre les mains d'un homme qui l'avait déjà transpercé à coups de baïonnette.

Mais parcourir Boston sous un ciel matinal couvert afin de s'introduire *Chez Paupiette* et d'y voler des preuves liées au meurtre ne semblait garantir ni l'un ni l'autre de ces objectifs. Elle courait un grand danger, tant physiquement qu'émotionnellement. Comment pouvait-elle se préserver de l'un ou de l'autre ? Elle ne pourrait pas éternellement se cacher d'un tueur qui voulait sa mort, encore moins s'il y avait plus d'une personne après elle. Et elle ne pouvait s'empêcher de se sentir comblée et heureuse quand elle faisait l'amour à Zach Angelino.

Ce n'était *pas* que du sexe. Ni à l'époque ni maintenant.

— Tu es drôlement silencieuse, fit remarquer Zach alors qu'ils se faufilaient au milieu de la circulation et des piétons de South End.

— Hmm. J'ai plein de choses en tête.

— Je suis étonné que tu ne poses pas plus de questions sur Gabe.

Gabe ? Comme si elle avait du temps à lui consacrer au milieu de ce festival d'inquiétude ?

— CIA ?

— Quelque chose du genre. Je ne sais même pas exactement de quelle organisation il fait partie. Tout ce que je sais, c'est que le salaire crève le plafond, que les à-côtés battent tous les records et que l'espérance de vie tourne autour de trente-cinq ans.

— Il a quel âge ?

— Trente-trois, mais ne t'inquiète pas. Il est invincible. Ou en tout cas j'aime à le croire.

— Tu es plus proche de lui que de tes autres cousins, ça se voit.

— Plus proche par l'âge et par l'état d'esprit, ouais. Lui aussi a joué un peu les fauteurs de troubles durant notre enfance. Il n'était pas rare qu'on se retrouve punis au même moment. JP était parfait, naturellement, et Marc bien trop malin pour se mettre dans le pétrin. Gabe est du genre à prendre des risques et moi... du genre à créer des situations à risque. Donc nous avons plus en commun que tu ne pourrais le penser.

— Et il ne voit jamais la famille.

— Très rarement. Mais il finira par s'arracher à cet univers pas clair.

— Et alors il pourra devenir un Gardien Angelino.

Zach eut un petit reniflement moqueur.

— C'est ça, dit-il en s'engageant dans la ruelle derrière le restaurant. C'est la porte qui donne sur la cave ?

— Ouais, mais on passera par l'entrée côté cuisines. Tiens, ça, c'est la voiture du chef de salle. Le restaurant est fermé le mardi mais je ne suis pas surprise de le trouver là. Keegan est un accro du boulot. (Elle prit une profonde inspiration pour maîtriser sa nervosité. La suite allait réclamer certains talents d'actrice.) Allons-y. Je vais occuper Keegan ; toi tu descends à la cave.

— Attends.

Il posa sa main sur la sienne et se pencha vers elle pour l'embrasser. Elle se figea, laissa les lèvres de Zach toucher les siennes puis recula.

Un petit sourire jouait sur les lèvres de Zach.

— Fais simplement confiance à ton jugement, Sammi. Particulièrement à mon sujet.

— C'est ce que je fais, répondit-elle avec froideur.

Elle tendit la main vers la portière mais il referma ses doigts sur son bras et l'arrêta.

— Non, ce n'est pas vrai. Tu t'es remise à douter. Fais simplement confiance à ton instinct, il est fiable.

Pas plus que son ouïe.

Sans un mot, elle sortit de la voiture, respira à fond pour rassembler son courage puis laissa Zach passer un bras autour de sa taille pour l'escorter jusqu'à la porte. Ils avaient l'air d'un jeune couple qui faisait une course ensemble.

La porte était fermée mais la clé de Sam fonctionnait toujours. Quelques instants plus tard, ils se retrouvèrent à l'intérieur des cuisines faiblement éclairées et parfaitement propres de *Chez Paupiette*. Les cuisinières étaient toutes éteintes, les fours avaient refroidi. Les plans de travail brillaient, immaculés, et les sols avaient été cirés.

Le boîtier d'alarme sur le mur derrière la porte ne fit même pas un bruit.

— Y a quelqu'un ? lança Sam.

Pas de réponse.

Ils firent quelques pas de plus et Sam désigna la grande porte battante qui menait au sous-sol.

— La cave à vin est en bas, à environ trois mètres sur la droite après l'escalier. Mais la clé se trouve là-bas, ajouta-t-elle en indiquant le passage qui séparait les cuisines de la salle de restaurant.

Elle lui avait déjà expliqué sur quel rayonnage de verres à vin était dissimulée la clé de secours pour la cave.

Comme ils traversaient la cuisine, elle jeta un coup d'œil vers le bureau du chef cuisinier. La porte était fermée et aucune lumière ne filtrait par en dessous.

— Appelle encore, dit Zach. Nous ne sommes pas seuls ici.

— Keegan ? Tu es là ?

La porte donnant sur le restaurant s'ouvrit et heurta le mur si bruyamment que Sam sursauta.

Keegan Kennedy entra d'un pas tranquille puis se figea en découvrant Zach. Il fit mine de reculer puis aperçut Sam. Son expression inquiète se changea en un sourire accueillant.

— Samantha ! Je savais que tu reviendrais ! Tu m'as manqué, dit-il en lui ouvrant ses bras.

Elle lui rendit son étreinte et le serra un peu plus fort qu'à l'accoutumée. Ils avaient tous été affectés par la tragédie mais Sam se disait que Keegan, en tant que responsable du bon fonctionnement de toute l'équipe, avait dû en souffrir plus encore que les autres.

— Salut Keegan. Moi aussi ça me fait plaisir de te revoir, lui dit-elle. Je suis juste venue chercher mon chèque. Et je te présente Zach Angelino.

Les deux hommes se serrèrent la main et échangèrent de brèves salutations.

— J'ai ton chèque, Sam. Dans le bureau. Viens.

Ils avaient mis au point un plan au cas où quelqu'un se trouverait dans les cuisines et Zach s'y tint.

— Je vais aller au petit coin, dit-il en se dirigeant vers la salle de restaurant.

— Pas par là, dit Keegan. Utilisez les toilettes des employés, là-bas au fond.

— Oh, tu ne vas pas l'envoyer là-dedans ! lança immédiatement Sam. Il faut que tu voies celle du restaurant, dit-elle à Zach en le poussant dans la bonne direction. C'est superbe, pour autant que des toilettes puissent l'être. Y a même eu un article dans *Boston Magazine*. Va jeter un coup d'œil pendant que je discute avec Keegan.

— C'est fermé, répondit celui-ci. Venez par ici. Les toilettes des employés sont là, de l'autre côté de la salle de repos.

Sam, qui s'apprêtait à protester, capta le message silencieux de Zach qui emboîtait le pas à Keegan. Quelque chose comme : *Ne discute pas, suis simplement le mouvement*.

Ce qu'elle fit en accompagnant Keegan jusque dans la salle réservée au chef cuisinier où il disposait également d'un bureau. Zach disparut vers la pièce que tous appelaient « le salon », même si personne ne s'y installait jamais très longtemps. Sam lui décocha un regard par-dessus son épaule mais il se contenta de prendre le chemin des toilettes comme si tout était normal.

— Alors, dit-elle lorsqu'ils arrivèrent devant la porte du bureau, comment vont les choses, Keegan ?

Elle allait devoir le faire parler aussi longtemps que nécessaire pour que Zach puisse descendre dans la cave, trouver la caméra et retirer la puce.

— Bien.

Keegan ouvrit la porte et ils pénétrèrent dans une longue pièce étroite avec un bureau face au mur et quelques étagères et placards. L'un des pans accueillait un énorme panneau d'affichage sur lequel étaient généralement épinglés menus, pages imprimées depuis des sites Web, photos tirées de magazines et citations de chefs célèbres.

Il était désormais recouvert de coupures de presse à propos de la mort de Joshua Sterling.

Sam eut un mouvement de recul.

— Pourquoi est-ce que vous avez affiché tout ça ?

— Un homme a été tué dans ce restaurant, Sam. C'est de l'info.

Il s'assit à son bureau et déverrouilla le tiroir du haut. Elle prit le siège à côté de lui, celui habituellement réservé aux employés qui se faisaient enguirlander à la suite d'une grosse bourde. Elle ne s'était jamais retrouvée à cette place, que ce soit avec lui ou avec le chef cuisinier. Sam avait toujours évité la controverse et simplement fait son travail… jusqu'au soir où Sterling avait été assassiné.

Son regard dériva vers le mur et atterrit sur une photo de la victime aux cheveux argentés en compagnie de sa femme. Sam avait évité de lire la presse et n'avait pas lu cet article. Devyn Sterling était encore plus jolie en personne que sur la photo, toutefois, il y avait clairement chez elle quelque chose de froid et distant. Pas le genre de femme que l'on imaginait voir épouser un homme sociable comme Joshua.

— Tu aurais dû écouter René ce soir-là.

Le commentaire de Keegan la ramena au moment présent et lui embrouilla les idées. Tout le monde savait qu'elle avait trouvé le corps, mais pas qu'elle avait été témoin du meurtre. Seule la police détenait cette information. Et même parmi les policiers, seuls quelques enquêteurs principaux étaient censés être au courant. Mais, à la façon dont Keegan en parlait, elle se demanda ce qu'il savait exactement.

— Crois-moi, je me le suis répété un million de fois, admit-elle d'une manière volontairement vague. Mais il fallait bien que quelqu'un finisse par trouver le corps.

— Il aurait mieux valu que ce soit René.

— Qu'est-ce qui aurait mieux valu ?

Sam sursauta en entendant une voix grave d'homme poser la question depuis les cuisines. Keegan la dévisagea d'un air amusé.

— Pas la peine de flipper, Sam. C'est seulement René.

Il détacha le chèque du carnet.

— Tiens. On est là, René ! Regarde qui est venu nous rendre visite.

René poussa un peu plus la porte entrouverte et fit un petit signe de tête à Sam, sans bonjour ni sourire. Il était beaucoup moins chaleureux qu'à l'occasion de leur rencontre dans le commissariat.

— Tu ne reviens pas travailler ici, si ?

— Moi aussi ça me fait plaisir de te revoir, répondit-elle, pince-sans-rire.

Ils ne s'étaient jamais beaucoup appréciés, et apparemment le fait d'avoir dû affronter un meurtre dans la cave à vin et la mort d'un autre serveur aux mains d'un gang n'allait rien y changer.

— Qu'est-ce que tu fais ici, René ? demanda Keegan. Tu as droit à un jour de congé. Profites-en.

— J'ai besoin d'une bouteille de vin que j'ai laissé dans la cave hier soir et que j'ai promise à un client.

Il leur montra sa clé et Sam sentit son cœur se serrer. Elle se leva et le gratifia d'un sourire aussi chaleureux que factice.

— Avant que tu y ailles, René, j'aimerais te parler. En privé.

— Tout ce que tu pourrais avoir à me dire, tu peux le dire devant Keegan.

Tant que cela les occupait cinq minutes de plus, elle était prête à leur raconter sa vie.

— Je voulais juste que tu saches que j'étais désolée… à propos de cette nuit-là.

Elle n'avait aucune idée d'où la mènerait cette conversation mais elle espérait qu'il faudrait un moment avant qu'elle prenne fin.

— C'était un peu la folie. Tu te souviens ? De ce qui se passait dans ton esprit à ce moment-là ?

René la regardait, sourcils froncés au-dessus de ses yeux bruns.

— Rien, Sam. Il ne se passait rien dans mon esprit.

Il pivota sur lui-même pour ressortir.

— Attends, René. S'il te plaît, je voudrais terminer...

Elle jeta un coup d'œil à Keegan par-dessus son épaule en agitant le chèque.

— Merci ! dit-elle. Une seconde, il faut vraiment que je lui parle.

Mais Keegan se redressa vivement et, avec une force étonnante, referma ses doigts sur son bras.

— Laisse tomber, Sam.

— Je... Je ne peux pas. (*Il va trouver Zach.*) Nous avons toujours eu une relation conflictuelle et maintenant... maintenant que quelqu'un est mort, tu vois, ma perspective a complètement changé... (Elle entendit la porte du sous-sol s'ouvrir et les pas de René dans l'escalier. Merde.) Je veux juste discuter.

— Non, Sam, il a vraiment du mal à faire face. Ça a été très dur pour lui. Je pense qu'il n'est pas loin de démissionner et je ne peux pas me permettre d'embaucher quelqu'un d'autre. Si tu lui parles, il pourrait bien craquer.

— Sam ? (Elle se retourna en entendant la voix de Zach.) Il y a un problème ?

Il les rejoignit en trois grandes enjambées et fusilla du regard le chef de salle nettement plus petit que lui.

— Lâchez-la.

Keegan obtempéra, très conscient du soudain rééquilibre des forces en présence.

— Laisse simplement René tranquille, Sam.

Elle n'avait plus de raison d'insister.

— T'es prêt ? demanda-t-elle à Zach.

— Tu as ton chèque ?

Comme elle hochait la tête, Zach se tourna vers Keegan.

— Ravi d'avoir fait votre connaissance, monsieur Kennedy.

Il passa un bras puissant autour des épaules de Sam et la conduisit vers la sortie.

— Zach… chuchota-t-elle alors qu'ils traversaient la cuisine. Qu'est-ce…

— Dehors.

Elle le suivit sans rien dire jusqu'à ce qu'ils se retrouvent dans la voiture. Elle fut alors incapable de retenir plus longtemps ses questions.

— Tu l'as trouvée ? Il t'a vu ? Tu sais à quel point…

Il barra ses lèvres d'un doigt.

— Je l'ai.

Elle se laissa aller contre l'appui-tête.

— Vraiment ?

— Vraiment.

Waouh, il était doué.

Il avait sorti son téléphone et composé un numéro.

— Hé, c'est moi, annonça-t-il à voix basse. Où et quand ?

Il écouta pendant quelques secondes puis mit fin à l'appel sans répondre.

— Gabe ? demanda-t-elle en le voyant ranger son portable.

— Il est à l'autre bout de la ville. On dirait qu'il va falloir faire une petite virée.

— Ça ne me gêne pas. Je n'ai aucune envie de me terrer dans cette maison et de sursauter à chaque bruit.

Il coula vers elle une œillade sexy.

— S'enfermer tout seuls dans cette maison ne me paraît pas si mal.

Elle se raidit et vit qu'il l'avait remarqué.

— On ne peut pas se contenter de faire… *ça* toute la journée.

— Ah bon ? Je crois me rappeler…

Elle tendit la main vers lui et il s'interrompit.

— Arrête. Ne… Arrête.

— Ouais. C'est bien ce que je pensais, dit-il dans un long soupir.

— Quoi, qu'est-ce que tu pensais ?

— En sortant de la cuisine, tu t'es arrêtée dans le salon, non ? Tu as fait quelque chose avant de monter l'escalier. Et tu as entendu une conversation, ce qui, comme nous en sommes déjà convenus, ne revient pas à épier volontairement les autres.

Elle parvint à garder le menton droit. Il lui avait dit posséder une ouïe exceptionnelle, donc il était tout à fait possible qu'il ait su qu'elle était encore à portée d'oreille de l'échange.

— Possible. Quelle différence ça fait, Zach ? L'information, c'est le pouvoir. Donc je me sens… forte.

— Une bonne information, c'est le pouvoir. Une mauvaise peut foutre ta journée en l'air.

— N'essaie pas de te dérober, Zach. Je sais ce que je t'ai entendu dire à ton cousin. « Quand ce sera fini, je m'enfuirai à toute berzingue. »

— Ouais, c'est ce que j'ai dit. (Il commença à rouler puis s'arrêta et se tourna vers elle.) On parlait de Vivi et des Gardiens Angelino. Ce sont eux que je veux fuir à toute berzingue.

Elle ouvrit la bouche pour le contredire… mais resta sans voix. Elle avait tellement envie de le croire, de toutes les fibres de son être !

Il lui prit le menton entre ses mains et se pencha vers elle.

— Samantha Fairchild. S'il te plaît, arrête de douter de moi et arrête de douter de toi. Il y a certaines choses qu'il n'est pas utile de remettre en question. Tu n'as pas besoin d'y réfléchir à deux fois, pas avec moi.

Son corps vibrait douloureusement, une réelle douleur, tant elle avait envie d'y croire. Ce serait tellement facile ; tout serait si merveilleusement simple et bon. Mais…

— C'est seulement que je ne veux plus souffrir de cette manière. Plus jamais.

— Je ne te laisserai pas souffrir. Je te le jure, dit-il en effleurant ses lèvres des siennes.

Lorsqu'il la relâcha, elle ferma les yeux et, avec un soupir de résignation, cessa de lutter.

— D'accord. Mais je préfère toujours qu'on n'aille pas à Jamaica Plain à moins d'y être obligés.

— On n'est pas obligés, assura-t-il en quittant le parking de la ruelle. J'ai une super-idée. La seule chose que tu aies à faire, c'est de te détendre et te laisser surprendre agréablement.

Elle secoua la tête ; la poussée d'adrénaline qui avait accompagné leur passage *Chez Paupiette* commençait à se dissiper.

— Je n'arrive toujours pas à croire que tu aies réussi ton coup sans te retrouver face à René quand il a descendu les escaliers.

— Je ne suis pas remonté par les escaliers ; je suis passé par la porte de derrière. C'est très simple et rapide pour remonter.

— Tu as eu de la chance.

— Et du génie.

Elle sourit et réfléchit au trajet qu'il avait emprunté.

— Tu sais, si ça se trouve le tueur a fait exactement la même chose. Et il est revenu dans le restaurant pour boire et manger pendant que j'étais à la cave en train d'appeler à l'aide.

— Ça me paraît même probable, dit-il.

Alors peut-être que l'homme qu'elle avait vu presser la détente était dans le restaurant depuis le départ. Peut-être était-ce quelqu'un… qu'elle connaissait.

18

L'échange se fit à une station-service de la ville de Framingham, sous la bruine, sans que les deux hommes semblent prêter la moindre attention l'un à l'autre. Zach mit de l'essence dans la Mercedes, tranquillement appuyé contre la pompe quand une Porsche bleu sombre presque aussi ancienne que sa voiture s'arrêta derrière lui pour attendre son tour. Zach ne la regarda même pas mais laissa la puce qu'il avait volée et enveloppée dans un mouchoir sur le dessus de la pompe.

En repartant au volant de sa Mercedes, il guetta le conducteur de la Porsche dans son rétroviseur et, malgré la casquette et les lunettes de soleil, reconnut Gabe qui récupérait le mouchoir au creux de sa paume.

Zach ne jeta plus un regard en arrière et s'inséra dans le trafic vers le Mass Pike.

— Je croyais que tu allais donner la puce à Gabe ? s'étonna Sam. Tu disais qu'on le retrouverait à Framingham.

— Je viens de le faire, dit-il. Ça te donne une idée d'à quel point il est doué dans son domaine.

Comme il s'y était attendu, elle demeura interdite.

— Et toi aussi, ajouta-t-elle. Pourquoi aller aussi loin ? Pourquoi ne pas procéder à cet échange secret directement sur Boston ? À moins que tu ne puisses pas me le dire parce que c'est une info confidentielle ?

— Ouais, c'est top secret.

Zach se souvint des nuages noirs dans les yeux de Gabe lorsqu'ils avaient évoqué la famille et plaisanté sur le fait que Gabe manquait à sa mère.

— Honnêtement ? Je dirais qu'il avait envie de passer en voiture devant la maison de Sudbury.

— De passer devant ?

— Juste pour la voir. Eux aussi lui manquent.

Plus que ce salopiau serait prêt à l'admettre, même.

— Tu voulais le revoir ? s'enquit Zach. Pour vérifier ce que je t'ai dit ? Avoir la preuve que je parlais vraiment de l'entreprise de Vivi quand j'ai parlé de m'enfuir à toute berzingue ?

— Je te crois.

Il donna plusieurs petits coups de poing dans l'air.

— *Yes* ! On progresse.

Sam se mit à rire ; elle se sentait déjà plus détendue. Et elle parut gagner en sérénité à chaque kilomètre supplémentaire les séparant de Boston. Jusqu'à ce que son téléphone vibre pour annoncer l'arrivée d'un texto.

— Oh non ! souffla-t-elle en le lisant. Je ne sais pas ce que tu me préparais comme surprise, Zach, mais on va devoir retourner à Boston. Billy a besoin de moi.

— Ça peut pas attendre ?

Elle relut le texto et secoua la tête.

— Il dit que c'est important. Mais ce qui m'inquiète vraiment, c'est que s'il m'envoie un SMS maintenant, c'est qu'il n'est pas allé au travail. Et après ce que m'a raconté son agent de probation, on dirait qu'il nous doit quelques explications.

— Moi aussi je t'en dois, dit Zach en tendant le bras pour tenter s'emparer du téléphone. Et j'ai la priorité aujourd'hui.

Elle rit et maintint l'appareil hors de sa portée.

— Qui t'a accordé la priorité ?

— Sérieusement ? C'est Billy. Dis-lui que je dois t'expliquer un truc et il comprendra.

— Il comprendra ? De quoi avez-vous parlé tous les deux, hier ?

— Alors ça, c'est confidentiel.

Et ce qu'il voulait lui dire relevait d'ailleurs du secret défense. Mais il fallait qu'il lui en parle quand même.

— Écoute, il t'a eue pendant tout ce temps, à t'inquiéter pour lui, à l'aimer… (Sa gorge se serra et il fut surpris de voir à quel point cela le rendait envieux.) Maintenant, c'est moi qui te veux.

Elle le regardait avec des yeux embués de larmes mais ses jolies lèvres formèrent doucement un sourire.

— Comment tu t'y prends pour me faire cet effet ?

— Tu n'as jamais pu me dire non, répondit-il avec un sourire malicieux.

— C'est malheureusement vrai. D'accord, Zach, tu as gagné. Je vais lui dire que je passerai plus tard. Où va-t-on ?

— Je vais te donner un indice : nous y sommes déjà allés avant.

Elle fronça les sourcils.

— Vraiment ? Nous ne sommes pas allés dans beaucoup d'endroits.

— Est-ce qu'une couverture de l'armée de couleur verte te rappelle quelque chose ?

Le visage de Sam s'illumina.

— Le réservoir de Wachusett ! C'était une super-journée, non ?

La joie dans sa voix fit l'effet d'une bombe dans le ventre de Zach.

— Des ébats sous le soleil, oui, c'était super.

— Je n'arrive pas à croire qu'on ait fait ça. Près du déversoir ? Tu te rappelles ?

— Je veux aller quelque part où nous partageons de bons souvenirs, Sam.

Le cours d'eau navigable était niché au cœur du Massachusetts, entouré de forêts et de routes de campagne, sans pratiquement aucune habitation.

La journée qu'ils avaient passée sur place s'était gravée dans la mémoire de Zach, un autre des souvenirs qui lui avaient permis de rester sain d'esprit malgré la guerre qui faisait rage tout autour.

— Et j'aimerais en créer un nouveau, dit-il.

L'expression de Sam s'adoucit.

— D'accord. Laisse-moi simplement appeler Billy.

— Dis-lui que tu es avec Zaccaria. Et d'ailleurs, je n'arrive pas à croire que tu lui aies donné mon nom italien !

— Et pourquoi pas ? Je lui ai tout raconté à ton sujet.

— Je ne doute pas qu'il ait entendu parler de la carte postale qui n'est jamais arrivée.

— La *putain de* carte postale, le corrigea Sam. Bien sûr qu'il y a eu droit… Oh, il faut que je laisse un message.

Elle leva un doigt pour lui intimer le silence et rapprocha son téléphone de ses lèvres.

— Bonjour Billy, c'est Sam qui vous rappelle. Je suis en route vers…

Zach posa une main sur sa jambe et lui serra la cuisse en secouant la tête avec un regard d'avertissement.

— Ne lui dis pas où nous sommes, chuchota-t-il.

— Je… Je suis sur la route. Zach est avec moi, alors on passera plus tard. (Captant le regard de son compagnon, elle ajouta :) Nettement plus tard. Appelez-moi pour me dire ce qu'il y a. Vous savez que je suis là pour parler si besoin est, Billy. Au revoir.

Avisant un semi-remorque qui arrivait à toute vitesse derrière eux, Zach se rangea sur la voie de droite, mais le camion l'imita. *Dépasse-nous*, ordonna mentalement Zach au conducteur du véhicule dont la calandre vert foncé et argent occupait tout son rétroviseur, le logo Peterbilt pratiquement au niveau de la banquette arrière. Maugréant un juron, Zach retourna sur la voie de gauche, accéléra et prit la direction de la sortie donnant sur la 495 avec l'idée de mettre le cap au nord, vers la campagne.

Le camion fit la même chose. Quelque peu agacé, Zach se faufila à travers la circulation et dépassa à vive allure un autre poids lourd qui soulevait des gerbes d'eau de pluie dans son sillage.

— Qu'est-ce qui se passe ? s'inquiéta Sam avec un regard en arrière.

— Je veux juste tester quelqu'un qui conduit de manière imprévisible. C'est toujours la première chose que l'on cherche quand on est en patrouille. Ceux qui agissent de façon contradictoire, tout ce qui est même légèrement en dehors de la norme.

Sam parut immédiatement sur ses gardes. La légèreté des minutes précédentes s'était envolée face à cette menace potentielle.

— Comment tu détermines ce qui est hors norme ?

— J'écoute mon instinct.

Il changea brusquement de file en profitant d'une petite ouverture entre deux voitures, puis revint sur sa file de départ, pied au plancher. Le camion le suivait toujours et Zach aperçut le nom « Produits frais Hanrahan » sur son flanc. Il faudrait qu'il dise à oncle Nino de ne jamais faire ses courses chez eux.

Il recommença plusieurs fois son petit jeu, mais sans pouvoir semer le poids lourd.

— Zach, est-ce qu'on nous suit ?

— Je ne crois pas, mais il y a un débile au volant de ce semi-remorque et je crois qu'il a envie de jouer au con.

Il posa une main rassurante sur sa cuisse.

— Ne t'inquiète pas, on le sèmera sur la 495. Ma voiture est conçue pour monter à deux cents sur les autoroutes allemandes enneigées.

Il atteignit l'échangeur donnant sur la départementale et la Mercedes trouva son rythme de croisière, laissant les produits frais Hanrahan loin derrière.

Le téléphone de Sam vibra de nouveau. Elle s'en saisit et lâcha un grognement de frustration.

— Pourquoi est-ce qu'il n'appelle pas, tout bêtement ?

Supposant qu'il s'agissait d'une question rhétorique, Zach maintint son attention sur la route en vérifiant régulièrement son rétroviseur à la recherche d'un éventuel camion.

— Il veut savoir où je suis, annonça-t-elle après avoir lu le message.

— Pourquoi ?

— Je ne sais pas. Il dit seulement : « Où es-tu et quand peux-tu venir ? Besoin de toi. » Oh, Zach... dit-elle en posant sa main sur son bras. Il ne dirait pas ça si ce n'était pas si important.

Merde.

— On peut faire demi-tour.

— C'est que c'est tellement inhabituel chez lui. Attends, j'ai une idée.

Elle composa un autre numéro.

— Salut, Vivi. Où tu es ?

Elle écouta pendant quelques secondes et Zach reconnut l'intonation de la voix de sa sœur dans le téléphone mais sans capter ce qu'elle disait. Puis Sam reprit la parole :

— Bon, je voulais te demander de me rendre un service, mais j'ai l'impression que tu ne vas pas avoir le temps. (Une autre pause.) Zach et moi sommes... On fait une longue balade pour réapprendre à se connaître, termina-t-elle en le regardant.

Cela le fit sourire et, connaissant sa sœur, ses lèvres devaient s'étirer d'une oreille à l'autre. Elle avait toujours adoré l'idée de les voir ensemble.

Elle se trompait rarement sur ce genre de choses.

— Tout ce que je voudrais, c'est que tu passes chez Billy Shawkins pour voir comment il va. Ah ? (Sam leva vers Zach des yeux soudain pleins d'espoir.) Ce n'est pas trop loin de Roxbury. Tu pourrais t'arrêter sur le chemin de ta réunion ? Parfait.

Après avoir écouté Vivi, Sam posa une nouvelle question.

— Oh, et qu'est-ce que tu as découvert ? D'accord. Bon, nous aussi on a d'autres trucs à te raconter. Mais pas au téléphone, t'as raison. Peut-être qu'on pourrait passer à ton appartement ce soir, Zach et moi ?

Sam raccrocha et se tourna vers lui.

— Elle dit qu'elle a de nouvelles infos. Des infos genre « gros scoop », mais qu'elle ne voulait pas donner par téléphone.

— Malin. (Il lui prit doucement la main.) Tu es certaine, pour Billy ? Parce qu'on peut faire demi-tour si tu veux, surtout si Vivi a des trucs à nous apprendre.

Elle secoua la tête tout en glissant ses doigts entre les siens.

— Oui, je suis sûre. Et le reste pourra attendre. Mais je dois dire que Vivi avait l'air excitée comme une puce.

Zach savait très bien comment fonctionnait sa sœur.

— Parce qu'elle pense que si elle peut résoudre l'affaire, elle va lancer sa petite entreprise, dit-il.

— Mais ça ne changera rien pour toi, ajouta sèchement Sam, parce que tu as prévu de filer.

Il réfléchit quelques instants avant de répondre.

— Tu sais, Sam, ce n'est pas que je suis contre le concept. Je veux seulement faire ça bien. Comme la société de mon cousin. Bon Dieu, tu devrais voir comme ça a de la gueule. Technologie top-niveau, salle d'opérations, avions privés. Avions au pluriel.

— Comment ça s'appelle ?

— Bullet Catchers.

Elle haussa les épaules.

— Bof. Je préfère les Gardiens Angelino.

— Quel que soit son nom, une structure de ce genre a besoin de beaucoup d'argent, de bureaux, d'employés, d'ordinateurs. Je ne veux pas d'un truc de bric et de broc dirigé depuis le sous-sol de chez quelqu'un.

— Ouais... Bon, et si tu me disais la vérité, Zach ?

— C'est la vérité.

— Tu ne te fais pas confiance. (Ses paroles le frappèrent si durement qu'il ne sut pas quoi répondre.) Tu penses que si cette femme qui dirige cette grosse entreprise de sécurité avec des avions au pluriel et des salles d'opérations n'a pas voulu de toi, c'est parce que tu ne fais pas l'affaire.

— Non, rétorqua-t-il. La vérité, c'est que j'ai une vision déficiente, pas de permis de port d'armes et un dossier militaire douteux. Et c'est pour ça que je ne fais pas l'affaire.

Telle une pilule au goût amer, cette réalité laissait un goût étrange sur sa langue et lui restait en travers de la gorge.

— Tu as fait un super-boulot pour me garder en vie.

— Je le ferai quoi qu'il arrive...

Il jeta un coup d'œil au rétroviseur et marmonna un juron, fronçant les sourcils pour s'assurer qu'il avait bien vu malgré la pluie.

Sam fit vivement volte-face.

— Le camion est de retour, dit-elle.

— Écoute-moi bien, dit Zach en lui posant calmement une main sur l'épaule. Reste enfoncée dans ton siège mais toujours face à la route. S'il nous suit, je ne veux pas qu'il sache qu'on l'a repéré.

Elle fit exactement ce qu'il lui ordonnait, son regard braqué vers le rétroviseur de droite.

— Il nous rattrape.

— Je vois ça.

Il passa une main sous son siège et sortit le Glock 19 que Marc lui avait donné, qu'il posa juste à côté de lui sur la console centrale.

— Tu as un GPS sur ton téléphone ?

— Oui. Tu veux que je nous trouve un autre chemin ?

— Dis-moi ce qu'il y a à la prochaine sortie, qui se trouve à... (Il plissa les yeux pour discerner le panneau qui approchait derrière le rideau de pluie de l'autre côté du pare-brise, que balayait l'essuie-glace massif de la Mercedes :) trois kilomètres.

Elle se mit à pianoter sur l'appareil pendant qu'il accélérait progressivement l'allure. Cent trente. Cent trente-cinq. Cent quarante.

Comme si Dieu était contre eux, la pluie s'intensifia brusquement alors qu'un autre camion arrivait par la droite pratiquement à la même vitesse que Zach, chacune de ses roues projetant d'immenses gerbes d'eau au passage. Victime d'aquaplaning, la Mercedes fit une brève embardée sur le bas-côté avant de revenir sur la route.

— La prochaine sortie mène à Central Street, lui dit Zach.

— Compris. Ça a l'air d'un coin soit rural soit résidentiel. Deux voies, très lent. Tu devrais pouvoir y semer un camion, la route fait plein de lacets. Il ne pourra jamais nous suivre. Puis il faudra reprendre vers l'ouest pour rejoindre le réservoir.

Zach tourna vivement le volant pour emprunter la sortie, en appuyant juste ce qu'il fallait sur les freins pour ne pas risquer le tête-à-queue. Quand ils atteignirent la route en contrebas, le camion n'était toujours pas visible au niveau de la sortie.

— Regarde à droite pour moi, ordonna-t-il, peu enclin à se fier à sa vision périphérique.

— Rien à signaler.

Zach accéléra et grilla un feu rouge dans une grande éclaboussure. Sam inspira vivement entre ses dents serrées tandis que la Mercedes traversait les deux voies pour rejoindre une petite zone commerçante de l'autre côté de la route. Zach y pénétra pour se cacher au milieu du parking et voir si le semi-remorque les suivrait.

— Comment il a fait pour nous retrouver, bordel ? demanda-t-il en donnant un coup-de-poing dans le volant. Ça n'a aucun sens. C'est comme s'il pouvait nous pister.

Elle le dévisagea, horrifiée.

— Quoi ?

— Donne-moi ton téléphone.

Elle le lui tendit d'une main hésitante.

— Personne n'a touché à mon téléphone, Zach. Personne.

Il détacha la coque arrière, retira la carte SIM et l'inspecta soigneusement. Rien. Pourtant, ses tripes étaient en feu.

— Allons-y, dit-il en lui rendant l'appareil. On va avoir besoin du GPS sur les petites routes. Tu seras ma navigatrice.

— Tu veux retourner à Boston ?

Il prit le temps de réfléchir.

— Je ne tiens pas à retourner sur l'autoroute pour le moment. Assurons-nous d'abord de ne pas être filés, puis on décidera de ce qu'il faut faire. Il se peut encore que ce soit un connard avec un sens de l'humour pourri.

— Ou quelqu'un qui suivait Gabe et qui t'a vu lui transmettre la puce.

Mais Zach doutait que l'une ou l'autre de ces hypothèses soit juste.

— Fouille dans ton sac, Sam. Regarde dans les moindres recoins. Détache la doublure, regarde ce qu'il pourrait y avoir dedans. Cherche un dispositif de localisation.

Ce qu'elle fit pendant qu'ils s'enfonçaient au milieu des forêts et des routes sinueuses autour du réservoir. Ils aperçurent à peine une ou deux voitures et Zach commença à se détendre. Ils firent le tour d'une partie de l'énorme étendue d'eau, sans être en mesure de voir grand-chose du fait de l'averse qui gagnait en intensité.

Le camion et la pluie avaient fait dérailler ses plans ; à présent il ne cherchait plus qu'à les éloigner du danger.

Il vit le camion dans son rétroviseur à l'instant même où Sam poussait un cri.

— Oh mon Dieu, Zach ! Je l'ai trouvé.

Mais c'était trop tard. L'énorme Peterbilt fondait sur eux à vive allure.

— Accroche-toi, ma chérie.

Elle s'agrippa au siège et à l'accoudoir tandis qu'il accélérait jusqu'à cent quarante. La voiture rugit et fit une nouvelle glissade mais il parvint à la maintenir sur la route.

Le camion fit une embardée dangereuse et stupide dans un virage et Zach s'attendit presque à le voir se renverser mais il n'en fut rien. Et il gagnait du terrain. Rapidement.

Serrant les dents, Zach écrasa l'accélérateur.

— Il est gros et lent, donc je vais le semer. Mais prends le pistolet et prépare-toi à lui tirer dessus s'il le faut. J'ai besoin de mes deux mains pour être sûr de ne pas perdre le contrôle.

Elle fit coulisser la glissière.

— Si seulement il y avait un espace sur le bas-côté ou un chemin de terre dans lequel tu puisses t'arrêter pour le laisser passer.

— C'est mon plan.

La Mercedes fit crisser ses pneus et avala un nouveau virage qui devrait forcément ralentir le poids lourd.

Ce putain de camion fit exactement la même manœuvre.

Devant eux, un rideau de pluie battante, mais pas de voitures. Il était presque à cent soixante à présent, et l'essuie-glace était devenu quasiment inutile. Ils approchaient d'une section du réservoir large d'environ quatre cents mètres.

La chaussée avait été remblayée pour se connecter au pont un peu plus haut, avec deux larges bandes de terre de chaque côté, surplombant les eaux. Il fallait qu'ils quittent cette route mais faire demi-tour était théoriquement impossible ailleurs qu'à cet endroit. Il n'avait vraiment pas le choix.

— Accroche-toi, je vais me ranger puis on va faire demi-tour et se tirer d'ici. Il ne peut pas manœuvrer aussi vite que ça. Et il n'aura nulle part où tourner après le pont.

Il braqua à droite et écrasa les freins ; la berline s'arrêta dans un crissement de pneus au bord du surplomb. La surface de l'eau se trouvait trois mètres plus bas, au pied de la paroi rocheuse. Derrière eux, le poids lourd surgit dans un rugissement sourd. Il ne faisait pas mine de ralentir.

— Passe-moi le flingue.

Il tendit la main vers l'arme et, dans le même temps, leva les yeux vers le rétroviseur pour voir le camion qui faisait une embardée vers la droite. Vingt tonnes d'acier filant à cent trente kilomètres/heure, droit sur eux. *Merde.*

Sam se retourna et se couvrit la bouche de ses mains.

— Oh mon Dieu ! Zach ! lança-t-elle, les yeux emplis d'horreur.

Il referma ses bras autour d'elle pour se préparer à l'impact, sachant qu'ils allaient forcément être projetés dans l'eau.

Le cri de Sam fut étouffé contre son épaule à l'instant où le logo Peterbilt percuta l'arrière de la voiture. Celle-ci fut propulsée en avant et fit un tonneau à travers les airs. Elle parut y rester suspendue l'espace d'une interminable seconde avant de s'écraser dans l'eau, toit en avant, dans un craquement à fendre le crâne.

Vivi aurait aimé zapper la conférence de rédaction pour partir à la recherche de Taylor Sly, mais elle savait que Marc était sur le coup. Et aller voir Billy, comme

Sam le lui avait demandé, était beaucoup plus jouable en termes de temps et de distance. Elle emprunta donc la ligne orange du tram jusqu'à Ruggles Avenue et prit la direction de Roxbury.

Arrivée à Ruggles elle posa sa planche sur le pavé, mit son casque sur ses oreilles bien qu'aucun son n'en sorte et s'élança en direction de Tremont. Elle avait peut-être l'air d'une skateuse indifférente perdue dans sa musique mais c'était tout le contraire. En réalité, elle guettait déjà du coin de l'œil les deux hommes debout au carrefour, observait chacune des voitures qui passaient et jaugeait le groupe d'étudiants en route vers l'université de Northeastern sur le trottoir d'en face.

L'embourgeoisement progressif avait déjà laissé son empreinte en briques rouges sur l'essentiel de Boston, mais ce quartier de Roxbury restait plutôt difficile.

Elle remonta péniblement le terrain en pente, soulagée que le plus gros des averses matinales semble avoir pris fin. Le ciel restait d'un gris ardoise et chargé de pluies potentielles mais on était à Boston et le soleil était rare, même en juillet.

Elle vérifia de nouveau l'adresse sur son téléphone. Puis, une fois la route redevenue plane, elle remonta sur son skate pour trouver la bonne rue. Billy Shawkins habitait dans un coin douteux. On était encore loin du repaire de dealers de cristal mais ce n'était pas non plus l'endroit le plus fabuleux qui soit pour une femme seule. Elle scruta les maisons, fit un signe de tête à quelques visages neutres à défaut d'être amicaux et releva sa planche en arrivant à l'adresse que Sam lui avait indiquée.

Cette maison donnait l'impression d'être un peu plus bichonnée que ses voisines. Les bardeaux avaient été peints dans un joli vert foncé, on avait récemment tondu la pelouse et les quelques buissons près de la façade étaient soigneusement taillés. Difficile de parler d'aménagement paysager luxuriant mais au moins on ne trouvait pas de lave-linge rouillé dans l'allée, contrairement à la maison voisine.

Le courrier avait été livré, en même temps qu'un exemplaire du *Boston Globe*, mais pas encore ramassé.

Elle essaya la sonnette, qui ne donnait pas l'impression de fonctionner, puis frappa au panneau en frottant le bout de sa chaussure à damier noir et blanc le long du vieux paillasson « Bienvenue » fatigué.

Elle frappa à nouveau, plus fort.

— Allez, mon vieux Billy, maugréa-t-elle. Sam va se faire du mauvais sang jusqu'à ce que je lui dise que je t'ai vu.

Avec un soupir, elle fit le tour de la maison et, au passage, se redressa sur la pointe des pieds pour jeter un coup d'œil dans le garage. Vide. Elle se dirigea vers l'arrière-cour pour voir s'il y avait le moindre signe de la présence de Billy.

— Je peux vous aider ?

Elle sursauta en attendant la voix. Celle-ci appartenait à un homme blond d'âge mûr, à l'apparence étonnamment sophistiquée pour le propriétaire d'un lave-linge rouillé en plein milieu de son allée.

— Je cherche M. Shawkins.

— Il est parti travailler.

— Ben, si ça ne vous dérange pas, je vais aller jeter un œil dans l'arrière-cour parce qu'une amie à moi dit qu'il ne s'est pas présenté au boulot aujourd'hui, et je veux m'assurer qu'il va bien.

— Je l'ai vu partir.

Elle haussa les épaules et leva la main dans un geste amical.

— Je ne suis pas venue le cambrioler, promis. Je veux juste savoir comment il va.

Elle continua à marcher vers l'arrière de la maison et, une fois arrivée devant la minuscule terrasse visiblement artisanale, elle se retourna pour regarder à travers les buissons et faire un nouveau signe façon « je ne suis pas une criminelle » à l'intention du voisin. Mais il n'était plus là.

Vivi leva la main pour frapper à la porte de derrière mais interrompit son geste, son attention attirée par la serrure. La porte n'était pas tout à fait fermée. Ce n'était sans doute pas le truc le plus malin à faire à Roxbury, mais elle cogna malgré tout contre le panneau.

— Billy ! Monsieur Shawkins, vous êtes là ?

Silence.

Tendue, elle entrouvrit un peu plus la porte.

— Billy ? C'est Vivi Angelino, l'amie de Sam.

Toujours rien. Elle posa sa planche sur la terrasse et glissa la main au fond de la poche de son pantalon cargo pour en sortir un petit pistolet. Marc le lui avait donné au moment de leur première réunion ; il avait distribué des armes comme s'il s'agissait de cartes de visite.

Un frisson de stress et d'anticipation lui parcourut l'échine.

Devait-elle entrer ? Enlever le cran de sûreté et braquer l'arme devant elle ? Le rôle de détective privé chargé de résoudre des crimes lui paraissait encore un peu étrange. Mais c'était comme un galop d'essai. Billy n'avait rien à voir avec le meurtre de Sterling, n'est-ce pas ? Peut-être qu'il s'était blessé, qu'il était malade ou que quelque chose de sérieux s'était produit, comme une crise cardiaque. Peut-être était-ce pour ça qu'il avait demandé à Sam de venir, mais sans vouloir l'alarmer avec des détails.

Elle l'appela une nouvelle fois puis ouvrit la porte en grand et s'avança dans un tout petit débarras à chaussures avec des vestes accrochées au mur et un placard. La porte sur la gauche menait sans doute au garage. Devant elle se trouvait l'accès à une minuscule cuisine plongée dans la pénombre par les stores baissés. L'endroit sentait un peu le poulet cuit de la veille mais tout était propre et en ordre.

— Billy ? répéta-t-elle, assez fort pour être entendue à travers toute la maison.

Pas un bruit. Entre ses doigts, le pistolet lui semblait lourd. Peut-être qu'elle avait regardé un peu trop de rediffusions de la série *Spenser* sur le câble. Elle traversa la cuisine et passa devant une salle à manger miniature avec une table pour quatre recouverte d'une nappe en dentelle. Billy ne devait pas vivre seul. Des fleurs en soie bon marché dans le salon confirmèrent que la maison profitait de la présence d'une femme.

Vivi scruta le couloir plongé dans l'obscurité. L'une des portes menait certainement à la cave, les autres aux deux chambres à coucher et à une salle de bains. C'était tout. La maison s'arrêtait là.

Elle lança un autre appel puis emprunta le couloir. L'une des chambres était pleine de cartons et d'affaires accumulées ; elle servait clairement de débarras. L'autre n'avait de place que pour une commode et un lit double dont les draps avaient été dépliés, comme si quelqu'un s'apprêtait à s'y allonger. Un livre était posé, ouvert, sur le couvre-lit. Non, pas *un* livre. *Le* livre.

Billy lisait sa Bible quand il avait décidé d'appeler Sam ? Ça ne donnait pas l'impression d'une urgence, en tout cas. La salle de bains était vide. Une serviette sèche mais ayant servi était suspendue près de la baignoire.

À moins qu'il ne soit descendu à la cave, Billy n'était clairement pas chez lui. Peut-être qu'il s'était pris en main et avait décidé d'aller travailler après tout. Ou peut-être qu'il était sorti pour faire la tournée des bars en laissant la porte de derrière entrouverte.

La tournée des bars après avoir lu la Bible ?

Il y avait clairement quelque chose de bizarre dans cette situation.

Arrivée devant la porte de la cave, elle actionna la poignée et appela de nouveau avant de tâtonner à la recherche de l'interrupteur sur le mur, en vain.

Non, elle n'allait pas descendre là-dedans. Elle n'aimait pas Sam à ce point-là ! Ni Sam ni qui que ce soit d'autre d'ailleurs. Alors qu'elle battait en retraite, elle entendit un bruit. Un grattement ? Un... tapotement contre le métal.

Et merde.

— Y a quelqu'un ? Billy, vous êtes là ?

Faites qu'il n'y soit pas. Elle n'avait tellement pas envie de descendre.

Un autre tapotement. Il y avait bien quelque chose ou quelqu'un de vivant là, en bas. Des frissons remontèrent le long de l'échine de Vivi ; son cœur lui martelait les côtes.

— Billy ?

Elle restait aussi immobile qu'une pierre. Tout en elle se rebellait contre ce qu'elle savait devoir faire. Quel super Gardien Angelino...

— Aidez-moi.

Les mots lui parvinrent dans un souffle, à peine audibles.

— Billy ? Oh mon Dieu !

Il avait dû tomber dans les escaliers.

Elle descendit quelques marches en faisant courir sa main contre le mur à la recherche de l'interrupteur.

— Billy ? Vous êtes en bas ?

L'impact du coup-de-poing dans son dos lui coupa le souffle et la projeta en avant avec une telle force qu'elle décolla de l'escalier et fendit les airs avant de s'effondrer au sol, de rouler violemment sur elle-même et de s'écraser contre un obstacle.

La porte de la cave au-dessus d'elle se referma avec un claquement plus fort que son cri de colère et de douleur mêlées, suivi de bruits de pas dans l'escalier.

La douleur remontait depuis ses genoux jusqu'à son cerveau, décharges électriques de souffrance qui l'empêchaient de respirer et de réfléchir.

— Tu n'es pas Samantha.

La voix provenait d'au-dessus d'elle, basse, menaçante et furieuse. Vivi tendit sa main vide ; dans sa chute, le pistolet lui avait échappé. *Bien joué, Spenser.*

— Non, ce n'est pas moi.

Elle tenta de se relever mais une main puissante lui saisit l'épaule et la repoussa.

— Je veux Samantha.

Bordel, qu'est-ce qui se passait ici ? Ce n'était pas Billy Shawkins !

— Qu'est-ce que vous voulez ?

Elle faisait appel à tout son courage pour donner l'impression de ne pas avoir peur et d'être prête à se battre.

— Je veux Samantha. Donne-moi ton téléphone.

Dans tes rêves, mec.

— Je n'ai pas…

Le canon d'un pistolet vint appuyer contre sa tempe.

— Cinq. Quatre. Trois. Deux…

— Tenez, dit-elle en lui tendant le BlackBerry. Mais elle n'est pas là aujourd'hui.

Seuls des pas dans l'escalier lui répondirent. Elle leva les yeux dans la direction du bruit, cherchant désespérément à apercevoir au moins une silhouette lorsqu'il ouvrirait la porte puis à bondir vers son arme, où qu'elle soit.

Pendant un moment, elle n'entendit ni ne vit rien. Puis son ravisseur entrouvrit la porte, assez pour qu'elle le voie se pencher.

— Tu as laissé tomber ton pistolet.

Alors qu'il se glissait vers l'extérieur, elle ravala un hurlement de frustration. Stupide. *Stupide*.

— Soyez bien sages tous les deux, dit la voix.

La porte se referma et Vivi l'entendit qui verrouillait derrière lui. Elle tenta de se lever, à moitié certaine de s'être cassé quelque chose.

Tous les deux ? Elle tendit les mains, rendue aveugle par l'obscurité.

— Il y a quelqu'un ?

En retour, le seul son qu'elle entendit fut un infime « tap, tap, tap », comme un message en morse annonciateur de mort.

19

Le craquement violent du cou de Sam fit plus de bruit que le choc de la Mercedes heurtant la surface de l'eau avant de rouler sur elle-même.

L'espace d'une interminable seconde, Sam n'entendit rien, ne vit que les ténèbres et fut incapable de respirer. Il n'y avait plus rien. Rien.

Oh, mon Dieu, *morte*.

— Sam !

La voix de Zach était forte, juste dans son oreille. Elle se força à ouvrir les yeux et à inspirer un peu d'air. La ceinture de sécurité l'étranglait, coincée au niveau de ses hanches. La voiture oscillait de haut en bas, flottant momentanément sur l'eau.

— Ça va, souffla-t-elle. Je suis en vie. *Merci, mon Dieu !* Est-ce qu'on...

— Écoute-moi et fais exactement ce que je te dirai, quand je te le dirai. Je ne peux pas actionner l'ouverture électrique de la vitre et je ne pourrai pas ouvrir de portière jusqu'à ce que la pression soit équilibrée. Nous allons couler dans à peu près trente secondes.

Couler. Trente secondes. Rien n'avait plus de sens mais elle lutta pour rester calme, ne pas perdre le contrôle.

— On va pouvoir sortir ?

— Absolument. Garde la main droite sur la poignée de la portière ; ça te permettra de t'orienter. Mais n'essaie pas de l'ouvrir.

— D'accord.

Elle agrippa la poignée d'une main et de l'autre tira sur la ceinture en travers de sa poitrine, qui l'étranglait.

— J'arrive pas à respirer.

— Pas maintenant. Ne la défais pas tout de suite. Dès que l'eau entrera dans la voiture et nous emportera vers le fond, on ouvrira une portière et on sortira. On a environ trois minutes, d'accord ?

— Et lui ? Le camion ?

— Il pourrait nous attendre. Humide ou pas, mon arme devrait fonctionner. Mais c'est tout ce qu'on a. Je n'ai pas vu grand-chose pour se mettre à couvert, sauf si on arrive à nager sous le pont. Tu sais nager, n'est-ce pas ?

— Ouais, mais et si…

— On n'a pas le temps, Sam. Fais simplement ce que je te dirai…

Il braqua le pistolet vers la vitre arrière et tira. Une fois, deux fois, et une dernière fois. Chaque détonation retentissait de manière assourdissante dans la voiture fermée.

Instantanément, l'eau commença à se déverser par les orifices et, très vite, ils coulèrent.

— La porte ne s'ouvrira probablement pas avant que la voiture soit presque remplie et la pression équilibrée. Quand je te ferai signe, remplis tes poumons et retiens ton souffle. Je retirerai ta ceinture, puis la mienne. Tu vas alors commencer à couler pendant que j'ouvrirai la portière. Prends ma main et nous nagerons ensemble.

— Je n'aurai pas besoin de mes deux mains pour nager ?

— Débrouille-toi. L'eau sera complètement obscure, donc tu ne dois pas me lâcher.

Il tendit le bras vers la boucle de la ceinture de Sam, son visage à quelques centimètres du sien, sa cicatrice si proche qu'elle voyait palpiter les veines sous la peau déchiquetée.

— Zach… souffla-t-elle avec difficulté.

— Reste calme. Ne panique pas, Sam. Pas de panique.

— Je ne panique pas, mentit-elle. Mais si on meurt en arrivant à la surface…

Il secoua la tête. Pas le temps pour de quelconques pardons, confessions ou aveux.

— Fais ce que je dis et ne lâche pas ma main gauche. Je tirerai de la droite s'il le faut.

Il détacha la ceinture et fit de son mieux pour retenir la chute de Sam vers les eaux qui montaient en bouillonnant en dessous d'eux. Voyant qu'elle glissait, il se pencha en avant et posa ses lèvres sur les siennes. Une fraction de seconde plus tard, elle était presque immergée.

— Inspire, je vais ouvrir la portière !

Le cœur battant à tout rompre, elle remplit ses poumons tout en cherchant frénétiquement la main de Zach. Il attrapa la sienne puis fit appel à toute sa force pour ouvrir la portière, toujours retenu sur son siège par la ceinture de sécurité.

La portière avait dû céder car l'eau se précipita dans l'habitacle, avec beaucoup plus de force qu'elle ne l'aurait imaginé. Le déferlement la projeta en arrière contre sa propre portière. Serrant sa main dans une poigne de fer, Zach parvint néanmoins à la tirer derrière lui à travers l'ouverture. Tous deux battirent alors furieusement des pieds.

À l'extérieur de la Mercedes, la boue épaisse ne laissait passer que très peu de lumière. À quelle profondeur se trouvaient-ils ? Elle n'en avait aucune idée mais continua à agiter les jambes et son bras droit pour se propulser dans la direction vers laquelle Zach la hissait.

Cela aurait été bien plus simple avec deux mains mais il faisait si noir et elle était si désorientée qu'elle l'aurait perdu sans jamais pouvoir le retrouver. Il l'avait compris. Lui faisant une confiance aveugle, elle s'obstina à battre des pieds au milieu de l'eau trouble. Ses poumons commençaient à lui faire mal.

Déjà anesthésiée par le froid et incapable de retenir son souffle une seconde de plus, elle laissa s'échapper un peu d'air et vit les bulles devant son visage prendre la même direction qu'eux. Vers le haut. Cinq coups de pied supplémentaires et elle aperçut les reflets de la lumière du jour.

Mais que trouveraient-ils de l'autre côté ? Le conducteur du camion armé d'un fusil ?

Quand ils atteignirent la surface, Sam ouvrit instantanément la bouche pour aspirer de l'air frais mais se retrouva la gorge pleine d'eau de pluie. Elle cracha, se couvrit la bouche de sa main libre et inspira de nouveau. Puis Zach l'attira de nouveau sous l'eau et la hala de nouveau.

Il devait savoir où ils allaient, ou bien il avait vu une menace au-dessus d'eux. Elle s'accrocha à lui et continua de battre des jambes malgré le poids de son jean trempé qui semblait de plomb. Les eaux lui avaient arraché ses mocassins et ses pieds étaient déjà complètement engourdis de froid.

Ils remontèrent et elle inspira vivement, s'attendant à devoir replonger juste après. Mais elle eut la surprise de sentir de la vase sous ses orteils. Ils avaient pied. Elle constata alors qu'ils se trouvaient dans un marécage boueux au bord de l'étang, à une trentaine de mètres de l'endroit où ils avaient basculé dans l'eau.

Le pont et la route paraissaient totalement déserts.

Elle pivota sur elle-même et Zach fit de même.

— Il est parti ?

— Reste baissée, ne t'éloigne pas des roseaux.

Il continua à scruter les alentours, fouillant du regard ce qui semblait n'être que marais, forêt, mare, pont et route vide. La pluie lui aplatissait les cheveux sur le crâne et s'écoulait le long de ses traits. Il avait perdu son bandeau.

Sam se mit à claquer des dents. Le sang semblait s'être changé en glace dans ses veines et son estomac se contractait sous l'effet de la nausée. Il la prit par les épaules et l'attira à lui.

— Tu es gelée.

Il la serra contre lui comme s'il pouvait lui communiquer sa chaleur. Mais il était aussi frigorifié qu'elle.

L'impact de ce à quoi ils venaient de réchapper la frappa de plein fouet, en même temps que le coup de massue de la réalité. Ils étaient à des kilomètres de tout lieu habité, avec un chauffeur de camion dément qui pouvait se cacher n'importe où. Ils n'avaient plus de téléphone. Plus de GPS. Plus de sac, plus de voiture, plus d'espoir.

Et on les avait suivis jusqu'ici. Qui avait mis cet émetteur dans son sac à main ? Quelqu'un l'avait glissé au fond d'une poche latérale, caché sous un paquet de chewing-gums et des vieux tickets de caisse.

Pour l'heure, peu importait de savoir qui les pourchassait, seulement le fait qu'ils s'en étaient sortis vivants. Elle repensa à son sentiment d'horreur quand la voiture s'était retrouvée dans les airs et les larmes lui montèrent aux yeux. Elle lutta de toutes ses forces pour les refouler. Les pleurs étaient la dernière chose qu'un Ranger ait envie de voir.

— Laisse-moi réfléchir un instant, Sam, dit-il d'un ton apaisant.

— Il y avait une ferme ou une maison à environ un kilomètre en arrière, suggéra-t-elle. On pourrait aller y trouver de l'aide ?

— Possible.

— Qu'est-ce qu'on peut faire d'autre ?

Sa voix s'était fêlée et elle fit de son mieux pour garder son calme.

Zach ne répondit pas. Il tournait toujours sur lui-même en observant le paysage.

— Il faut rester à l'écart de la route, à couvert. On va rejoindre les bois.

Il parlait avec une telle assurance que Sam se sentit fondre de soulagement.

— Nous pouvons suivre la lisière des arbres le long de la route et retourner vers cette maison. Je suis sûr que ceux qui y habitent seront chaleureux et accueillants en me voyant frapper à leur porte.

— Moi je pourrais y aller, proposa Sam.

Il était clair qu'elle ne l'aurait pas laissé entrer chez elle si elle vivait seule dans une zone rurale.

— Et puis on appellera... la police ?

Ils échangèrent un regard.

— La police a eu l'occasion de manipuler ton sac quand tu es passée sous le détecteur de métaux hier, dit-il. Même si je n'aime pas l'idée que JP ait dit vrai à propos de cette note dans ton dossier, je ne suis pas franchement enclin à m'adresser à eux pour obtenir de l'aide.

— Tu as raison, dit-elle. Vivi ?

— Ouais. Vivi ou Marc. Si on arrive à déterminer à peu près où nous sommes, l'un d'entre eux pourra venir nous chercher. Nous sommes à moins de deux heures de Boston, donc ça ne sera pas si long.

Il la guida derrière lui dans la boue qui finit par se changer en terre ferme et ils purent remonter péniblement vers la route. Celle-ci était déserte mais formait un virage à environ huit cents mètres de là. Une voiture – ou un poids lourd – pouvait leur foncer dessus à tout moment.

S'assurant qu'ils restaient tous les deux accroupis, Zach regarda à gauche puis à droite, son pistolet à la main. Ils se retrouveraient complètement exposés au moment de traverser la route pour rejoindre les bois.

— Tu es prête ?

Il baissa les yeux vers la silhouette trempée de Sam, ses pieds nus. Lui avait une chaussure de sport à un pied et une chaussette pleine d'eau à l'autre.

Elle déglutit puis hocha la tête.

— Allons-y.

— Cours aussi vite que possible, droit vers les bois.

Il lui prit la main et la tira derrière lui sous la pluie battante. Elle sentit graviers et petits cailloux s'enfoncer dans la plante de ses pieds mais n'osa pas s'arrêter. Elle resta derrière Zach qui la traînait presque dans son sillage, aveuglée par la pluie, l'esprit envahi par l'idée qu'à tout instant une balle pourrait venir la cueillir. Ils atteignirent les herbes hautes et elle trébucha, mais Zach la remit sur ses pieds avec une telle force que son épaule faillit se déboîter.

Trois mètres plus loin, quelque chose se planta dans son pied et la fit vaciller mais elle ignora la douleur et refusa de baisser les yeux. La limite des arbres était à six mètres de là, rideau épais de verdure protectrice. Zach ne s'arrêta pas en l'atteignant et la tira au cœur de la pénombre des bois. Leurs pieds s'enfonçaient dans une épaisse couche d'aiguilles de pin, de brindilles et d'humus. La pluie était bloquée par une voûte de branches enchevêtrées que Zach tentait d'écarter de son chemin mais qui revenaient fouetter Sam au visage. Durant l'hiver il aurait été possible de les suivre du regard au travers de cette forêt, mais l'été de la Nouvelle-Angleterre était suffisamment luxuriant pour leur offrir une vraie couverture.

Enfin, Zach ralentit le pas et se laissa tomber au sol en emportant Sam avec lui. Il l'enveloppa de ses bras pendant qu'ils reprenaient tous les deux leur souffle.

Toujours tremblante, le souffle court, elle se laissa aller contre lui. Ses pieds saignaient et une brindille acérée dépassait de l'une de ses voûtes plantaires. Elle l'arracha sans rien dire et regarda le sang gicler.

— La ferme, si c'en est bien une, était à l'ouest d'ici, dit Zach. Par là.

— Mais le bâtiment que j'ai vu était de l'autre côté de la route, répondit Sam. Au nord, après le virage. On devrait remonter le long de la route.

— C'est exactement ce à quoi ils s'attendront, dit-il en l'aidant à se redresser. On va passer par les bois et on va retrouver cette ferme.

Quarante pénibles minutes plus tard, ils aperçurent un espace parmi les arbres. À cinq ou six reprises durant leur périple, le sol avait disparu pour laisser place à un marécage boueux d'herbes hautes immergées dans trente centimètres d'eau. Une bonne dizaine de pierres tranchantes ou de brindilles pointues avaient mordu dans ses pieds martyrisés, mais Sam refusait de céder à la douleur.

En voyant la lumière du jour percer la couverture de branches, cependant, elle faillit bien se mettre à pleurer de soulagement.

Une maison se dressait dans la clairière, bâtie dans un style colonial, au centre d'un vaste terrain circulaire. Les arbres bloquaient la vue depuis la route, excepté à l'endroit où on en avait abattu pour permettre le passage d'une allée de graviers menant jusqu'à la demeure.

— Ce n'est pas la maison que j'avais vue, dit Sam. Ce que j'ai aperçu se trouvait de l'autre côté de la route, à environ cinq cents mètres d'ici.

— À mon avis il doit s'agir d'une grange ou d'un bâtiment utilitaire qui fait sans doute partie de cette parcelle de terrain. Mais il nous faut une maison, avec un téléphone. Il faudra que tu expliques aux habitants que ta voiture est tombée du pont et que tu as besoin d'utiliser leur téléphone. Dis-leur que ton mari est sur la route pour essayer de trouver de l'aide.

Elle hocha la tête et se dirigea vers la maison, malgré la douleur lancinante dans ses jambes.

Personne ne répondit quand elle sonna à la porte. Elle oscillait d'un pied sur l'autre pour ne pas trop peser sur ses blessures. Envahie par la frustration, elle donna quatre coups de sonnette supplémentaires qu'elle entendit résonner à l'intérieur. De la boue et du sang imprégnaient à présent le paillasson usé.

Elle se dirigea vers une fenêtre et jeta un regard à l'intérieur. Elle distingua plusieurs pièces mais aucune présence. De sa démarche boiteuse, elle fit le tour des différentes fenêtres de la bâtisse puis essaya la porte d'une buanderie. Elle frappa d'abord un coup puis agita la poignée, en vain.

Alors qu'elle revenait vers l'entrée, Zach la rejoignit d'un pas rapide.

— J'ai effectivement repéré une grange ouverte à environ huit cents mètres de l'autre côté de la route.

— Il n'y a personne ici, lui dit-elle.

— Parfait. On va passer nos appels, récupérer des provisions puis on ira se cacher en face.

La possibilité de ne *pas* entrer par effraction ne fut même pas évoquée. Il fit une fois le tour du périmètre, Sam sur ses talons.

— Je préfère passer par l'entrée la moins utilisée, dit-il. Et une fois à l'intérieur, attention à ne pas laisser de traces. Il ne faudrait surtout pas que quelqu'un rentre chez lui et appelle les flics, avec des hélicos au-dessus de nos têtes.

Il localisa un accès direct à la cave par une trappe extérieure – système typique de la Nouvelle-Angleterre – et lui fit la preuve que l'eau n'avait pas endommagé son pistolet. D'une balle, il fit sauter le cadenas puis pénétra à l'intérieur, une main tendue derrière lui pour faire signe à Sam de rester en arrière jusqu'à ce qu'il ait examiné les lieux.

— Assurons-nous d'être seuls, dit-il.

Il revint moins d'une minute plus tard.

— On trouvera tout ce qu'il nous faut dans cette cave. Il y a une buanderie là dans le coin, avec un réfrigérateur plein de bouteilles d'eau. Et une chambre d'amis juste à côté. Pique une couverture ou une serviette, tout ce qu'il te faudra pour te sécher et te réchauffer. Fais juste attention à ne pas laisser de signe évident de notre passage. Moi je vais me servir de ceci, termina-t-il en lui montrant un téléphone sans fil.

Alors qu'il composait un numéro, Sam se mit en route. À pas précautionneux, elle contourna un appareil de musculation et un support pour haltères. Sans entendre ce que disait Zach, elle entra dans la chambre d'amis, soulagée de voir que le sol était toujours carrelé, ce qui faciliterait le nettoyage de ses traces de pas sanglantes au moment de repartir. Elle examina rapidement les lieux à la recherche de ce qu'elle pourrait porter et de ce dont ils auraient besoin. Elle sortit un oreiller de sa taie et bourra ce sac improvisé d'une couverture, de serviettes et de savon liquide pour nettoyer leurs blessures. Les tiroirs de la commode étaient vides. Merde !

— Dépêche-toi, Sam.

Elle referma le tiroir d'un coup de hanche et fila vers le réfrigérateur pour récupérer des bouteilles d'eau. Il n'y avait pas de nourriture, à l'exception d'une boîte de barres énergétiques. Elle y plongea la main et en récupéra quatre puis repartit à reculons vers la porte en se servant de l'une des serviettes pour essuyer l'eau et le sang qu'elle avait laissés sur le sol.

Zach était au téléphone, en train de réciter le trajet qu'ils avaient suivi, et elle devina qu'il n'était pas engagé dans une conversation mais laissait un message. Par chance, Vivi consultait sans cesse son répondeur, bien plus souvent que Marc. Donc s'ils n'avaient le temps que pour un appel, c'était bien elle qu'il fallait joindre.

En entendant un bruit de moteur, Sam se figea. Une voiture remontait l'allée. Ils se regardèrent pendant une fraction de seconde, ce qui correspondait à peu près au temps qui leur restait pour traverser l'arrière-cour à toutes jambes et disparaître dans les bois.

— Cours ! ordonna-t-il.

Elle obéit, sans se retourner, et se jeta au milieu des épais sous-bois, roulant au sol avec sa taie d'oreiller rebondie. Zach la rejoignit quelques secondes plus tard, au moment où retentissait un claquement de portière.

Il la plaqua au sol et la recouvrit de son corps, les maintenant tous les deux sous les épaisses frondaisons tandis que des bruits de pas se faisaient entendre sur le gravier. Le cœur battant la chamade, Sam n'osait pas dire un mot. Elle attendit, l'esprit plein de questions.

— Il est rentré. En passant par la buanderie, pas par la cave.

Zach l'aida à se relever et prit le sac de provisions.

— Très bien, allons-y. On continue dans les bois, même direction, jusqu'à la grange.

— Si on arrive à traverser la route sans se faire tirer dessus.

Il passa son bras autour de sa taille.

— Ouais. Un gros « si ».

Le plan de Marc nécessitait un minutage parfait mais il avait l'habitude de ce genre d'enchaînement d'actions au millimètre. En tant qu'agent du FBI, il avait développé un don pour retrouver une cible et l'interroger, avec souvent pour résultat d'obtenir des réponses et des informations là où les autres s'étaient cassé les dents. Cet aspect du boulot lui manquait et l'idée de pouvoir faire le même genre de choses dans le cadre confortable de sa famille avait capté son intérêt dès la première fois que Vivi avait évoqué l'idée.

Il était pour. Totalement impliqué. Et ça commençait par le fait de retrouver Taylor Sly.

Il attendait sous l'auvent d'un parking sur Dartmouth Street, en face de l'entrée de l'immeuble en briques rouges qui accueillait le club de remise en forme Equinox. Vivi estimait qu'il aurait dû la coincer au moment où la limousine l'emmènerait au Starbucks. Il avait une meilleure idée.

L'immense voiture arriva avec dix minutes d'avance, exactement comme Marc s'y attendait de la part d'un bon chauffeur, en particulier avec cette bruine juste assez pénible pour ralentir la circulation du centre-ville. Le portier fit signe à la limousine d'avancer jusqu'à la zone de stationnement interdit devant l'entrée de l'immeuble.

À quatre cents mètres de là, un gros camion de livraison tourna depuis Columbus Avenue pour remonter Dartmouth. La couverture parfaite. Marc minuta sa sortie du parking de manière à passer juste avant le camion. Il se dirigea directement vers la limousine.

Le chauffeur en sortit et, une seconde avant qu'il ne verrouille les portes, Marc ouvrit la portière côté rue et se glissa à l'arrière du véhicule. Les portes cliquetèrent pour indiquer que la voiture était verrouillée et il se félicita de sa réussite.

Il glissa sur les sièges de cuir jusqu'au coin le plus sombre de la voiture et attendit Taylor Sly, les yeux braqués sur l'entrée de l'immeuble. Elle en sortit à l'heure attendue, ses cheveux rassemblés en queue-de-cheval et des lunettes de soleil sur le nez, malgré la pluie. Elle portait une veste de sport ample et un jean moulant. Son téléphone collé contre son oreille, elle suivit le chauffeur.

Marc s'était calé du côté opposé et resta parfaitement immobile tandis qu'elle se glissait à l'arrière de la limousine. Le chauffeur referma la portière avant qu'elle prenne conscience qu'elle n'était pas seule. Son unique réaction fut un léger mouvement de surprise. Puis elle abaissa ses lunettes et le dévisagea.

— Vous êtes l'ami de Vivi.

— Son cousin, pour être précis. Marc Rossi. J'aimerais vous parler, madame Sly.

— Il y a des façons plus conventionnelles de s'y prendre.

— Je n'ai jamais été très fan des conventions.

La portière s'ouvrit de nouveau et un très beau pistolet Beretta « Baby Eagle » fit son apparition, précédant le visage nettement moins beau du chauffeur de limousine.

— Tout va bien, Devane, dit Taylor en lui faisant signe de s'écarter. Ce monsieur ne me fera aucun mal.

Devane regardait Marc avec des yeux mauvais.

— Comment êtes-vous entré ?

Inutile de faire virer le chauffeur.

— Croyez-moi, ça n'a pas été facile. Je sortirai lorsque vous vous arrêterez chez Starbucks.

Ses paroles lui valurent un regard particulièrement méfiant mais un sourire se dessinait sur le visage de Taylor et elle congédia le chauffeur.

— Si ceci représente la manière dont votre cousine et vous allez gérer votre affaire, je suis impressionnée.

— Vous l'étiez forcément pour lui avoir remis une preuve aussi importante dans le cadre d'un procès pour meurtre. Pourquoi ?

— Parce que je ne fais pas confiance aux flics, répondit-elle simplement. Eux cacheraient cette preuve ; Vivi en fera quelque chose. C'est pour ça que vous êtes venu ? Elle a lu les fichiers ?

— Quel est le rapport, exactement, entre le meurtre et le lien qu'entretiendrait la veuve de Joshua Sterling avec un fugitif ?

— Si vous êtes obligé de poser la question, alors je ne suis plus si impressionnée que ça.

— Vous pensez que Finn MacCauley a ordonné l'assassinat ?

Elle inclina la tête sur le côté.

— Encore une fois, si vous ressentez le besoin de me le demander, je ne suis plus si impressionnée.

— Et pourquoi ne faites-vous pas confiance aux flics ?

— Nous sommes à Boston, mon cher. Inutile d'en dire plus.

Elle se pencha néanmoins en avant pour lui confier autre chose.

— Écoutez, je n'ai aucune raison de faire la publicité de ma relation avec Josh. Je n'ai pas besoin de rabattre le caquet de sa femme : pour être tout à fait franche, je l'ai déjà suffisamment fait quand Josh était vivant. Mais il s'apprêtait à révéler les liens du sang qu'elle avait avec Finn, pour la notoriété incroyable que ça allait lui apporter. Et, croyez-moi, si quelque chose motivait Josh, c'était bien ça.

— Pourquoi Finn jugerait-il cela assez important pour commanditer un meurtre ? En particulier si l'on considère le nombre de gens qui pensent qu'il est mort ?

— Il ne l'est pas, rétorqua-t-elle, les bras croisés. Et ne me demandez pas comment je le sais, parce que je ne vous le dirai pas.

— Vous n'avez pas répondu à ma question.

— J'imagine que Finn s'en soucierait parce que tout ce qui peut attirer l'attention sur lui est susceptible de raviver l'envie du FBI de lui courir après. C'est un homme âgé qui vit dans la solitude et souhaite sans doute mourir dans les mêmes conditions.

— Donc il ferait assassiner le mari de sa propre fille ?

Elle émit un petit bruit moqueur.

— C'est de Finn MacCauley qu'il s'agit. Il n'a aucun scrupule à tuer.

C'était vrai, Marc ne pouvait dire le contraire. Mais trente ans s'étaient écoulés sans incident. Et d'un seul coup, Finn MacCauley se relevait d'entre les morts pour faire éliminer l'époux de sa fille illégitime ?

— Alors votre petit ami était prêt à vendre la peau de sa femme, hein ?

Marc se carra en arrière sur son siège, conscient du fait qu'ils n'étaient qu'à quelques minutes du Starbucks et qu'elle mettrait sans aucun doute un terme à l'interview une fois arrivée.

— Un type sympa, ajouta-t-il.

— Il avait ses points forts.

— Vous avez de la chance qu'il n'ait pas vendu votre peau.

Elle haussa une épaule.

— Je baise trop bien pour ça.

Merveilleux.

— Vous savez où trouver Finn ?

Parce que si ce type était encore en vie et que les Gardiens Angelino l'appréhendaient, leur renommée serait faite.

— Non, dit-elle simplement. Mais c'est lui qui a financé ce meurtre et il n'y a aucun flic à Boston à qui vous puissiez sans risque confier cette information.

— Alors contactez le FBI.

Elle sourit.

— Vous savez qu'eux non plus ne m'apprécient guère, n'est-ce pas, monsieur Rossi ? (La limousine s'immobilisa.) Maintenant, sortez.

— Je n'ai pas fini de poser mes questions.

— Mais j'ai fini d'y répondre.

La porte s'ouvrit ; le Beretta était de retour.

— Il est temps pour vous de partir, monsieur Rossi, ajouta Taylor.

Il se décala en direction de la porte, son regard fixé sur Taylor Sly et non sur l'arme.

— Merci pour l'info.

— Avec plaisir. (Elle se pencha vers lui :) J'espère que ça servira la cause.

« La cause de qui ? » aurait-il voulu demander. Au lieu de quoi il sortit de la voiture, fit un signe de tête à Devane et s'éloigna sous la pluie qui tombait dru. Il rentra un peu plus les épaules et continua sa route parmi les piétons en songeant à ce qu'il venait d'apprendre et les conséquences que cela pourrait avoir pour les Gardiens Angelino.

Une fois à l'abri de l'avancée d'un toit d'immeuble, il appela Vivi mais n'eut droit qu'à son répondeur. Il essaya de joindre Zach, avec le même résultat. Il tourna au coin de la rue et se dirigea vers la bibliothèque municipale, pressé de pouvoir accéder à un ordinateur et de lire les documents qu'il avait reçus de Vivi. Il pourrait également y mener des recherches sur l'un des criminels les plus célèbres de Boston, chef d'une mafia irlandaise qui avait terrorisé la ville dans les années 1970 avant de se fondre dans la clandestinité au début des années 1980.

Il passa environ une heure sur l'ordinateur d'un box individuel de lecture pour faire des recherches et envoyer des liens vers sa propre boîte mail. Il dénicha également pas mal d'informations sur Devyn Sterling, née Devyn Hewitt et apparemment adoptée par l'une des grandes familles fortunées de Boston, si l'on en croyait les documents dont disposait Vivi. Et si l'on en croyait Taylor Sly.

Qui avait le meilleur mobile pour tuer Joshua Sterling ? Un vieil homme ayant trouvé la paix dans l'isolement ? Une épouse en colère ? Ou sa maîtresse ? À moins qu'ils soient complètement passés à côté de quelqu'un d'autre ?

Au moment de se lever pour partir, il jeta un coup d'œil par-dessus les livres, et aperçut quelqu'un qui se déplaçait à quelques rayonnages de là. Il se dirigea vers la zone de lecture publique et l'autre personne fit de même. Marc pivota brusquement et contourna un rayon derrière lui, dans un mouvement volontairement rapide.

Son instinct lui criait qu'on l'observait.

Il se dirigea vers l'immense salle de lecture puis emprunta les escaliers en direction de la sortie. Pendant tout le trajet, il perçut des bruits de pas derrière lui. Il n'était pas seulement surveillé ; on le suivait.

Il dévala les escaliers de marbre blanc aussi vite qu'il pouvait se le permettre à l'intérieur du bâtiment puis se glissa au-dehors par l'entrée de Dartmouth Street et traversa la place de Copley Square. Il fit de son mieux pour rester accolé aux groupes de passants qui marchaient vers l'église de Trinity Church, monument majeur situé de l'autre côté de la place.

Sur sa gauche, il remarqua un homme qui parlait au téléphone. Il affichait un air indifférent mais suivait Marc du regard. En jetant un nouveau coup d'œil par-dessus son épaule, celui-ci vit un homme sortir en hâte de la bibliothèque. Il avait une capuche sur la tête et regardait droit vers Marc.

Un groupe de touristes les sépara momentanément et il profita de l'occasion pour détaler en direction de l'église. En deux grandes enjambées, il gravit les cinq marches de pierre menant au portique et se joignit à des voyageurs qui cherchaient à échapper à la pluie.

À l'intérieur, sous l'influence des peintures murales et des vitraux, la lumière se teintait d'étranges nuances de rouge. Quelques têtes inclinées dans la prière étaient visibles le long des rangées de bancs et des voix résonnaient en remontant vers ce que l'architecte considérait sans aucun doute comme le paradis.

Des colonnes et de larges nefs délimitaient la zone dédiée au culte, mais l'église constituait globalement un vaste espace ouvert.

Marc tourna la tête vers l'entrée mais ne vit pas son poursuivant à capuche. Il resta auprès du groupe d'une vingtaine de touristes qui se déplaçaient à la queue leu leu, des brochures à la main, lisaient, levaient la tête, prenaient des photos. Il les suivit jusqu'à pouvoir se faufiler derrière l'un des bancs du fond au moment même où l'homme encapuchonné pénétrait dans les lieux.

Marc longea rapidement le banc, contourna une vieille femme en train de prier, puis plongea dans l'ombre de la nef latérale. Au-dessus d'une porte, un écriteau indiquait « loge de la mariée ».

Personne n'allait se marier un mardi matin. Il pourrait piéger l'inconnu à cet endroit et lui extorquer des informations.

Il appuya son épaule contre la porte, qui s'ouvrit. Elle donnait sur une grande loge décorée de rideaux de soie, de sofas et de chaises couleur pêche et d'une demi-douzaine de miroirs en pied. Il traversa la pièce jusqu'à une salle de bains équipée de toilettes et d'un autre empilement de miroirs de courtoisie et de tabourets. Derrière lui, la porte s'ouvrit et une semelle de chaussure crissa sur le marbre.

Marc se glissa dans la cabine des WC, dont les parois remontaient jusqu'au plafond. Il referma la porte en acajou sans toutefois mettre le verrou. Il ne voulait pas prendre le risque de faire le moindre bruit. Des pas d'homme se firent entendre dans la loge. Ils se rapprochaient.

Marc dégaina lentement son Ruger.

La voix indignée d'une femme rompit soudain le silence de la loge.

— Excusez-moi, monsieur ? Je peux vous aider ?

— Je fais la visite de groupe, répondit l'homme.

— Cette salle est privée et ne fait pas partie de la visite. Je dois vous demander de sortir.

En entendant le bruit mat d'un poing heurtant la chair, Marc bondit hors de sa cachette, juste à temps pour voir une femme en uniforme vaciller en arrière avec un cri de surprise. L'inconnu encapuchonné fit volte-face et Marc lui décocha un coup de pied retourné qui le cueillit à l'estomac. Le visage de l'homme s'empourpra et il tituba.

Marc leva son arme et la femme poussa un cri perçant. L'inconnu profita de cette diversion pour ouvrir la porte et s'enfuir.

— Aidez-moi ! dit la femme, dont le nez saignait abondamment.

— Je vais chercher de l'aide, promit Marc.

Il retourna en courant dans l'église, scrutant les lieux à la recherche de la veste à capuche.

L'homme avait disparu, ou s'était caché.

Il y avait de nombreuses issues sur les flancs de l'église et un paquet de cachettes potentielles.

Marc ravala un juron, rangea son arme et longea lentement les bancs en examinant chacun des visages qu'il croisait. À l'extérieur, une pluie torrentielle dispersait la foule des badauds.

Son poursuivant avait disparu.

Marc possédait des informations, mais la vraie question était de savoir ce qu'il devait en faire. Il avait une petite idée, mais ça ne plairait pas à Zach. Tant pis.

JP répondit dès la première sonnerie.

— On a besoin de ton aide.

— Qui c'est « on » ?

— Les Gardiens Angelino.

20

— Bon sang, Sam. Pourquoi tu ne m'as pas dit que ton pied était amoché à ce point ?

Zach passa doucement la serviette sur la blessure ; il cherchait à déterminer à quel point l'entaille était sérieuse.

— Ça aurait fait une différence ? On avait des choses à faire de toute façon.

— Toi, tu ferais un excellent soldat, commenta-t-il avec un sourire.

— Non merci. C'est sérieux ?

— Plutôt. C'est très enflé.

Il leva le pied de Sam pour examiner soigneusement la voûte plantaire.

— Tu as touché une veine, alors laisse-moi retirer un maximum de saletés à l'intérieur des entailles. Dès qu'on prendra la route avec Vivi, on s'arrêtera pour acheter un antiseptique et des bandages. En attendant, ne t'appuie pas dessus.

— Et si on doit courir ?

— Ne mettons pas la Mercedes avant les bœufs.

— Très drôle.

Leur nouvel abri tenait plus de l'entrepôt que de la grange fonctionnelle. La première moitié, visible depuis la route, était ouverte et protégée par une toiture d'acier. Derrière, là où ils se trouvaient à présent, s'élevait ce qui était sans doute la grange d'origine, bâtie à l'aide de tasseaux de bois. La seule lumière provenait de deux ouvertures dans les murs, là où certains panneaux s'étaient décrochés.

— On ne va pas bouger de là, assura Zach. Mais il faudra sans doute un certain temps à Vivi pour trouver une voiture et arriver jusqu'ici. Deux heures, peut-être trois. Si j'avais eu le temps, j'aurais aussi appelé Marc.

— Et si le propriétaire de la maison vient par ici ?

— Peu probable que quelqu'un disposant d'une cave aménagée et d'équipements de sport passe beaucoup de temps dans une vieille grange crasseuse.

Il étendit l'autre serviette devant elle afin d'offrir un espace propre pour son pied, recouvrant la terre et les mauvaises herbes qui poussaient entre les lattes du plancher.

— Tu penses que les flics me suivent, Zach ? Qu'ils essaieraient de me faire quitter la route ?

— Je pense que nous devons envisager toutes les possibilités et que celle-ci en fait partie.

— Et la possibilité qu'il s'agisse d'un accident ?

— Ne sois pas naïve.

Elle n'avait aucune envie de l'être mais refusait de croire qu'elle était la cible de plusieurs tueurs, dont certains faisaient peut-être partie des forces de l'ordre.

— Il y a des chauffeurs de poids lourd qui surfent sur Internet et envoient des textos tout en roulant. Peut-être...

Elle laissa sa phrase et cette hypothèse hautement improbable en suspens. Les yeux fermés, elle sentit que son pouls battait toujours plus vite que d'habitude. Tenter de rationaliser les choses ne changeait rien à l'implacable vérité.

— Il sait où je suis.

— Pas en ce moment, répondit calmement Zach.

— On ne peut pas retourner à la planque de Jamaica Plain.

— J'ai l'ai dit à Vivi dans mon message, pour qu'elle prévienne Nino. (Il sortit la couverture de leur sac improvisé et la déplia pour qu'elle puisse s'y enrouler.) Détends-toi. On ne peut rien faire pour le moment à part attendre.

Elle se laissa aller en arrière et, comme par automatisme, lui agrippa le bras pour l'attirer contre elle.

— Zach, pendant combien de temps vais-je pouvoir vivre comme ça ? Merde, qu'est-ce que je vais faire ? Je ne peux pas passer le restant de mes jours à me cacher.

— Je sais, dit-il en s'allongeant à côté d'elle. Pas de panique.

— C'est de ça qu'il s'agit ? De panique ?

Elle tendit la main devant elle pour lui montrer à quel point elle tremblait.

— J'ai presque l'impression de sentir l'adrénaline couler dans mes veines.

— Comme une sorte de boule noire et brûlante dans l'estomac, hein ?

— On sent l'homme qui a frôlé plusieurs fois la mort.

— À quelques occasions. Dont une vraiment sérieuse. Celle dont je voulais te parler au réservoir aujourd'hui.

— Vraiment ?

— C'était mon plan. Tout te raconter.

L'émotion profonde qui perçait dans sa voix prit Sam par surprise. Elle fit courir ses doigts le long de sa cicatrice. Elle était ravie qu'il n'ait plus de mouvement de recul, qu'il lui donnât accès à cette zone sensible.

— Alors raconte-moi, chuchota-t-elle. (Comme il faisait mine de secouer la tête, elle se fit plus ferme dans ses gestes.) Raconte-moi.

— Je me suis fait déchirer par un shrapnel de grenade. Je ne portais pas mes protections oculaires, pour une meilleure visibilité. Et maintenant, j'y vois que dalle. Et j'ai… disons que j'ai fait un mauvais choix.

Quelque chose dans son ton laissait entendre qu'il y avait plus.

— En ne portant pas de protection ?

— En quittant ma position. C'est la règle numéro un, et je l'ai enfreinte.

— Pourquoi ?

Il émit un petit rire sans joie.

— C'est la question à un million de dollars, hein ? Parce que j'ai choisi de resserrer le cordon extérieur en entendant que les SEALs du cordon intérieur subissaient un feu nourri. Contrairement à ce qui était prévu, il n'y avait aucun soutien aérien alors j'ai décidé de rapprocher mes hommes pour aider les mecs du périmètre intérieur.

Il aurait tout aussi bien pu parler en latin, mais Sam n'avait pas besoin de comprendre la terminologie. Elle percevait parfaitement la douleur, le regret, les remords.

— Je suis certaine que tu as pris la meilleure décision possible vu les circonstances.

— Ce n'est pas ainsi que l'armée a vu les choses. J'ai déserté ma position et l'ennemi a exploité cette manœuvre. J'y ai perdu un homme de ma division et quatre d'une autre. Oh, et mon œil, ce qui signifie que ma décision m'a coûté moins qu'à ces types. (Il prit une longue et douloureuse inspiration et se détourna d'elle.) Tous les jours je dois vivre avec ce poids.

— Je parie que tu as sauvé plus de vies que tu n'en as perdu là-bas. (Il haussa les épaules.) Tu as sauvé la mienne aujourd'hui.

Elle enroula une longue mèche de ses cheveux autour de son doigt et tira doucement sa tête vers elle.

— Voilà ce que tu devrais faire, selon moi. Tourner la page sur cette erreur et reprendre le cours de ta vie.

Un sourire se forma sur les lèvres de Zach.

— Je pourrais te donner le même conseil.

— J'ai repris le cours de ma vie, s'empressa-t-elle de répondre. Je l'ai même entièrement transformée, à vrai dire. Le seul vestige de ma mauvaise expérience est cette absence de foi en mes propres décisions. Et tu es déjà en train de m'aider à y remédier.

— Et ta mauvaise expérience avec moi ? demanda-t-il.

— Quoi ?

Il la dévisagea sans rien dire puis prit une profonde inspiration et annonça, dans un soupir :

— Samantha Fairchild, je voudrais te poser une question très importante.

Au ton de sa voix, façon demande en mariage, le cœur de Sam fit un bond dans sa poitrine. Et la manière dont il se tourna vers elle, ramenant ses bras en arrière pour l'attirer à lui, provoqua une vague de chaleur à travers tout son corps. Quoi qu'il puisse demander, elle n'était pas en état de dire non.

— Oui ?

— Me pardonneras-tu pour ce que j'ai fait ?

Elle perçut la sincérité dans sa voix, et la supplication.

— À une condition.

— Que je le dise par carte postale ?

Cela la fit sourire ; la simple existence d'une blague personnelle entre eux la rendait ridiculement heureuse.

— C'est plus difficile que ça, Zach.

— Quelle est ta condition ?

— Que tu te pardonnes à toi-même.

— De ne pas avoir appelé ou écrit ? De ne pas nous avoir donné une chance ?

— D'avoir commis cet impair. D'avoir perdu ces hommes et ton œil.

L'expression de Zach s'assombrit.

— Je ne pourrais jamais y arriver. Chaque fois que je regarde dans la glace, c'est à eux que je pense. Ce n'est pas moi que je vois, ce sont mes erreurs. Et l'homme que j'aperçois n'est pas digne de toi.

Elle se redressa, appuyée sur un coude. Ce qu'il venait de dire lui semblait tellement faux.

— Zach ? Tu n'es pas le genre d'homme à se soucier de son aspect. Et, au passage, je te trouve toujours aussi bien fait. Je me suis faite à ton apparence. Je ne vois pas ton visage, ta cicatrice ou ton œil manquant. Ce que je vois, c'est toi. Un homme intelligent, protecteur, généreux et plein de ressources. Je pose sur toi exactement le même regard que quand tu es parti pour le Koweït. Et tu sais ce que je ressentais à l'époque.

— Tu m'aimais.

Il avait parlé doucement, comme si les mots étaient si fragiles que le simple fait de les prononcer risquait de les faire voler en éclats.

— Oui, je pensais t'aimer, dit-elle.

— Tu pensais ?

— Le chagrin a tendance à affecter l'histoire, admit Sam. Lorsque j'ai fini par accepter que je n'aurais plus jamais de nouvelles de toi, je me suis persuadée que je ne t'avais jamais vraiment aimé. Que le sexe était fabuleux, et c'est tout.

— Le sexe était fabuleux. (Il se pencha vers elle et ses lèvres effleurèrent les siennes.) Tu sais ce que c'était aussi pour moi ?

Elle secoua la tête, les doigts crispés sur le bras de Zach, retenant son souffle pour savoir ce qu'il allait dire.

— C'était la première fois que j'ai vraiment eu la conviction d'être à ma place quelque part.

— Avec moi ?

— Avec toi, en toi, auprès de toi. Je n'avais jamais ressenti ça, en tout cas jamais sur le sol américain. Quand j'étais avec toi, j'étais… chez moi.

Quelque chose la traversa, un flot émotionnel si profond qu'elle le sentit irriguer tout son corps.

— Zach…

Il l'embrassa, un baiser long, profond, humide, chaud et sans fin qui lui donna la chair de poule, l'impression de flotter et lui fit tout oublier à l'exception de la bouche de Zach sur la sienne. Chez lui. Il se sentait *chez lui* avec elle.

Elle ferma les yeux et ouvrit la bouche pour accueillir sa langue. Zach tint son visage en coupe entre ses deux mains. Puis il fit courir ses doigts sur le tee-shirt de Sam, sa poitrine moulée par le coton imbibé. Il tira sur le tissu pour le lui retirer. Leur respiration s'était déjà faite lourde, haletante.

Il passa la main dans son dos et dégrafa son soutien-gorge d'un geste précis. Mais le tissu mouillé restait collé à la peau de Sam. Il baissa les yeux vers elle et elle sentit ses mamelons durcir sous son regard.

Glissant un doigt sous une bretelle, il ôta le soutien-gorge à la manière d'un autocollant, révélant ses seins humides et mouchetés de terre. Il retira une minuscule brindille collée contre sa peau puis caressa de son pouce l'extrémité d'un mamelon. Il semblait comme hypnotisé et un grognement appréciateur s'échappa de sa gorge.

Mais il se contenta de tracer un cercle autour de l'extrémité dressée avant de baisser la tête pour la prendre dans sa bouche. Il se mit à lécher, sucer, embrasser, envoyant un millier d'impulsions électriques entre les jambes de Sam.

Elle tira sur son tee-shirt, le souleva pour essayer de le lui enlever. Mais il refusait de lâcher son sein, donc elle abandonna et baissa la main en direction du jean de Zach, tentant d'ouvrir le bouton-pression.

Rompant finalement le contact, il prit le temps d'ôter son pantalon détrempé avant de déshabiller Sam en prenant garde à son pied.

Lorsqu'ils furent nus tous les deux, il inclina la jeune femme en arrière afin de pouvoir la contempler. Étrangement, son handicap rendait son regard plus intense et plus brûlant encore.

— Quand j'étais à la guerre, souffla-t-il, c'est toi qui m'as maintenu en vie.

Elle avait la gorge si serrée qu'elle arrivait à peine à déglutir.

— Comment ?

— Il y a eu tellement de nuits, Sam. (Il referma une main sur son sein et fit courir l'autre jusqu'au creux de ses cuisses.) Tellement de nuits pleines d'explosions comme des coups de tonnerre sur l'horizon. Mais je ne pensais qu'à toi. Toi. Nous. Ce que nous avions vécu ensemble. Ce que nous pourrions... ne plus jamais revivre.

— Pourquoi pensais-tu ça ?

— Parce que les explosions n'étaient pas des coups de tonnerre au loin, dit-il en abaissant son corps contre celui de Sam. Elles étaient réelles et elles étaient proches. Je n'ai jamais imaginé que je reviendrais. Et même si c'était le cas, je ne me suis jamais senti...

— Quoi ? l'interrogea-t-elle.

— Assez bien pour le chez-moi que tu m'offrais au travers de ton cœur et de ton corps.

Elle posa une main sur sa joue et laissa glisser l'autre sur son torse musculeux jusqu'à ce qu'elle se referme sur son érection.

— Tu es plus qu'assez bien, lui assura-t-elle. Bien plus.

Il se pencha et l'embrassa tandis que son doigt s'immisçait dans la fente humide entre ses jambes. Elle ouvrit la bouche afin qu'il puisse y plonger sa langue en rythme avec le mouvement de son doigt.

Les jambes de Sam s'écartèrent instinctivement comme les baisers de Zach descendaient le long de son corps, léchant les gouttelettes de sueur sur son ventre, mordillant son nombril. Il fit courir ses mains à la surface de sa peau puis les referma sur ses hanches, ses deux pouces tendus entre les jambes de Sam.

Il tourna la tête vers leurs vêtements humides.

— Si mon portefeuille a survécu... (Il tendit la main vers son jean et en sortit un portefeuille imbibé d'eau, à l'intérieur duquel se trouvait un préservatif.) On a de la chance.

Le corps de Sam bourdonnait toujours d'excitation, elle oscillait d'avant en arrière, ivre de désir, prête à l'accueillir. Il enfila la protection et se plaça au-dessus d'elle en la contemplant. Son visage était plus sombre que jamais, son expression sauvage tandis qu'il positionnait son corps pour pénétrer celui de Sam.

Il entra en elle, en équilibre sur ses bras, et soutint son regard pendant qu'il s'enfonçait, centimètre par centimètre, avec une insupportable lenteur. Elle sentit ses paupières se fermer d'elles-mêmes tandis que ses reins venaient à sa rencontre. Elle tendit les mains pour lui agripper le cou et l'attirer à elle, submergée par son désir de le sentir tout en elle.

— Viens... Viens à moi, réussit-elle à murmurer malgré son cerveau rendu chancelant par le bonheur qu'elle ressentait.

Il s'aplatit contre elle et elle embrassa sa bouche, sa joue, sa cicatrice, son œil manquant. Il se laissa faire. Il bougeait à présent avec abandon, emporté par les sensations qui ricochaient entre leurs corps. Un nouvel orgasme s'empara de Sam, remontant au creux de son ventre, mélange insoutenable de douleur et de plaisir. Elle s'accrocha aux épaules de Zach et se laissa aller à la jouissance. Elle eut à peine le temps de se détendre qu'une deuxième vague la frappa et l'emporta tandis qu'il allait et venait.

L'intensité de la réaction de Sam parut précipiter son plaisir à lui ; ses gémissements se firent plus graves, plus longs, de moins en moins maîtrisés, jusqu'à ce que son corps vibre de jouissance, tête renversée en arrière, bouche entrouverte, hors de tout contrôle.

— Zaccaria, murmura-t-elle. *Benvenuto a casa.*

Bienvenue chez toi.

— *Grazie, amore mio,* lui chuchota-t-il à l'oreille. *Sarò sempre al tuo fianco.*

Un frisson parcourut l'échine de Sam en entendant ces mots dans une langue étrangère et romantique.

— Qu'est-ce que tu as dit ?

— Chuuut...

Il se reposa contre elle, le souffle court. Les battements de son cœur étaient si forts, si réguliers qu'elle avait l'impression qu'il s'agissait du sien.

Vivi attendit suffisamment longtemps pour être en mesure de distinguer les ombres au sein du sous-sol, une cave divisée en deux par les escaliers et ne bénéficiant d'aucune lumière naturelle.

— Billy ? chuchota-t-elle en projetant sa voix. Vous êtes là ?

Un gémissement étouffé lui parvint depuis la gauche. Elle tenta de se lever mais une flèche de douleur remonta le long de sa jambe depuis la cheville. Foulée. *Merde*. Elle pourrait se lever et peser légèrement dessus mais risquait de déguster pendant un moment.

— Où êtes-vous ?

Un autre grognement. Sans se soucier de la douleur, elle se servit de la rampe pour se redresser et tendit la main pour se diriger à tâtons vers la source du bruit. Elle heurta un mur qui se dressait juste devant elle et tenta de se représenter mentalement la pièce. Puis elle fit un petit pas vers la gauche et ne trouva que le vide.

— Où ? Je n'y vois rien.

Le gémissement fut plus faible cette fois. Bon Dieu, qu'est-ce que ce type lui avait fait ? Et pourquoi ?

Elle boita en direction du bruit et perçut bientôt le bourdonnement discret d'un chauffe-eau. Sa main toucha une surface métallique, s'enfonça dans l'espace vide juste à côté et atterrit contre une peau chaude. Elle retira sa main avec un petit cri.

— C'est vous ?

— Mmmm.

Prudente, elle tendit de nouveau le bras dans ce qui semblait constituer un espace d'environ vingt-cinq centimètres entre une vieille chaudière à mazout et un chauffe-eau plus antique encore. Ses doigts touchèrent des cheveux courts et crépus, une épaule osseuse et un visage mal rasé avec un morceau de tissu fourré dans la bouche maintenu en place par du Scotch épais.

— Vous arrivez à respirer ?

— Mmmm.

Ce devait être un « oui », songea-t-elle en tâtant ses narines pour sentir l'air qui en sortait pendant qu'elle tentait d'arracher l'adhésif pour le libérer de son bâillon.

— Comment vous êtes entré là-dedans ? Non, laissez tomber, dit-elle en se rappelant qu'il était âgé. Conservez vos forces, je vais vous sortir de là.

Mais comment ? Elle fit courir ses mains le long des deux appareils, dont l'un devenait plus chaud au fur et à mesure qu'elle descendait, sans doute du fait de la présence d'une veilleuse. Elle ne vit aucune lumière avant d'arriver pratiquement au niveau du sol ; elle aperçut alors l'éclat bleu vacillant d'une flamme.

— Vous pourriez ressortir en vous plaquant contre la paroi ?

Billy s'affaissa un peu sur lui-même, ses forces clairement sapées. Bon Dieu. Toutes les chaudières à gaz rejetaient du monoxyde de carbone et, coincé dans ce minuscule espace, il inhalait sans doute des émanations qui se seraient normalement dispersées sans risque à travers la cave et les conduits de ventilation aménagés dans les murs ou le sol.

Elle passa de nouveau le bras entre les appareils et tenta de glisser ses doigts entre lui et le métal chaud pour trouver un moyen de l'extraire de là. Debout et en pleine possession de ses moyens, Billy aurait pu, en rentrant le ventre, entrer et sortir par l'interstice. Mais avachi, endormi et à moitié mort ? Impossible.

Pouvait-elle souffler la flamme de la veilleuse ? Cela ferait-il cesser les émanations ?

Vivi se remit à genoux et étrécit les yeux pour regarder à l'intérieur des fentes poussiéreuses et localiser la petite flamme bleue. Soufflant de toutes ses forces, elle parvint à la faire vaciller, mais elle était très loin de pouvoir l'éteindre.

— Il y a un interrupteur de sécurité quelque part ? demanda-t-elle. Les appareils de ce genre sont pas censés avoir un bouton d'arrêt d'urgence ?

— Je ne sais pas, murmura Billy.

Vivi se figea en entendant le bruit du verrou au sommet de l'escalier. Son ravisseur était de retour. Avec lenteur, Vivi se décala jusqu'à se trouver dos au chauffe-eau, prête à décocher un coup de pied dans les parties du type dès qu'elle sentirait sa présence. Les gonds de la porte grincèrent et un petit rayon de lumière traversa les marches de bois brut.

Après que l'homme eut refermé la porte derrière lui, Vivi retint son souffle, aussi immobile qu'une statue. Le ravisseur voulait sans doute bénéficier autant qu'elle de l'effet de surprise, ce qui expliquait pourquoi il maintenait les lieux dans l'obscurité. Sans un bruit, Vivi glissa la main dans l'ouverture entre les deux appareils et referma ses doigts sur l'épaule étroite de Billy, dans un geste rassurant.

Elle entendit des bruits de pas sur les marches. L'odeur caractéristique de l'essence lui parvint avant l'homme lui-même.

Son estomac se noua. Qu'est-ce qu'il mijotait ?

Elle s'éloigna tout doucement de la chaudière pour se faufiler silencieusement dans un coin.

Les pieds du ravisseur heurtaient les marches avec une lenteur délibérée, effrayante. Le cœur de Vivi battait si fort qu'elle craignait qu'il puisse l'entendre.

Elle replia sa jambe indemne et la leva pour pouvoir lancer un coup de pied. Forcée de s'appuyer sur sa cheville foulée, elle ne laissa pas échapper le moindre gémissement de douleur.

Il se dirigea vers la chaudière puis revint vers l'endroit où elle se trouvait.

— On a un problème, annonça-t-il.

Sa voix était si proche qu'elle sut qu'il était juste devant elle.

— Ça, tu l'as dit !

Elle balança son pied en avant et heurta quelque chose de dur. Une arme. Pendant une fraction de seconde, elle ferma simplement les yeux en attendant la détonation fatale, mais l'homme agrippa son pied et la fit tomber à terre. Puis il lui braqua le faisceau d'une lampe torche dans les yeux et Vivi fut aveuglée.

— Ne me cherche pas !

Elle clignait les paupières face à l'éclairage puissant de la lampe sans même distinguer l'ombre de l'homme qui la tenait.

— Qu'est-ce que vous me voulez ? Et je sais pas si vous savez, mais ce mec est en train de mourir à cause des émanations de monoxyde de carbone !

Il la frappa à la tempe avec la torche.

— On y va.

La douleur avait explosé sous son crâne mais elle parvint à se redresser, la lumière toujours dans les yeux.

— Écoutez, je ne sais pas ce que vous nous voulez, à Sam et à moi, mais pourquoi laisser ce type mourir ?

— Allez.

Aller où ? Elle avait cependant compris qu'il valait mieux ne pas poser la question.

— Il vient avec nous ?

— Non, juste toi et moi. S'il bouge, il meurt. (Il fit un pas en arrière, sans cesser de l'éblouir avec sa lampe.) Parce que là-haut…

L'espace d'une seconde, il tourna le rayon lumineux vers le sommet de la chaudière et elle le suivit automatiquement du regard. Puis la lumière revint dans son visage.

— C'est un bidon d'essence. Si notre ami Billy fait ne serait-ce que frôler la chaudière ou si quelqu'un descend ici pour tenter de le libérer, le bidon chutera et en l'espace de quelques secondes cet endroit tout entier explosera. Entendu, Billy ?

Celui-ci n'émit même pas une plainte. L'homme saisit Vivi par le col et la força à le suivre. Puis il la poussa vers les marches, un pistolet enfoncé au creux de ses reins.

— Monte. Tuer est mon métier, mignonne, alors ne joue pas à la plus maligne avec moi.

C'était exactement ce qu'elle avait l'intention de faire, mais elle attendrait patiemment le bon moment. Pour une raison ou une autre, il avait besoin d'elle. Tant que ce serait le cas, elle resterait en vie.

Ensuite, par contre...

— Billy ? lança-t-elle par-dessus son épaule. Vous allez vous en sortir, mon vieux.

Elle n'en croyait évidemment pas un mot.

— Billy ?

Silence.

21

— Billy...

Sam ouvrit les paupières, tirée d'un sommeil agité.

— En fait, mon nom c'est Zach.

Il était habillé et faisait le tour de leur petit espace.

— J'avais oublié Billy. Je me demande si Vivi a pu aller le voir.

— Je m'inquiète plus de savoir quand elle va arriver. Ça fait presque trois heures, dit-il en s'agenouillant devant elle. Il faut que je parte en reconnaissance. Ça irait si je te laissais seule pendant quelques minutes ?

Non.

— Bien sûr. Je te ralentirais si j'y allais avec toi, dit-elle en baissant les yeux vers son pied gonflé et endolori. Qu'est-ce que tu vas faire ?

— Évaluer les possibilités qui s'offrent à nous, c'est tout. (Il l'embrassa sur le front puis lui redressa le menton pour la regarder dans les yeux.) Je reviens très vite.

Après son départ, elle parvint à remettre ses vêtements encore humides et déchira la taie d'oreiller pour en faire des bandages improvisés pour son pied. Puis elle attendit, angoissée, le retour de Zach.

Lorsqu'il réapparut, il paraissait plus déterminé que jamais à quitter la grange.

— Notre ami est toujours chez lui, dit-il. Et il a eu la gentillesse de laisser la porte de son garage ouverte, avec deux véhicules à l'intérieur. Nous allons en emprunter un. (Il pointa du doigt le pied de Sam.) Tu peux peser un peu dessus ?

— Un peu. Pas beaucoup. (*Vraiment pas.*) Je ferai ce que j'aurai à faire.

Elle se leva, ravalant de justesse un petit cri de douleur. En une fraction de seconde, Zach passa son bras sous le sien.

— On va t'emmener jusqu'à la route et puis tu attendras à couvert pendant que j'irai chercher une voiture.

Chaque pas était une torture mais elle fit le trajet en s'appuyant sur Zach comme sur une béquille. Ils boitèrent ainsi à travers les bois, lesquels paraissaient encore plus sombres à présent, même si la pluie avait cessé. Une fois arrivés près de la route, il la guida vers un bosquet de pins et l'aida à s'allonger, en s'assurant qu'elle demeurait cachée.

— Je n'aime pas ça, maugréa-t-il.

— Il ne m'arrivera rien, Zach.

Il secoua la tête et scruta les alentours, tendu. Mais ils n'avaient clairement pas d'autre choix. Elle ne pourrait pas faire tout le chemin jusqu'à la maison. Et à la vitesse à laquelle elle se déplaçait, ils constitueraient des cibles faciles pendant un long moment.

— Je devrais guetter Vivi, de toute manière. Au cas où elle débarquerait.

— D'accord mais écoute-moi bien, Sam. Reste bien à couvert, d'accord ? Ne te lève pas, ne marche pas vers la route, ne viens pas me chercher. Je vais revenir.

Il fit mine de partir puis revint vers elle et s'accroupit pour qu'ils soient face à face.

— *Sarò sempre al tuo fianco*.

— Tu dois m'expliquer ce que ça veut dire.

— À mon retour.

Il déposa un autre baiser sur son front et s'en fut. Ses pas ne faisaient aucun bruit sur le lit de feuilles trempées de pluie et il disparut avant qu'elle n'ait eu le temps de reprendre son souffle.

Sarò sempre al tuo fianco. Ces paroles l'aidèrent à rester calme, le regard tourné vers le petit tronçon de route qu'elle pouvait voir. Elle demeura sans bouger, l'oreille tendue pour capter le moindre son. Mais tout était silencieux, même les feuillages ne bougeaient pas.

Reviens-moi vite, Zach.

Cette attente pénible de son retour lui était familière, mais cette fois quelque chose avait changé dans son cœur. Cette fois elle se fiait tout à fait à lui.

Elle tenta de compter les secondes, d'estimer combien de minutes s'étaient écoulées, et regretta de ne pas avoir de montre. Elle compta au moins cinq fois jusqu'à soixante avant que l'anxiété qui bourdonnait en elle commence à enfler de manière notable. Retourner à la maison n'aurait pas dû lui prendre autant de temps, si ? Peut-être que le propriétaire était dehors. Peut-être que Zach avait été obligé de négocier pour obtenir une voiture.

Il avait toutes les capacités requises pour atteindre son but. Et il l'attendrait. Peut-être avait-il réussi à pénétrer de nouveau dans la maison pour rappeler Vivi.

Elle compta jusqu'à soixante sept fois de plus, ou c'est du moins l'impression qu'elle eut. Sa peau la démangeait sous l'effet des vêtements à moitié sec et des débris accumulés lors de son immersion sous l'eau. Et de l'inquiétude. *Allez, Zach !*

Elle se redressa à genoux, en prenant garde de ne pas s'appuyer sur son pied blessé, et scruta la route dans l'espoir de l'apercevoir. De la direction opposée, elle entendit un rugissement de moteur. Elle recula un peu plus au milieu des branchages tandis qu'un 4 × 4 argenté se précipitait dans sa direction.

Le véhicule ralentit, comme si le conducteur cherchait quelque chose, forçant Sam à s'enfoncer plus encore au cœur de sa cachette. Le véhicule passa tout près, suffisamment pour qu'elle puisse regarder par la vitre ouverte du conducteur. En découvrant des cheveux noirs hérissés et un visage familier, Sam bondit en direction de la route. Elle agita follement les bras ; la joie et le soulagement l'emportaient sur le feu d'artifice de douleur dans son pied.

Vivi actionna les freins et croisa le regard de Sam, une expression indéchiffrable sur le visage. Sam franchit en boitant la distance qui la séparait du 4 × 4.

— Monte à l'arrière, dit Vivi.

Sa voix était étrangement tendue, paupières plissées et regard farouche.

Était-elle en colère d'avoir dû conduire jusqu'ici ? Ne comprenait-elle pas la gravité de la situation ? Sam saisit la poignée de la portière arrière pendant que Vivi refermait calmement sa vitre, le verre fumé la dissimulant à sa vue.

Sam ouvrit la portière à la volée et se précipita à l'intérieur.

— Vivi ! Tu ne peux pas sav...

Elle vit d'abord le pistolet, braqué droit sur elle, puis l'homme qui le tenait.

— Larry ? croassa-t-elle.

— Fais ce qu'il dit, Sam. Tuer est son métier, l'avertit Vivi.

Larry *l'avocat* ?

— Excellent conseil. (Il releva le canon de son arme, pointé vers la tête de Sam, et s'adressa à Vivi :) Une seule bêtise de ta part et Sam est morte.

Vivi n'y comprenait plus rien.

— Que... Pourquoi... ?

Les mots restaient coincés dans la gorge de Sam. Elle raffermit sa prise sur la poignée de la portière. Pourrait-elle sauter ?

— Appuie sur le champignon, ordonna-t-il. Fais demi-tour, direction l'autoroute. Tout de suite !

— Non ! s'écria Sam en regardant par-dessus l'épaule de Vivi dans la direction où était parti Zach. Il fallait au moins qu'il voie dans quel genre de voiture elle était montée.

Mais Larry tendit le bras et referma ses doigts autour de son cou. Il la plaqua au sol et lui appuya le canon de son arme sur la tempe.

— Je te jure que si tu ne démarres pas, je lui explose la tête.

Sam aurait voulu crier mais le métal dur et froid lui écrasait la tempe, vibrant de fureur. Elle perçut des effluves de sueur, de graisse et d'essence et ses entrailles parurent se liquéfier de terreur. Il suffisait qu'il bouge légèrement un doigt et...

Vivi appuya sur l'accélérateur et fit demi-tour.

— Plus vite !

Le véhicule bondit en avant dans un rugissement de moteur. Peut-être que Zach l'aurait entendu. Peut-être qu'il les suivrait. Ou peut-être qu'elle ne sortirait jamais vivante de cette voiture.

Quand le grondement haut perché d'un moteur rompit le silence qui régnait dans les bois, Zach s'immobilisa instantanément. Il était en train de fouiller le garage ouvert à la recherche d'une clé pour l'un ou l'autre des véhicules.

Il attendit, dressa l'oreille. Vivi était-elle arrivée ? Avait-elle récupéré Sam pour partir...

Dans la mauvaise direction. Le moteur vrombit de nouveau, plus fort et plus vite, et clairement à l'opposé de l'endroit où Zach se trouvait.

C'était quoi ce bordel ? Il n'avait que peu d'options. Faire irruption dans la maison et braquer le type pour récupérer ses clés ? C'était ce qui nécessiterait le moins de temps et d'explications. De l'autre côté de la porte de la cave, du rock'n'roll vieux de vingt ans sortait de minuscules haut-parleurs, ponctué par les grognements d'un homme en train de faire du sport.

Zach dégaina son arme et tourna sans bruit la poignée de la porte. Il se remémora l'agencement de la cave : si le type était installé sur son banc de musculation, il ne regarderait pas vers l'entrée.

Zach jeta un coup d'œil par la porte entrebâillée. Un homme âgé était assis sur son banc, torse nu, et soulevait des haltères en lui tournant le dos. Zach fit un pas dans la pièce et vit exactement ce qu'il cherchait sur une table à trois mètres de là. Des clés et un téléphone.

Il attendit que l'homme entame une nouvelle série pour entrer sans bruit, marcher sur la pointe des pieds jusqu'aux clés et s'en emparer en refermant bien ses doigts autour pour qu'elles ne tintent pas. Il glissa le mobile dans sa poche et ressortit avant que le vieil homme s'arrête après huit répétitions.

S'il démarrait l'un ou l'autre des voitures, le propriétaire appellerait les flics dans la minute qui suivrait. Zach examina les clés et les véhicules ; il opta pour la berline Lexus un peu ancienne plutôt que pour le robuste 4 × 4.

Une fois à l'intérieur, il mit le contact sans démarrer le moteur et plaça les vitesses au point mort. Il ressortit et poussa la berline hors du garage et aussi loin que possible dans l'allée avant de sauter à l'intérieur, de mettre le moteur en marche tout en remerciant les Japonais d'avoir construit une machine si discrète que son propriétaire était incapable de l'entendre – pas plus que les crissements du gravier – par-dessus sa musique.

Après avoir gagné la route, il rejoignit directement le bosquet où il avait laissé Sam et poussa une série de jurons. Elle n'était plus là !

Pourquoi serait-elle partie ? Était-elle retournée vers la grange ? Pourquoi ? Et si elle était avec Vivi, pourquoi ne pas être venues le chercher ?

Au sol, des traces de pneus récentes – des traces qui n'étaient pas là quelques minutes plus tôt – lui arrachèrent un nouveau juron sonore. La terrible réalité à laquelle il refusait de se confronter le submergea et il appuya sur l'accélérateur en tâchant de rassembler ses pensées.

De combien de temps disposait-il avant de se faire arrêter au volant de la voiture volée ? Obéissant à l'intuition qui l'avait gardé en vie des centaines de fois auparavant, il mit les gaz, monta à près de cent cinquante kilomètres/heure et parvint malgré tout à composer un numéro sur le téléphone qu'il venait de dérober.

Quand Marc décrocha, sa voix était circonspecte.

— Oui ?

— J'ai besoin de ton aide.

— Merde, où t'étais passé ? voulut savoir Marc. J'essaie de te joindre depuis...

— Sam a des ennuis. Quelqu'un l'a capturée.

Quel con il avait fait en la laissant seule.

— La mafia irlandaise, répondit Marc. Ou les flics de Boston. Et ce n'est pas pour l'escorter à une nouvelle séance d'identification.

— C'est exactement ce que je pense. Qu'est-ce que tu as appris ?

— J'ai eu un entretien surprenant avec Taylor Sly aujourd'hui.

— Le mannequin-prostituée ?

Zach arriva devant la bretelle d'accès à l'autoroute 495 et prit immédiatement sa décision : retour vers Boston.

La circulation était plutôt fluide sur la voie de gauche ; il se faufila parmi les rares voitures tout en écoutant Marc lui parler des documents qu'il avait reçus et qui affirmaient que Devyn Sterling était la fille illégitime du gangster Finn MacCauley.

Rien qui lui indique qui tenait Sam.

— Qu'est-ce que tu vas faire avec cette clé USB ? demanda-t-il à Marc.

— J'ai discuté avec un agent du bureau du FBI à Boston. Un mec bien, franc du collier. Sauf qu'il a fait la seule chose qu'un mec comme lui pouvait faire.

Zach savait ce qu'il allait dire.

— Il a contacté l'inspecteur en charge du meurtre de Sterling.

— Il était obligé, Zach. On parle d'une preuve concrète qui relie la victime à un tueur avéré et fournit potentiellement un mobile pour le meurtre de Sterling.

— Finn MacCauley est-il seulement en vie ?

— Je ne sais pas. Mais s'il l'est, il a sans doute encore de l'influence. Et il est toujours sur la liste des suspects les plus recherchés du FBI.

— Rien à foutre de ce fugitif, gronda Zach. Pour le moment, il n'y a qu'un truc qui m'intéresse.

Zach se retrouva derrière un 4 × 4 Highlander argenté qui ralentit au lieu de le laisser passer. *Crétin*. Zach le dépassa par la droite, sans parvenir à distinguer le conducteur derrière le verre fumé. Tous ceux dont les vitres n'étaient pas teintées héritaient au passage d'un regard scrutateur de sa part.

— Je ne vais pas pouvoir la retrouver tout seul.

— Vivi n'est pas avec toi ? demanda Marc.

À cette question, une vague d'inquiétude submergea Zach.

— Non. Je lui ai laissé un message il y a plusieurs heures.

— Merde, Zach. Elle aussi est introuvable. D'accord, j'ai une idée.

— Elle a intérêt à être bonne.

— Est-ce que Sam a son portable avec elle ? Je peux demander à JP de trianguler leurs deux téléphones pour savoir où elles sont.

— Son téléphone est tombé à l'eau. Et comment se fait-il que JP soit impliqué ?

— Il l'a été dès la naissance, répondit Marc avec brusquerie. Il est de la famille. Quand est-ce que le téléphone de Sam est tombé dans l'eau ?

— Quand on a été poussés d'un pont par un camion de produits frais.

— Bon Dieu.

— Écoute, appelle tous les gens que Vivi connaît et trouve à qui elle a emprunté une voiture. Si elle ne l'a pas fait, alors elle ne peut pas être loin vu qu'elle me cherche. Ensuite va chez Billy Hawkins à Roxbury. Hale Street. Sam y a envoyé Vivi aujourd'hui avant que ma voiture finisse au fond d'un réservoir d'eau.

— Pigé. Mais alors, qu'est-ce que tu conduis, là ?

— Une chouette Lexus volée.

Derrière lui, à un peu plus d'un kilomètre en arrière, il aperçut le gyrophare d'une voiture de police.

— Mais les représentants de l'ordre du Massachusetts sont après moi, reprit-il.

Et merde.

— À quelle distance ?

— Oh, ça y est il m'a vu.

Il envisagea brièvement d'essayer de distancer le flic mais décida que ce n'était pas un bon plan. Il appuya sur les freins et se déporta vers la bande d'arrêt d'urgence.

— Il est sur le point de toucher le gros lot. Pas de permis, pas de carte grise, pas de bandeau sur l'œil. Juste un flingue que je n'ai pas le droit de porter et une voiture que j'ai piquée.

— Je vais voir si je peux obtenir l'aide de JP sur l'autre ligne.

— Qu'est-ce qu'il pourrait faire ?

— Tu serais étonné de le découvrir si tu lui laissais une chance. Ne raccroche pas, essaie de gagner du temps.

Zach mit le téléphone sur haut-parleur avant de le poser sur le siège du passager pour s'emparer du Glock. Quand on ne vit plus que pour une chose et que celle-ci disparaît, on peut envoyer chier les règles. Et c'était ce qu'il était sur le point de faire. Il actionna la glissière de son arme et regarda le flic sortir de sa voiture.

Le policier se dirigea vers la Lexus mais son partenaire sortit la tête par la fenêtre pour l'appeler. Le flic fit signe à Zach de ne pas bouger et retourna jusqu'à son véhicule.

Zach les observait, son arme chargée et prête à tirer, le cœur battant toujours la chamade. Il attendit. Et attendit. Et attendit encore pendant vingt putains de minutes. Chaque voiture qui les dépassait provoquait en lui une souffrance.

Dépêche-toi, JP. Finalement, le flic revint vers lui en courant à petits pas.

— Monsieur Angelino ?

— Ouais.

— Nous allons vous escorter jusqu'à Boston.

— Merci, répondit Zach en maintenant son arme hors de vue.

Un autre véhicule de patrouille arriva depuis l'ouest, effectua un brusque demi-tour et vint s'arrêter devant eux dans un crissement de pneus.

— Allons-y. Restez entre nous.

Zach quittait la bande d'arrêt quand la voix de Marc se fit de nouveau entendre dans le haut-parleur.

— Ça va ? demanda-t-il.

— J'ai une escorte policière. Bien obligé d'admettre mon erreur.

— Ouais, mais il y a un truc, dit Marc. Ils t'escortent jusqu'au commissariat de South End.

— Quoi ? Pourquoi ?

— Contente-toi d'apprécier le fait de ne pas être menotté à l'arrière de l'une de ces voitures de patrouille, mon vieux. On se retrouve là-bas.

— Va voir chez Shawkins, lui rappela Zach.

— Ils ont envoyé quelqu'un, mais ils veulent que je leur raconte tout ce que Vivi m'a dit. Ils la cherchent, ainsi que Sam, Zach.

Pris en sandwich entre deux voitures de flics, Zach ne pouvait guère que conduire. Au moins allait-il dans la bonne direction. En tout cas il l'espérait.

22

Sam gardait les yeux fermés et ne bougeait pas. Elle tentait de déterminer où ils allaient à partir de la direction générale qu'ils suivaient, mais après que plusieurs voitures de police les eurent dépassés, toutes sirènes hurlantes, Larry força Vivi à quitter l'autoroute pour emprunter des chemins moins fréquentés. Toujours allongée sur les genoux du ravisseur, le canon d'une arme braquée sur sa tempe, Sam perdit tout sens de l'orientation.

Envolé également le sentiment d'assurance qui s'était rebâti au fil des derniers jours. Comment pouvait-elle avoir parlé avec cet homme – la nuit du meurtre et plus tard au commissariat – sans avoir conscience que c'était lui qui avait tiré sur Joshua Sterling ?

Elle voulut le regarder mais il lui maintenait fermement la tête avec le canon de son arme.

Comment avait-il fait le coup ce soir-là ? Est-ce qu'il lui avait parlé au bar – *flirté* avec elle, même – avant de changer ses vêtements et ses cheveux et de se glisser dans la cave à vin pour assassiner un chroniqueur local ? La porte de la ruelle derrière le restaurant avait été laissée ouverte, se souvint-elle. De quoi lui donner accès à la cave après avoir quitté le bar. Zach avait suivi exactement le même chemin ce matin même.

Le même Zach avait pointé le fait que « Larry » portait un postiche. Et le maquillage pouvait dissimuler les imperfections qu'elle avait vues sur sa peau.

Mais qui l'avait engagé ?

La peur intense qui avait envahi tout son corps effaça rapidement ces questions. Quelle importance ? Qui que puisse réellement être Larry l'avocat, il avait une arme pointée sur sa tête et les emmenait toutes les deux... quelque part.

— Nous retournons à Roxbury, dit-il à Vivi. Alors prends cette sortie.

À Roxbury ? Chez Billy ? Elle réussit à bouger sa tête d'un centimètre avant qu'il n'appuie un peu plus fort sur le canon du pistolet.

— Billy, souffla-t-elle. Est-ce qu'il est...

— Pas un mot, dit-il. Pas le moindre mot !

Le soupçon de folie dans sa voix faisait aussi peur à Sam que le pistolet. Mais elle le défia malgré tout.

— Pourquoi vous faites ça ? Je ne pourrais pas vous identifier. Je ne représente aucune menace pour vous.

— Tu es une taupe, tu dois être éliminée. Et j'ai un plan pour ça.

Une taupe ?

— Je ne vois pas de quoi vous parlez.

— Sam, j'ai déjà obtenu quelques réponses de sa part, intervint Vivi d'une voix étrangement calme. Il pense que tu as été envoyée au sous-sol spécialement pour être témoin du meurtre de Sterling. Histoire que le tueur ne puisse pas se faire payer.

— Non, c'est faux ! (Sam tenta de relever les yeux vers lui mais se cogna le crâne contre le pistolet.) J'étais là par hasard...

— Peu importe. Tu as vu ce qui s'est passé.

— Je... je n'ai pas vu à quoi vous ressembliez.

Mais cela pouvait-il l'aider ?

— Jamais je ne pourrais vous identifier, répéta-t-elle. Même maintenant, je ne vous ai pas vraiment vu.

Il toussa discrètement.

— Tant que tu es en vie, tu représentes une entrave à mes revenus. Une élève de Harvard comme toi devrait le comprendre.

Elle ne comprenait pas. Elle ne comprenait plus rien. Seulement qu'elle était sur le point de mourir, qu'elle ne reverrait plus Zach et qu'elle avait malheureusement entraîné Vivi et Billy dans son sillage. Elle n'avait plus rien à perdre, par contre. Elle se battrait pour sa vie. Et la leur. Dès qu'il ne la tiendrait plus à quelques millimètres de la mort.

— Passe par la route de derrière, ordonna-t-il. Celle par laquelle nous sommes partis.

— Billy va bien ?

— Non, répondit Vivi d'une voix où perçait le dégoût. Il respire du monoxyde de carbone, coincé près d'un seau plein d'essence au-dessus d'une chaudière dont la flamme de veilleuse est allumée.

Le cœur de Sam fit un bond dans sa poitrine et se brisa. Elle avait fait subir ça à Billy. Elle avait conduit le tueur jusqu'à lui, et il devait servir d'appât. Mais Larry avait capturé Vivi à sa place.

— Tourne ici ou je la tue.

Il s'exprimait d'une voix dénuée d'émotion.

— Pourquoi tu le fais pas ? lança Vivi. Sérieusement, mec, si tu veux la tuer, tu la tiens. Qu'est-ce que tu attends, merde ?

Sam était sous le choc, le souffle coupé. Elle lutta pour réprimer son instinct qui lui hurlait de dire à Vivi de se taire. Elle connaissait trop bien Vivi. Celle-ci avait un don pour soutirer les informations et Sam attendit en silence pour voir si cette tactique allait fonctionner. Si elles sortaient vivantes de cette situation, il fallait qu'elles sachent qui était leur véritable ennemi.

Si.

— J'aime faire les choses comme il faut, dit-il en réponse à la question de Vivi.

— Alors abats-nous toutes les deux, qu'on en finisse. Pourquoi tu fais ce détour par Roxbury ?

— Pour faire passer un message, pour éviter de laisser des indices et pour faire les choses correctement.

— Un message à qui ? demanda Vivi.

Il resta silencieux mais Sam sentit son corps se contracter et elle se crispa à son tour. *Ne t'énerve pas trop, Larry.* Pas assez pour appuyer sur la gâchette.

— Je n'aime pas qu'on m'emmerde, c'est tout.

— Ouais, d'accord, mais personne n'aime ça.

Vivi était d'un calme incroyable. Elle discutait tranquillement, comme si elles n'étaient pas prises en otage, juste trois amis roulant dans Boston.

— Ils auraient dû faire eux-mêmes le boulot s'ils ne voulaient pas payer, déclara-t-il finalement.

— Qui ça ?

— Ils n'auraient pas pu le faire correctement, pas un job de ce niveau, dit-il plus pour lui-même que pour elles. Ce sont des crétins, à essayer de te faire sortir de la route ou de te tirer dessus dans la rue. Un boulot bâclé, pas du tout professionnel. Crétins. Au moins ils ont eu l'intelligence de faire appel à un pro, mais ensuite il a fallu qu'ils se foutent de ma gueule en agissant de manière mesquine et en trichant. Je vais récupérer ma preuve, je vais récupérer mon argent et je vais foutre quelques-uns de ces connards en taule pour avoir fait sauter une baraque.

Sam retint difficilement un gémissement.

— La maison de Billy ?

— Après ça, ils ne déconneront plus jamais avec le Tsar. C'est bon, gare-toi ici sur cette colline. Garde la voiture orientée dans la même direction. (Il eut un rire mauvais.) Je connais un raccourci secret pour repartir.

La colline près de la maison de Billy. Seigneur, le réparateur de chez Sears, c'était lui. Zach et elle l'avaient tenu entre leurs mains et l'avaient laissé repartir. Elle l'avait regardé mais sans le reconnaître.

Cette idée était aussi douloureuse que le canon contre sa tempe.

— Tire le frein à main et laisse les clés sur le contact, ordonna-t-il. Et crois-moi : si tu fais quoi que ce soit qui ne me plaît pas, ta copine est morte.

Sam sentit que la voiture s'arrêtait, puis Vivi coupa le moteur.

— De qui tu parles ? demanda la journaliste d'une voix douce.

— De ces connards de flics de Boston, évidemment.

Il baissa les yeux vers Sam avant d'ajouter :

— Et c'est pour ça que je sais que tu es une taupe. Quel meilleur témoin auraient-ils pu utiliser que quelqu'un qu'ils adoreraient voir morte de toute façon ?

La première personne que vit Zach en entrant dans le commissariat de South End fut JP. Il était appuyé contre un mur, un gobelet de café à la main, en grande discussion avec un autre inspecteur.

Marc rejoignit Zach et lui posa une main sur l'épaule.

— O'Hara veut nous parler.

JP se détourna de sa conversation pour croiser le regard de Zach, avec un hochement de tête pour le saluer. Zach lui rendit la pareille avant de s'éloigner en compagnie de Marc.

— On a des nouvelles ? demanda-t-il. Tu as pu aller chez Shawkins ? Vivi a appelé ?

— Négatif pour l'un comme pour l'autre. Une patrouille est passée chez Shawkins et il n'y est pas. La maison est vide.

— Ils ont fouillé ?

— Pas sans mandat, répondit Marc. Mais j'ai parlé à l'agent qui s'est rendu là-bas et ils ont pris le temps de vérifier le périmètre. Il n'est pas chez lui et il n'y a personne dans la maison. Un juge devrait nous accorder un mandat de perquisition demain.

— Je n'ai pas besoin d'un putain de mandat, cracha presque Zach. Tu ne t'inquiètes pas pour Vivi ?

Et Sam. Où était Sam ?

— Bien sûr que si. Son patron dit qu'elle a loupé une réunion, ce qui n'est pas si étonnant. Mais elle ne répond pas à son téléphone et JP a découvert qu'elle ne s'en était pas servi depuis que je l'ai laissée en ville ce matin. Ils ne l'ont pas encore localisé.

Les cousins échangèrent un regard en voyant arriver les deux inspecteurs. Les policiers avaient ôté leurs vestes et leurs armes étaient visibles. La cravate de Ron Larkin était de travers mais la mise d'O'Hara était aussi impeccable que s'il venait d'arriver au bureau.

— Messieurs, dit-il en leur tendant la main. Nous aimerions revenir sur certains faits avec vous.

Zach lui rentra dedans immédiatement. Il se fichait d'être couvert de boue séchée, du fait que ses cicatrices soient parfaitement visibles et qu'on ne lui ait rien demandé.

— Je vais vous dire les choses que vous avez besoin de savoir, inspecteur. Samantha Fairchild a été enlevée il y a environ une heure, peu de temps après qu'un poids lourd l'a suivie à la trace jusqu'au cœur de l'État et a tenté de nous tuer tous les deux. C'est votre boulot de la retrouver et si vous ne le faites pas, moi je le ferai. Et je me fous de savoir quelles lois je devrai enfreindre et combien de nuques j'aurai à briser pour y parvenir.

— Un mot de plus et je vous arrête pour menace envers un officier de police.

Zach serra les poings mais Marc l'attrapa par l'épaule.

— Écoute ce qu'il a à dire, Zach. Et obtiens des infos supplémentaires. Où est-ce que tu veux aller ? Ils ont peut-être des indices.

Le sang de Zach bouillait dans ses veines, tout son être n'avait qu'une hâte : se tirer d'ici et foncer… quelque part. N'importe où sauf dans ce commissariat. O'Hara ouvrit la porte d'un bureau et leur fit signe de le suivre. Mais l'autre inspecteur, Larkin, resta en arrière et posa une main sur le bras de Zach.

— Écoutez, je suis plus ou moins le seul dans ce cas, mais je l'aime bien, votre Sam. Et je pense qu'elle est traitée injustement. L'un des flics qui ont perdu leur boulot à cause d'elle était un ami d'O'Hara. Alors vous n'arriverez nulle part en l'énervant. Mais moi je voudrais aider Sam. Vous avez une idée de l'endroit où elle pourrait se trouver ? J'enverrai quelqu'un.

— Inspecteur ! lança sèchement O'Hara. Fermez la porte, je vais m'occuper de ça tout seul.

Larkin gratifia son partenaire d'un bref coup d'œil et Zach d'un haussement d'épaules sans conviction avant de sortir en claquant la porte. À l'intérieur, O'Hara s'était assis à une table et cliquait sur un ordinateur portable tout en assaillant Marc de questions.

— Mme Sly a-t-elle indiqué pourquoi elle avait remis ces fichiers informatiques à votre cousine plutôt qu'à la police ?

— Elle a dit qu'elle ne faisait pas confiance à la police, répondit Marc.

Zach resta debout, en réfléchissant à ce qui se passerait s'il sortait retrouver Larkin pour accepter l'aide qu'il lui proposait.

— A-t-elle mentionné l'existence de copies des fichiers ?

— Bon Dieu, inspecteur, quelle différence ça fait ? s'exclama Zach. Ce qu'ils contiennent révèle que le vieux qui dirigeait autrefois la pègre irlandaise est le père de l'épouse de la victime. Où est-ce qu'elle est, elle ?

— Sous surveillance.

De minuscules taches de colère rouge explosèrent derrière les yeux de Zach, sur l'intact comme sur le manquant.

— Vous la protégez elle, mais pas Sam Fairchild ?

— J'ai parlé de *surveillance*, monsieur Angelino, pas de protection policière. Parce que nous la considérons comme une personne à surveiller, voire même une suspecte. Pas un témoin connu pour ses identifications erronées.

Zach referma le poing mais, au même moment, une femme entra dans le bureau pour réclamer l'attention d'O'Hara.

— Nous avons une déclaration d'homicide qui devrait vous intéresser, inspecteur O'Hara.

Le poing de Zach se desserra. Son corps était soudain comme anesthésié, la poussée d'adrénaline qui venait de le traverser se changea en une gangue de glace brûlante au creux de sa poitrine. Il avait l'impression d'étouffer, de s'étrangler.

Une déclaration d'homicide.

Sam. Bon Dieu, non, pas Sam !

— De quoi s'agit-il ? demanda O'Hara en sortant dans le couloir pour lui parler.

Zach se rapprocha de la porte, oreille tendue, pour capter une partie des propos de la femme.

— Victime est de sexe féminin... de celle de Charlestown... balle dans la tête. Le véhicule au nom de...

Le reste de ses paroles échappa à Zach en même temps que son univers tout entier.

Son monde, son cœur, sa vie. Envolés. Pas Sam. Par pitié, pas alors qu'il venait à peine de la retrouver.

Et, par tous les saints, pas Vivi.

Il resta debout derrière une chaise, ses doigts crispés sur le cuir, la mâchoire tellement serrée que ses dents atteignaient le point de rupture.

O'Hara revint dans la pièce, calme et détendu. Il pointa deux doigts sur Zach et Marc.

— Restez ici jusqu'à mon retour. L'inspecteur Larkin va fermer le bureau, histoire que personne ne touche à cet ordinateur.

Il fit mine de sortir mais Zach le saisit par la manche pour l'obliger à se retourner.

— Qui est-ce ?

— Son identité n'a pas été confirmée.

Le sang de Zach ne fit qu'un tour, au bord de l'explosion. Ses doigts se refermèrent sur le tissu de la chemise du flic.

— Qui ? cracha-t-il, les narines palpitantes.

O'Hara se contenta de le dévisager puis libéra son bras.

— Il semblerait que Taylor Sly soit morte, monsieur Angelino. Donc cette petite clé USB, là, constitue effectivement la clé d'un meurtre, peut-être même plus.

Le soulagement avait envahi Zach. Taylor Sly, pas Samantha Fairchild.

Il n'en avait pas moins envie de foncer sur le quai de Charlestown pour voir la victime et vérifier les propos du flic. Il s'écarta d'O'Hara avec un hochement de tête empreint de gratitude. Marc lui fit signe de sortir avec lui dans le couloir.

— J'ai entendu, dit-il à mi-voix. Sly a été tuée.

— Apparemment.

JP les rejoignit d'un pas rapide.

— Venez par là, faut qu'on parle, dit-il en les guidant vers le côté opposé du hall.

Les trois hommes se réunirent devant la grande fenêtre qui surplombait le parking. Par-dessus l'épaule de JP, Zach aperçut Larkin qui retournait dans le bureau censé être fermé à clé.

— J'ai quelqu'un qui s'occupe de repérer le téléphone de Vivi, dit JP à voix basse. On n'est pas censé faire ça mais je me suis dit qu'au point où on en était, on pouvait bien enfreindre une ou deux règles de plus.

Il plongea son regard dans celui de Zach.

— Pas de nouvelles de Sam ?

— Non.

Zach reporta son attention sur le parking et vit passer un homme à la démarche décidée. Le type lui disait quelque chose. Keenan Kennedy, le chef de salle de *Chez Paupiette*. Que venait-il faire là ? Il discuta quelques instants au téléphone puis raccrocha pour se diriger vers une petite voiture garée sur le parking.

Pile au même moment, l'inspecteur Larkin ressortit du bureau qu'ils occupaient quelques instants plus tôt en terminant lui aussi un appel. Et l'instinct de Zach s'emballa comme un moteur de dragster.

— Viens, on y va, dit-il à Marc.

— Où ça ? voulut savoir JP.

— Juste... (Zach le regarda puis hocha la tête pour inclure JP.) Toi aussi.

Ils prirent l'ascenseur et atteignirent le rez-de-chaussée avant Larkin. Ils sortirent par une porte latérale et montèrent dans l'énorme F150 de JP.

— Gare-toi au coin de la rue et voyons où il va aller, dit Zach après leur avoir expliqué qui était Keegan Kennedy.

Celui-ci conduisit sa petite Prius blanche de l'autre côté du commissariat, d'où émergea Larkin, qui fit le tour pour s'installer sur le siège passager.

— Regardez-moi ça. Voilà un drôle de tandem, commenta Marc.

— Suivons-les, dit Zach à JP. Ils vont peut-être à Charlestown.

Mais, après deux changements de direction, il fut évident qu'ils n'allaient pas du tout dans cette direction. Zach devait prendre une décision ; il choisit d'écouter son instinct.

— Reste derrière eux, JP. Je veux savoir où ils vont ensemble, et pourquoi.

Sans chercher à discuter, JP descendit Mass Avenue, en restant loin derrière la Prius mais sans la perdre de vue, jusqu'à ce qu'elle tourne sur St Botolph Street.

— *Chez Paupiette*, souffla Zach.

— Donc, la question n'est pas de savoir pourquoi Kennedy se rend au boulot avec Larkin, mais pourquoi Larkin accompagne Kennedy à son boulot ? demanda Marc.

— Ce n'est pas du boulot, le corrigea Zach. Le restaurant est fermé le mardi.

Le bâtiment de grès brun au coin de la rue était effectivement désert et plongé dans le noir. JP longea le trottoir et ralentit au niveau de la ruelle, juste au moment où Keegan et Larkin s'avançaient vers l'entrée des cuisines, invisibles depuis la position de Zach.

— Je sais comment descendre dans la cave, dit-il. Et il se trouve que j'ai pris soin d'empêcher la porte de se refermer derrière moi en sortant par là ce matin.

Marc se tourna vers lui.

— Tu nous réserves ton lot de surprises aujourd'hui.

— Allons-y, dit JP.

Ils se garèrent non loin de là, se faufilèrent dans la ruelle, descendirent les trois marches menant à l'entrée du sous-sol et y pénétrèrent directement.

Le couloir était aussi obscur que plus tôt dans la matinée, silencieux à l'exception des bruits de pas provenant de l'étage. Armes dégainées, ils progressèrent vers les escaliers en prenant soin de raser les murs et de rester dans l'ombre. Ils ne communiquaient plus que par gestes et échanges de regards.

Des voix leur parvenaient depuis les cuisines, étouffées par la distance et la porte en haut des marches mais assez fortes et graves pour que Zach reconnaisse le rythme d'une conversation entre au moins trois ou quatre hommes.

JP et Marc se placèrent chacun d'un côté du bas des marches tandis que Zach, toujours sans sa chaussure, les gravissait silencieusement.

— Messieurs, nous avons beaucoup de choses à fêter, annonça quelqu'un.

S'agissait-il de Keegan Kennedy ? Zach n'en était pas sûr. Il se rapprocha de la porte pour écouter.

— Tout d'abord, Joshua Sterling est mort, ce qui signifie que nous avons accompli notre mission la plus importante.

— Bien dit ! Bravo !

Des verres tintèrent au milieu de rires masculins et d'échanges inintelligibles.

— Plus important encore, notre chef est présumé décédé, ce qui sert parfaitement nos plans et nous permet d'amasser les profits sans craindre les complications.

C'était, sans aucun doute possible, la voix de l'inspecteur Larkin.

JP se rapprocha derrière Zach et lui donna un petit coup de coude.

— Leur chef est présumé mort ? demanda-t-il dans un murmure discret, son regard luisant comme celui d'un chasseur prêt à s'abattre sur sa proie. Tu sais de qui il s'agit ?

Sans doute Finn MacCauley. Pas étonnant que JP ait l'air surexcité. Si un criminel aussi célèbre que MacCauley était arrêté, la carrière de JP serait assurée. Il deviendrait un héros local. Sans parler du fait qu'il pourrait coffrer l'un des inspecteurs chargés de l'enquête sur le meurtre de Sterling en tant que complice.

Zach reporta toute son attention sur les voix derrière la porte.

JP pouvait récolter gloire et célébrité, ça n'avait aucune importance. Tout ce qui comptait était de retrouver Sam et s'il n'entendait pas rapidement quelque chose ressemblant à une réponse, il se tirerait d'ici.

— Elle sera là dans une minute, dit l'un des hommes.

Zach ressentit une petite décharge en entendant ce pronom. *Qui* serait là dans une minute ?

— Et il faut que ce soit bien fait, messieurs, déclara Keegan Kennedy. Exactement comme prévu. Elle doit mourir, rapidement et proprement. Après quoi, toutes les preuves devront être éliminées, sauf celles qui incriminent notre ami Levon Czarnecki.

Zach et ses cousins échangèrent un regard. Qui était ce Levon Czarnecki ?

— Ce type est un dingue, dit Larkin. Vous en avez conscience, pas vrai ?

Un autre homme se mit à rire.

— Un dingue et un vrai caméléon. De toute façon, Hanrahan a fait le boulot donc Czarnecki peut toujours nous coller un procès.

Ces paroles déclenchèrent un grand éclat de rire, mais Zach fronça les sourcils en entendant ce nom. Hanrahan. Les produits frais Hanrahan… le camion qui les avait poussés dans l'eau.

— Tout ça n'était pas très discret, fit remarquer un autre homme à la voix beaucoup plus âgée. On s'y prenait différemment dans le temps.

— On s'en fout du bon vieux temps, dit quelqu'un d'autre. Les choses ont changé, le vieux.

Zach pouvait lire les pensées de JP aussi clairement que si son cousin les avait exprimées à haute voix. S'il s'agissait de Finn MacCauley, il allait lui mettre le grappin dessus.

Soudain, la porte de la ruelle claqua dans leur dos.

— Elle est là, dit l'un des hommes. Tenez-vous prêt. Dès qu'elle entre, Keegan lui tire dessus depuis ce coin.

Dans l'escalier, les trois hommes échangèrent un nouveau regard tandis que des bruits de pas retentissaient dans le couloir. Au bas des marches, Marc s'avança pour voir de qui il s'agissait.

— Si j'étais vous, je ne monterais pas, madame Sly.

Mme Sly ?

Notre chef est présumé décédé.

Une femme fit son apparition. Elle s'arrêta en voyant l'arme de Marc mais redressa le menton, guère impressionnée.

— Faites le moindre bruit et ils vous tueront, vous savez, dit-elle.

— Alors c'est vous, leur chef ?

Elle inclina la tête sur le côté avec un long soupir.

— Pourquoi faites-vous ça ?

— Pourquoi moi je fais ça ? s'amusa Marc. C'est vous qui êtes sur le point d'être abattue par... ces types, qui qu'ils puissent être.

— Ces hommes travaillent pour moi, rétorqua-t-elle. Et vous vous trompez lourdement si vous vous imaginez qu'ils oseraient me faire quoi que ce soit. Je suis le cerveau d'une opération qu'ils ont vainement tenté de mettre en place depuis des années. Qui d'autre aurait eu l'intelligence de mettre le meurtre de Joshua Sterling sur le compte de Finn MacCauley ? Et vous auriez pu exploiter cette piste. Votre cousine et vous seriez de grands héros.

— Reculez, ordonna Marc en désignant le couloir du bout de son arme.

— Ne soyez pas aussi bête que Sterling. Souvenez-vous de ce qui lui est arrivé.

Levant les yeux vers les marches, elle vit JP et Zach mais ne réagit pas à leur présence.

— Voyons, vous êtes italien, continua-t-elle. Nous ne sommes qu'une version irlandaise de votre mafia. Un prêté pour un rendu. Je vous ai donné l'info qui vous assurera une belle carrière : exploitez-la et j'oublierai que je vous ai vu.

Zach descendit de quelques marches, assez proche pour qu'elle puisse le voir de près. Elle écarquilla les yeux.

— Vous étiez censé avoir été tué aujourd'hui, dit-elle.

Il se pencha vers elle, son nez à quelques centimètres du sien afin d'exploiter tout le potentiel de sa monstrueuse cicatrice.

— Vous aussi.

Elle sourit.

— Il a fallu sacrifier l'une de mes filles. Et, bien entendu, j'ai des contacts partout, donc ma mort sera confirmée. Mais la vôtre ?

Zach la fit taire en relevant son arme. Il était si près d'appuyer sur la gâchette que c'en était effrayant.

— Où est-elle ?

Taylor Sly eut un mouvement de recul ; pour la première fois, elle laissait voir un peu de crainte.

— Je la croyais au fond d'un lac quelque part dans l'ouest du Massachussetts. Si ce n'est pas le cas, je n'en ai aucune idée, dit-elle. J'imagine qu'il a dû trouver le moyen de s'emparer d'elle.

Qui était ce *il* ? Et comment avait-il incité Sam à monter dans une voiture ?

— Zach.

Derrière lui, JP lui tendait son téléphone afin qu'il puisse lire le message affiché à l'écran.

Emplacement téléphone V. Angelino : Roxbury.

Sam ne serait pas montée dans le véhicule d'un inconnu, mais avec Vivi, oui. Elles se trouvaient toutes les deux à Roxbury... en compagnie d'un tueur professionnel.

— Je me tire.

Zach se dirigea vers la porte au fond du couloir mais JP le suivit.

— Ne fais pas ça, dit-il. On va avoir besoin de toi.

— C'est Sam qui a besoin de moi.

— Hé !

La porte au sommet de l'escalier s'ouvrit à la volée. Les trois hommes réagirent en bondissant hors de vue, ne laissant que la femme debout au bas des marches.

— Keegan, nous avons un problème, annonça-t-elle avec calme.

— En effet.

Une détonation ponctua ses paroles. La balle atteignit Taylor en plein cœur.

Un bruit de cavalcade dans les escaliers fut tout ce qu'ils eurent besoin d'entendre. Les trois cousins repartirent à toutes jambes dans le couloir. Ils ouvrirent brusquement la porte et parvinrent à sortir juste avant que des balles viennent ricocher sur le métal derrière eux. Ils s'enfuirent en courant vers la gauche. Marc les conduisit à l'intérieur d'un petit immeuble de bureaux dont ils grimpèrent l'escalier en bois étroit jusqu'au premier étage.

Ils s'aplatirent contre un mur. Au dehors, des bruits de course se firent entendre sur le trottoir, suivis d'un cri. Personne n'entra dans l'immeuble mais ce n'était qu'une question de temps.

JP était déjà au téléphone pour trouver des renforts.

— L'immeuble fait la longueur de la ruelle, dit Marc. On redescend au rez-de-chaussée et on prend la porte opposée.

— Allons-y, dit Zach.

Mais JP l'agrippa par le bras.

— Pas question ! Tu sais qui c'est ? Est-ce que tu...

— Oui, je sais. Il est à toi. Et Larkin. Et Kennedy. Mets donc toute la bande au menu de ton prochain gueuleton et de la promotion qui va avec. Mais moi je vais chercher Sam et Vivi.

— Tu n'es même pas sûr qu'elles soient là-bas, gronda JP. On a besoin de toi, d'une vraie force de frappe. Il nous faut au moins trois hommes qui savent ce qu'ils font avant que les renforts se pointent. Ne t'avise pas de partir, Zach. Tu ne sais même pas où elle est.

Mais il le savait. Au fond de ses tripes, il le savait.

Un vrai putain de déjà-vu. Il était prêt à abandonner ses hommes pour suivre son intuition, prêt à abandonner son poste en écoutant son instinct, prêt à prendre un risque aux retombées énormes.

Mais s'il ne le faisait pas et perdait les deux seules femmes qu'il ait jamais aimées, l'une auprès de qui il était né et l'autre auprès de qui il avait l'intention de mourir... quel genre d'homme serait-il ?

— Tu ne peux pas partir ! insista JP, l'air furieux. Tu ne sais pas où elle est, où tu vas et ce que tu vas trouver. On a besoin que tu restes jusqu'à l'arrivée des renforts.

Tu vas te faire flinguer en voulant jouer les héros, c'est tout ce que tu vas gagner.

Quelqu'un remonta la rue en courant.

— Ils sont en train de nous encercler, dit Marc.

Quitter les lieux allait vite devenir impossible. Zach devait soit partir tout de suite, soit en affronter les conséquences.

23

Sam et Vivi échangèrent un regard silencieux. Conscientes qu'une seule pression sur la gâchette signifierait la mort, elles n'osèrent pas dire un mot pendant que leur ravisseur les escortait jusqu'à la maison de Billy. Une fois à l'intérieur, Sam se prépara au pire ; les paroles de Vivi résonnaient toujours dans son esprit.

Il respire du monoxyde de carbone, coincé près d'un seau plein d'essence au-dessus d'une chaudière dont la flamme de veilleuse est allumée.

Qu'allait-elle découvrir ? Billy, blessé. Billy, attaché et bâillonné. Billy, sur le point de mourir. Combien de fois serait-elle encore la cause des souffrances de cet homme ?

Larry la poussa dans l'entrée de la maison et vers la porte du sous-sol, qu'il ordonna à Vivi d'ouvrir. Quand celle-ci obtempéra, il émana de la salle en contrebas une odeur d'essence qui retourna l'estomac de Sam et emplit son cœur de terreur.

— Billy ? appela-t-elle sans se soucier de ce que dirait l'homme qui tenait une arme dans son dos.

Pas de réponse.

— Si vous lui avez fait du mal, je jure devant…

Le pistolet lui rentra dans les côtes.

— Comme j'aimerais que tu me manifestes la même compassion, Samantha. Mais alors tu ne reconnaîtrais pas en moi l'homme que tu as vu dans la cave à vin ce soir-là, n'est-ce pas ? (Elle secoua la tête.) Bien sûr que non. Mais quelle ironie de penser que nous nous sommes parlés au bar et qu'ensuite c'est toi qu'ils ont envoyée.

— Personne ne m'a envoyée, répondit Sam.

— Je dois dire que c'était un choix inspiré. Les flics ne te protégeraient pas et de toute façon personne ne te croirait.

Un gémissement leur parvint depuis un coin sombre au fond à gauche de la cave. Billy était vivant ! Instinctivement, Sam fit un pas dans sa direction mais un bras se referma autour de son cou et la tira en arrière.

— Bouge ! ordonna-t-il en la rapprochant de Vivi. Toi, par ici. Assieds-toi sur cette caisse.

Vivi fit ce qu'il demandait. Elle se déplaçait lentement, sans doute pour gagner du temps et réfléchir à un moyen de les tirer de là. Elle pensait exactement la même chose que Sam : tant qu'elles étaient en vie, elles avaient une chance. Elles étaient deux, il était seul. Son arme était son unique avantage. Si l'une d'entre elles pouvait s'emparer du pistolet, elles seraient sauvées.

Mais il le maniait avec habileté ; c'était de toute évidence un expert en la matière.

Sam scruta l'obscurité des yeux à la recherche des deux appareils métalliques dans le coin.

— Billy ?

Il y eut un nouveau gémissement. Il était bien là, piégé dans un espace minuscule mais toujours en vie. Elle plissa les yeux, discernant avec difficulté une silhouette avachie au milieu des ombres.

— S'il vous plaît, dit-elle en se tournant vers le ravisseur. Laissez-moi lui dire au revoir, je vous en prie.

— Oh, pour l'amour de Dieu, la ferme ! Tu penses que c'est ton ami ? Il te déteste pour ce que tu lui as fait.

Billy émit une sorte de grognement mais quelque chose se réveilla dans les tripes de Sam.

De la haine. Un désir de vengeance. Une envie de faire couler le sang. Le sang de ce salopard de *Larry*. La sensation s'empara d'elle, tellement nouvelle, tellement réelle, tellement... mortelle.

Attendez un peu qu'elle raconte à Zach ce qu'elle avait ressenti.

À cette pensée, une autre sensation la traversa. Aussi puissante, aussi profonde, aussi réelle que la haine qu'elle ressentait pour l'homme sur le point de la tuer.

Elle avait encore trop de choses à vivre. Beaucoup trop de choses. Elle vivrait pour pouvoir aimer Zach Angelino. Il le fallait. Rien ni personne ne pourrait l'en empêcher.

Son regard trouva celui de Vivi, dont les yeux d'un noir de jais brillaient de la même passion. Elles étaient connectées, comme si des étincelles jaillissaient entre elles pour former un lien invisible les rattachant l'une à l'autre.

— En face d'elle ! ordonna Larry.

Il poussa violemment Sam, qui tomba à genoux sur le sol de béton. Elle faillit se plier en deux de douleur. Il s'agenouilla près d'elle et, de sa main libre, plongea la main dans sa poche pour en sortir un téléphone. Le BlackBerry de Vivi, comprit Sam en avisant l'autocollant Airwalk sur la coque.

— Un dernier appel ? demanda Vivi sur un ton sarcastique.

Il se contenta de sourire puis lui tendit l'appareil en appuyant sur un bouton.

— Une dernière vidéo. Dis ton nom. (Elle pinça les lèvres.) Dis ton putain de nom.

Vivi haussa un sourcil et soutint son regard.

Il enfonça son arme dans le ventre de Sam avec une telle force qu'elle eut un hoquet de douleur. Elle ferma les yeux et attendit la détonation.

— Vivi Angelino !

— Merci. Où tu habites ? (La voyant hésiter, il se pencha un peu plus vers Sam.) Tu veux vraiment qu'elle meure, c'est ça ?

— Brookline.

— Où vivent tes parents ?

Vivi écarquilla les yeux de désarroi.

— Ils sont morts.

— Des frères et sœurs ?

Elle échangea un regard avec Sam qui opina du chef. Ce type allait payer pour ça.

— Un frère.

— Les gens qui vont recevoir cette vidéo s'assureront que tous les membres de ta famille meurent d'une mort longue et atroce si tu ne fais pas les choses comme il faut. Maintenant, prends la caméra.

Il lui tendit le téléphone.

Vivi pouvait-elle se servir du BlackBerry comme d'une arme improvisée ? Sam lui lança un regard intense pour tenter de faire passer l'idée mais Vivi referma des doigts hésitants sur l'appareil, les yeux tournés vers le pistolet plaqué contre le flanc de son amie.

— Tourne-le vers toi, dit-il en détachant bien les mots comme s'il s'adressait à une enfant. Assure-toi de nous avoir Sam et moi dans l'image. Compris ? Bien. Maintenant, regarde-moi, Sam.

De sa main libre, il retira lentement sa perruque blonde, révélant des cheveux bruns courts maintenus par un filet en dessous. Il retira ses lunettes puis enfonça ses ongles dans la chair de son visage pour arracher quelque chose qui ressemblait à un masque gélatineux. La peau grêlée dont Sam se souvenait si bien apparut en dessous.

— Alors, dis-moi, Sam : suis-je l'homme que tu as vu tuer Joshua Sterling ?

Il la regardait droit dans les yeux. Elle détourna le regard, refusant de croiser le sien. À la périphérie de son champ de vision, elle vit Vivi appuyer discrètement sur les touches de son téléphone.

— Non, dit Sam.

Elle se tourna vers lui pour être certaine de maintenir son attention à l'écart de Vivi qui devait sans doute appeler les secours. Mais les flics viendraient-ils à sa rescousse ?

— Non ?

— Il n'avait pas les yeux marron.

De colère, il étrécit les yeux en question ; Sam jeta un bref regard à Vivi. Du coin de l'œil, elle la vit appuyer sur une dernière touche. Puis Vivi frappa, un coup de pied rapide et puissant qui écarta le pistolet loin de Sam.

Larry ramena son bras en avant mais Sam s'écarta et lui décocha un coup-de-poing juste sous le nez tandis que Vivi l'atteignait au bas-ventre.

Il bascula en arrière et toutes les deux se redressèrent pour lui bondir dessus. Il tenait son arme d'une main tremblante, son visage déformé par la douleur. La détonation sèche fut si forte qu'on aurait cru une explosion.

Sam eut l'impression d'avoir reçu un coup sur la tête. Vivi gémit et se figea en plein coup de pied. Sam pivota vers elle et découvrit l'expression d'horreur de son amie, ses doigts plaqués sur son estomac et le sang qui déjà s'en déversait.

— Vivi !

— On ne bouge plus !

Il avait retrouvé son équilibre et se tenait debout, le pistolet toujours en main.

Sam tomba à genoux près de Vivi dont le visage pâlissait aussi vite que le sang s'écoulait sous ses mains.

— Elle va mourir ! s'écria-t-elle.

— Et toi aussi.

Ils étaient piégés. Quelqu'un montait l'escalier donnant sur la façade. Marc se dissimula au sommet des marches tandis que JP et Zach empruntaient silencieusement le couloir menant aux escaliers de derrière.

Au moment où ils perdirent Marc de vue, un coup de feu retentit.

La porte de l'un des bureaux s'ouvrit et une femme poussa un cri de terreur.

— Reculez, baissez-vous ! lança la voix de Marc. Police !

Zach passa devant JP et dévala les marches, le dos au mur, pistolet brandi. Il entendit du bruit derrière la porte donnant sur la ruelle et se cacha au cas où elle se serait ouverte vers lui.

Il releva les yeux vers JP, posté sur le palier en haut des marches, et hocha la tête, prêt à abattre quiconque s'apprêtait à entrer.

Mais personne ne le fit.

Zach et JP se regardèrent et attendirent. Tout était silencieux, jusqu'à ce que retentisse le bourdonnement du téléphone de JP.

— Vas-y, chuchota Zach.

Il pouvait s'agir d'informations ou de...

— Vivi, dit JP les yeux baissés sur son téléphone. Ça vient de Vivi. C'est une photo. Il les tient toutes les deux...

— Donne-moi tes clés ! ordonna Zach.

— Zach, arrête.

— JP, je t'en prie, supplia Zach. Elle est tout ce qui a pu un jour compter pour moi. Je t'en *prie*.

JP ouvrit la bouche comme pour argumenter mais s'interrompit. Il plongea la main dans sa poche puis lança les clés à Zach. Celui-ci saisit la poignée de la porte et l'ouvrit d'un coup, pivotant de gauche à droite, prêt à tuer. La ruelle était déserte. Il se mit à courir en direction de la camionnette en contournant une benne à ordures.

Une balle passa en sifflant près de sa tête. Il se baissa et roula sur lui-même pour se mettre à couvert derrière la benne, en attendant le coup de feu suivant.

Qui n'arriva pas.

Mais le claquement familier d'une glissière de revolver se fit entendre dans son dos.

— Lâchez ça.

Merde. Il ne lâcha pas son arme mais se releva avec lenteur, les doigts toujours resserrés sur la crosse de son pistolet, et abaissant lentement les bras le long de ses flancs.

— Lâchez votre arme et posez les mains sur la benne à ordures, monsieur Angelino. Vous êtes en état d'arrestation.

C'était la voix de Larkin, avec son discours bien rodé de policier. Comme s'il ne sortait pas à l'instant d'une réunion avec une bande de voyous et de gangsters.

Zach entendit l'homme faire un pas, juste derrière lui.

Le regard de Zach se braqua sur la ruelle, au-delà de la benne, à l'instant où JP passa la porte. Quelque chose bougea sur le mur d'en face. Keegan émergea de l'ombre, canon pointé vers JP, lequel regardait Zach.

D'un mouvement vif du poignet, celui-ci mit Keegan en joue et tira. Le chef de salle s'effondra. Au même instant, Zach capta le message dans l'œil de JP et s'aplatit derrière la benne. La balle tirée par JP passa au-dessus de son crâne et toucha Larkin à l'épaule. Le flic tituba et tomba en arrière.

C'était comme s'ils avaient collaboré ensemble toute leur vie.

Sans même un regard vers son cousin, Zach enjamba le corps et se précipita vers la camionnette de JP. Des sirènes hurlantes arrivaient de partout, les voitures de patrouille convergeant vers le restaurant.

Quelques secondes plus tard, il quitta en trombe St Botolph Street pour foncer, moteur rugissant, en direction de Roxbury. Zach grilla tous les feux rouges, sans prêter attention aux flics, sans prêter attention à rien. Une seule chose comptait : sauver Sam et Vivi.

24

Sam prit Vivi dans ses bras. L'odeur métallique du sang, mêlée à celle de la poudre, lui faisait tourner la tête. Vivi battit plusieurs fois des paupières puis ferma les yeux, incapable de parler.

— Repose-la, qu'on en finisse !

La perruque et les lunettes de Larry avaient disparu, révélant son regard fou, son gel de maquillage en partie arraché pendant sur ses joues. L'homme qui se faisait appeler le Tsar ressemblait à un monstre.

Mais Sam refusait de lâcher Vivi, refusait de la déposer sur le ciment dur. Si elle le faisait, alors elle aussi bondirait vers cet homme et recevrait une balle dans le ventre. Mais elle ne tournerait pas sa vidéo. Au moins il n'obtiendrait pas la preuve qu'il voulait.

Il ramassa le téléphone de Vivi et tritura les touches puis leva l'écran au niveau de son visage. Qu'avait-elle fait avant de lui donner ce coup de pied ? Passé un appel ?

— Ça c'est moi, connards, dit-il.

Puis il tourna la caméra vers Sam et recula de deux pas, en se rapprochant de la chaudière et du chauffe-eau.

— Et ça, c'est elle. Est-ce que tu m'as vu tuer Joshua Sterling ? demanda-t-il.

Elle se contenta de fixer l'objectif sans rien dire.

— Alors ?

— Non.

— Espèce de salope ! s'exclama-t-il en agitant la caméra. Eh bien tu vas mourir quand même.

Il tourna de nouveau l'objectif vers son visage.

— Voici l'arme que je vais utiliser. Regardez-moi.

Il leva son pistolet mais Sam plongea à l'écart. La balle ricocha sur le sol et émit un bruit sec en frappant le métal de la chaudière. Larry s'enfonça encore un peu plus dans l'ombre, juste sous le seau rempli d'essence.

— Je me fiche que ce soit enregistré ou non, dit-il en braquant son arme droit vers Sam. Ils devront se contenter de…

— Billy ! hurla-t-elle.

Larry fit volte-face à l'instant même où Billy renversait le seau sur la tête du détraqué, qui fut aspergé d'essence.

Il poussa un cri aigu et Sam bondit pour lui arracher son arme des mains tandis qu'il se contorsionnait de douleur en tentant de se protéger les yeux.

— Cours, Sam… grogna Billy. Cours !

Même aveuglé, Larry agitait les bras pour essayer d'atteindre Sam. Elle fit un pas en arrière et sentit ses talons heurter le corps de Vivi. Elle leva alors le pistolet et visa droit sur le cœur du salaud. Elle tira une fois et le recul manqua de la faire basculer en arrière. Larry gronda de fureur et attaqua de nouveau alors qu'elle tirait une deuxième fois, le corps tout entier secoué par la détonation.

Il trébucha et s'affala par terre, face contre terre dans une flaque d'essence qui s'élargissait lentement en direction du brûleur de la chaudière.

— Va-t'en, vite ! dit Billy.

Vivi laissa échapper un gémissement. Sam abandonna l'arme et s'agenouilla auprès d'elle.

— Je ne peux pas… souffla-t-elle. Je ne peux pas vous laisser là tous les deux.

Elle suivit des yeux les ruisselets de liquide qui descendaient en pente douce vers la veilleuse. La petite flamme bleue mettrait le feu à l'essence et ferait exploser la chaudière, puis sans doute la maison tout entière.

Sam ne disposait que de quelques minutes, peut-être moins. Avec deux personnes à moitié mortes auxquelles elle tenait énormément.

— Sam...

La voix de Vivi était faible, brisée.

— Sam...

Celle de Billy ne valait pas mieux.

— Sauve-la, dit-il. Elle est jeune. Je t'en prie...

Elle passa les bras sous le corps de Vivi et tenta de la soulever. La douleur dans son pied blessé lui faisait l'effet d'un fer chauffé au rouge. Elle réussit de justesse à redresser Vivi et la tira en titubant vers l'escalier. Elle grognait sous l'effort et ses pieds glissaient sur le ciment couvert de sang.

— Allez, Vivi, tiens bon. Tu peux y arriver.

Mais Vivi restait flasque entre ses bras ; jamais Sam ne pourrait la porter jusqu'en haut des marches. Elle décida donc de passer ses mains sous les aisselles de Vivi et de la tirer. Hissée sur la première marche en bas de l'escalier, elle se retourna pour adresser un dernier regard à Billy.

— Va, gémit-il depuis l'interstice où il était piégé. Fais vite, Sam.

— Oh, Billy... Je suis désolée. Je suis tellement désolée pour tout !

— Sam, va.

Rassemblant toutes ses forces, elle hissa derrière elle le corps de Vivi, marche par marche. Peut-être que c'était faisable. Peut-être qu'elle pourrait l'emmener jusqu'à l'étage puis redescendre...

Parvenue à la moitié de l'escalier, elle tourna de nouveau les yeux vers la flaque d'essence. Le liquide était à moins de trente centimètres de la flamme de la veilleuse. Il ne lui restait plus qu'une minute tout au plus.

Grognant sous l'effort, mue par une nouvelle montée d'adrénaline, elle atteignit la plus haute marche à l'instant même où une détonation sonore secoua la maison.

L'espace d'une terrifiante seconde, elle crut que la chaudière avait explosé.

Mais il n'y avait eu ni lumière ni feu et le bruit n'était pas assez fort. Alors de quoi s'agissait-il ? D'un coup de feu ? Dans la maison ?

— Sammi !

Sam manqua s'évanouir de soulagement.

— Zach ! Dans la cave !

Elle s'appuya sur la porte alors que celle-ci s'ouvrait et tomba pile dans ses bras.

— Elle est blessée, dit-elle en tentant de confier Vivi à son frère. Sors-la d'ici ! Sors-la d'ici !

— Bon sang !

Il s'empara sans effort de sa sœur et se retourna pour la déposer dans l'entrée.

— Non, emmène-la dehors ! Cet endroit est sur le point d'exploser !

— Alors tu viens !

Il saisit Sam par la manche avec l'idée de les faire sortir tous les trois, mais elle secoua la tête.

— Billy est en bas, Zach. Il est coincé derrière la chaudière. Il y a de l'essence partout et la veilleuse est allumée.

Il lui remit de force Vivi entre les bras.

— Sors d'ici au pas de course ! Tout de suite !

— Tu ne peux pas... dit-elle en titubant en arrière, accrochée à Vivi. Il n'y a pas assez de temps. Il y a...

— Allez !

Il la poussa vers la cuisine, sans ménagement.

— Je vais le sortir de là. Emmène Vivi dehors !

Agrippant son amie avec une force insoupçonnée, elle courut jusqu'à la porte ouverte et réussit à lui faire passer le seuil. Arrivée dehors, elle chancela et faillit lâcher Vivi. Mais elle s'accrocha plus fort que jamais et courut aussi vite que sa charge le lui permettait jusqu'à s'effondrer sur l'herbe et déposer doucement Vivi à terre.

Elle se retourna vers la maison, vaguement consciente de la clameur montante de sirènes fendant la nuit. À quatre pattes, elle contourna Vivi pour pouvoir la tenir contre elle tout en voyant la maison. Elle lui blottit la tête contre son ventre et la souleva de manière à ralentir le flux du sang qui s'écoulait de l'endroit où la balle lui avait percé le ventre.

— Tiens bon, Vivi. Les secours arrivent.

Sam gardait l'œil rivé sur la porte de derrière, priant, suppliant de toutes ses forces pour que Zach apparaisse. Les larmes glissaient le long de ses joues avant de s'écouler sur Vivi.

— Allez, Zach ! sanglota-t-elle, à peine consciente de serrer fort la main de Vivi dans la sienne.

Le sol trembla et des flammes blanches et orange jaillirent de la maison dans une explosion assourdissante qui projeta des morceaux de bois, de verre et des langues de feu à plus de six mètres dans les airs.

Un cri resta coincé dans la gorge de Sam qui se jeta par-dessus le corps de Vivi pour la protéger. Une pluie d'étincelles et de débris en feu s'abattit autour d'elles.

Sam finit par relever la tête au milieu des nuages de fumée et des ondes de chaleur étouffante. Ses yeux la brûlaient tellement qu'elle avait du mal à se fier à ce qu'elle voyait.

Où était-il ? Où ? *Oh mon Dieu, je vous en supplie, ne me l'arrachez pas.*

Ce fut d'abord une ombre, noire sur fond noir, puis la silhouette d'un homme se dessina par-dessus les flammes. Il avançait tête baissée, le dos voûté, un corps inerte entre ses bras, tel un grand enfant. Il traversa les flammes en courant, au milieu d'une pluie de braises et de fragments de verre. Plusieurs vagues de débris s'abattirent depuis la maison, mais Zach ne ralentit pas.

Il traversa le jardin jusqu'à venir s'écrouler devant elle et déposer Billy dans l'herbe près de Vivi.

Son visage était couvert de suie et de crasse, ses cheveux roussis. Chaque respiration semblait lui demander un effort.

— Il est vivant, dit-il.

— Vivi aussi.

— Et... toi aussi, Sam.

Il lui tendit les bras par-dessus les deux blessés et elle fit de même pour le serrer fort contre elle.

— Je savais que tu viendrais me chercher, murmura-t-elle, ses mots coincés dans sa gorge serrée et étouffés par la sirène d'une voiture de police et les ordres qu'un flic aboyait à l'intention des pompiers et des secours. Je le savais...

— Toujours, Sam. Toujours. (Il referma ses doigts sur le visage de la jeune femme et appuya son front au creux de sa main.) Toujours je resterai auprès de toi.

La formule semblait maladroite, presque étrangère.

Sarò sempre al tuo fianco.

Elle comprenait à présent ce que ces mots signifiaient.

Le pire ne fut pas quand JP et Marc débarquèrent, accompagnés de l'inspecteur O'Hara et de quelques flics, en remontant le couloir couleur citron vert de l'hôpital à la manière d'une escouade militaire. L'interrogatoire permit même à Zach d'oublier un peu ce qui se passait dans le bloc opératoire où les chirurgiens œuvraient à retirer une balle du corps de sa sœur et à la maintenir en vie.

Il resta impassible à l'arrivée de Chessie et Nicki en larmes, qui apportaient des vêtements propres et des chaussures pour Sam et lui. Et l'un de ses bandeaux de cuir, même si cela ne lui avait pas manqué durant les dernières heures. Un peu plus tard, tante Fran et oncle

Jim arrivèrent, ce qui déclencha une longue série d'embrassades familiales.

Mais quand oncle Nino apparut dans le couloir de sa démarche traînante, son polo caractéristique enfilé à la hâte par-dessus un pantalon de pyjama, ses cheveux épars en bataille et son visage ridé figé dans une expression absolument misérable, Zach faillit craquer.

Sam perçut immédiatement sa réaction et glissa sa main au creux des siennes.

— Elle va s'en tirer, murmura-t-elle pour la vingtième fois, comme si répéter ces mots en ferait une vérité.

Nino se dirigea droit vers lui et lui prit le visage entre ses mains pour le regarder de ses yeux embués de larmes.

— On ne peut pas vivre sans elle, *ragazzino*.

— On n'aura pas à le faire.

Il avait prononcé ces paroles mais n'y croyait pas. Il avait vu Vivi dans l'ambulance, rendue blême par la perte de sang, aux portes de la mort.

Son père. Sa mère. Et maintenant sa sœur ?

Oncle Nino se tourna vers Sam et lui prit le menton de la même façon avant de la serrer tout contre lui.

— Tu lui as sauvé la vie.

Non, pas encore. Zach referma ses bras sur eux, preuve qu'il n'était pas tout à fait immunisé contre le penchant familial pour les embrassades.

— Elle a été incroyable, dit-il.

Elle releva la tête et lui sourit. Son visage était toujours crasseux, ses joues couvertes de coulées de larmes, mais ses yeux étaient d'un bleu vif, plein d'affection et de gratitude.

— Et l'autre gars ? demanda Nino. Ton ami ? Où est-il ?

— Billy a reçu un traitement et certains de ses amis du boulot sont venus le chercher et l'hébergent pour la nuit. Sa compagne est en route pour venir s'occuper de lui. Il va s'en sortir mais il devra revenir pour des examens durant les prochaines semaines.

Nino hocha la tête puis leva le pouce pour désigner JP, debout au milieu d'un groupe de flics, parmi lesquels se trouvait O'Hara.

— Et lui ?

— JP a bien bossé.

Nino tourna de grands yeux ronds vers Sam.

— « Bien bossé » ? Il a dit « bien bossé » ? De sa part, c'est comme s'il disait que JP est un saint !

— Il était... au bon endroit, au bon moment, dit Zach en secouant la tête. Et il m'a sauvé la mise.

Il repensa au moment où son cousin lui avait lancé les clés. Peut-être que JP avait un cœur, après tout.

— Après que tu as sauvé la mienne.

JP s'était joint à la conversation, O'Hara à ses côtés.

— On dirait bien que Finn MacCauley n'avait aucun rapport avec cette affaire. Le vieux qu'on a entendu était quelqu'un d'autre.

— Quoi qu'il en soit, vous avez rendu un grand service à la police de Boston, monsieur Angelino, dit O'Hara. Vous tous, en fait. Mon coéquipier est impliqué dans le meurtre de Joshua Sterling et la mauvaise image liée à ses actes nous poursuivra bien après son procès et son incarcération. Cela dit, il sera derrière les barreaux, de même que Keegan Kennedy dont nous sommes certains qu'il s'est arrangé pour que Samantha soit témoin du meurtre. Nous avons survécu à pire. Et nous sommes reconnaissants envers toute votre famille, ajouta-t-il en tendant la main pour serrer celle de Zach.

— Tant que toute ma famille reste en vie, répondit Zach avec un coup d'œil inquiet sur les portes fermées qui donnaient sur le bloc opératoire.

O'Hara posa une main sur l'épaule de Sam.

— Merci, dit-il simplement. Nous vous reverrons bientôt, j'en suis sûr.

Mais, à cet instant, Zach n'était sûr de rien. Une fois les policiers repartis, la famille au complet s'installa pour attendre des nouvelles de Vivi.

Chessie et Nicki entouraient tante Fran, trio de mouchoirs et de larmes. JP et oncle Jim restaient debout l'un à côté de l'autre, sans rien dire, les yeux tournés vers une télé dont quelqu'un avait depuis longtemps coupé le son. Positionné derrière oncle Nino, Marc massait les épaules du vieil homme, le regard perdu dans le vide. Sam posa sa tête sur l'épaule de Zach.

Le clan était silencieux, inquiet et uni. Étrangement, Zach n'avait jamais ressenti un tel sentiment de proximité auprès d'eux. À tout moment, ces gens risquaient de constituer tout ce qui lui restait.

— Allons prendre un café, chuchota-t-il à Sam.

Il la prit par la main et la guida vers la sortie, trop rapidement pour que quiconque ait le temps de proposer de les accompagner. De toute façon, personne n'allait quitter cette salle d'attente jusqu'à ce que s'ouvrent les portes du bloc et qu'un médecin vienne leur dire ce qu'ils avaient besoin d'entendre. Et même s'il devait leur annoncer autre chose, ils voudraient l'entendre tous ensemble.

Parce que, que ça lui plaise ou non, c'était ainsi que fonctionnaient les Rossi. Et, que ça lui plaise ou non, il était l'un d'entre eux.

Les infirmières avaient installé un petit coin café au bout du couloir et Zach remplit une tasse tandis que Sam s'appuyait dos au mur, pâle et épuisée, les yeux dans le vague, sa lèvre inférieure rougie à force d'être mordillée.

— Je vais le faire, dit-il.

Elle reporta son attention vers lui et fronça les sourcils.

— Faire quoi ?

— Si elle... s'en tire, je l'aiderai à lancer son entreprise.

Les yeux de Sam s'embuèrent.

— Tu conclus des marchés avec Dieu, Zach ?

Avec Dieu ? Merde, il aurait vendu son âme à Satan en échange de la vie de sa sœur.

— C'est une bonne idée, dit-il. Et je peux faire ce qu'elle attend de moi. Je le sais à présent.

Sa tasse toujours pleine à la main, il plongea son regard dans celui de Sam.

— Je peux le faire, et bien.

— Oui. Tu serais merveilleux pour ça. Mais, et… (Sa gorge se serra et les larmes lui montèrent aux yeux :) Et si elle ne s'en sort pas ?

À son tour, Zach sentit ses yeux le piquer.

— Je le ferai quand même. Pour elle.

Sam laissa échapper un sanglot et tendit les bras vers lui. Il l'étreignit pendant qu'elle pleurait.

— Je suis tellement désolée, Zach. C'est ma faute. C'est moi qui l'ai envoyée chez Billy, qui l'ai impliquée et je…

— Arrête. (Il s'écarta et posa un doigt sur la bouche de Sam.) Elle était à fond. C'est comme ça qu'elle veut vivre, et c'est dangereux. Et puis tout ceci t'a ramenée jusqu'à moi, Sammi. Jamais je n'aurais imaginé que tu veuilles de moi. Jamais je ne serais revenu vers toi. Et maintenant… je t'ai auprès de moi.

Il l'attira à lui et lui embrassa le front.

— Oui, je suis avec toi, répondit-elle. Et, tu sais, rien n'aurait pu faire plus plaisir à Vivi. Elle a toujours dit qu'elle rêvait qu'on…

Il inclina le visage de Sam vers lui et essuya du bout du pouce les coulées de larmes autour des cernes qu'elle avait sous les yeux.

— On le fera.

— Tu fais de nouveau des promesses à Dieu, Zach.

— Non, c'est à toi que je fais une promesse.

Il baissa la tête et plongea son regard dans ses yeux indigo en l'attirant à lui pour un baiser intense.

— Hé ! Décollez-moi ces lèvres. Le chirurgien est sorti et il veut te parler, Zach.

Ils firent tous deux volte-face pour voir Chessie qui accourait dans le couloir. Ils se précipitèrent pour retrouver la famille entière rassemblée autour d'un homme mince vêtu d'une blouse stérile. Ses cheveux étaient maintenus par un filet et un masque chirurgical pendait autour de son cou. Il se tourna vers Zach.

— Vous êtes son plus proche parent ?

Oh, bon sang, *non*.

— Nous le sommes tous, dit-il. Mais je suis son frère.

— Votre sœur est une jeune femme très forte. Il lui a fallu une transfusion totale. La balle a transpercé son abdomen et sa rate mais sans toucher sa moelle épinière. Nous avons pu la récupérer et recoudre la paroi de son estomac. Après son rétablissement, elle devra rester dans l'unité de soins intensifs pendant au moins une semaine.

Après son rétablissement. Après son *rétablissement* ?

— Elle va survivre.

Ce n'était pas une question. Ça n'avait jamais été une question.

— Oui, confirma le médecin. Et elle marchera. Et, si j'en juge par son apparence, je pense même qu'elle courra !

Chessie poussa un cri de joie, tante Fran se mit à pleurer et Nino à marmonner des prières. Marc et JP s'étreignirent avec enthousiasme tandis qu'oncle Jim enlaçait Nicki et la soulevait de terre.

Le médecin se rapprocha de Zach et leva la main vers lui, une balle ensanglantée au creux de sa paume.

— Vous la voulez ? Elle est à l'épreuve des balles, votre sœur.

Zach sourit et désigna JP du menton.

— Donnez-la au flic pour une analyse balistique. À l'épreuve des balles, je ne sais pas, mais les Gardiens Angelino veillent sur elle !

Puis tous les bruits, les réjouissances, les cris de joie et de soulagement se fondirent pour ne plus former qu'un fond sonore tandis qu'il enlaçait Sammi et laissait enfin ses larmes couler.

25

— Bois tout, Sammi, dit oncle Nino en posant devant elle le verre épais rempli à ras bord d'un vin presque noir. C'est la fête !

— Qu'est-ce qu'on fête ? Le rétablissement de Vivi ?

Cela faisait un mois que celle-ci était sortie de l'hôpital et elle reprenait ses forces jour après jour. Elle ne sillonnait pas encore les rues de Boston sur son skate mais ça viendrait.

— Entre autres choses, répondit Nino.

— La fin de ce gâchis autour de Joshua Sterling ?

La semaine précédente, l'inspecteur Larkin avait conclu un accord avantageux avec le procureur ; sa peine avait été réduite à vingt ans en échange des noms de tous les individus impliqués dans l'assassinat de Joshua Sterling ainsi que dans les meurtres de Teddy Brindell et de Taylor Sly.

L'inspecteur O'Hara s'était montré beaucoup moins avare en informations depuis qu'il avait découvert le maillon faible dans son propre service. Après la mort de Taylor Sly, toute l'histoire était apparue au grand jour, révélant qu'elle avait lentement mais sûrement bâti une nouvelle mafia irlandaise structurée à la manière de l'organisation criminelle qui avait tenu Boston entre ses griffes dans les années 1970.

Alors qu'il explorait la piste d'une enquête sur la corruption au sein de la police, Joshua Sterling avait rencontré Taylor et entamé une liaison avec elle. Une affaire assez passionnelle pour qu'il envisage de mettre fin à son propre mariage. Mais Taylor avait pour véritable motivation le silence assuré de Joshua sur l'essor de son organisation et des membres de la police de Boston déjà à son service.

Lorsqu'il avait partagé avec elle la véritable identité de sa femme, la fille biologique de Finn MacCauley, Joshua lui avait confié vouloir rendre l'histoire publique au service de sa propre carrière. Mais pour Taylor, qui avait déjà prévu d'assassiner son amant, il venait surtout de lui fournir par inadvertance un coupable idéal à blâmer pour le meurtre. Elle avait embauché Levon Czarnecki et envoyé son amant à un rendez-vous secret, en prévoyant de faire de René un témoin involontaire. Plus tard, elle avait semble-t-il estimé que Marc ne pouvait pas être manipulé et avait envoyé des hommes après lui en apprenant qu'il détenait la clé USB. De toute évidence, ses propres hommes étaient cependant prêts à la trahir… et à la tuer.

— Il y a d'autres raisons de se réjouir, n'est-ce pas ? la taquina Nino.

— Le fait que je commence les cours à la fac de droit demain ?

Nino fit claquer sa langue et secoua la tête, comme si Sam se montrait bornée.

— Regarde par là.

Elle suivit la direction du pouce que Nino pointait par-dessus son épaule et son regard se posa sur la baie vitrée. Derrière la vitre, JP et Zach se faisaient face et discutaient, les feuilles du début de l'automne formant un cadre rouge et or autour d'eux. À un moment, JP posa la main sur l'épaule de Zach.

— Ils renouent des liens rompus depuis longtemps, n'est-ce pas ? dit Sam d'une voix songeuse.

— Mieux que ça, répondit Nino, les yeux embués d'émotion. Ils en tissent de nouveaux ! (Il leva son verre et le fit tinter contre celui de Sam.) Tu as transformé mon Zaccaria, jeune fille. Et je t'en serai éternellement reconnaissant.

À son tour, elle sentit l'émotion s'emparer d'elle, le cœur empli d'amour, de gratitude et d'une joie qui s'y était installée et ne voulait plus en sortir.

— Je l'aime, dit-elle simplement.

Énoncer ainsi cette vérité la fit sourire.

— Et lui aussi t'aime, dit Nino. Alors le moment est venu.

Elle le dévisagea.

— Le moment ?

— De te donner la lettre.

— Quelle lettre ?

— Celle qui vient de Rossella Angelino. La mère de Zach.

Sam faillit lâcher son verre.

— Vous avez une lettre de sa mère ?

Nino soupira et appuya ses larges mains sur le comptoir.

— Ces gamins sont arrivés ici avec des vêtements, quelques photos et deux lettres. Des lettres que Rossella avait écrites avec pour instructions qu'elles soient remises non à Viviana et Zaccaria mais... à leurs promis et promise.

Elle sourit à l'usage de ce mot désuet... et de l'excitation désuète qu'il faisait naître en elle.

— Je ne suis pas...

Nino la gratifia de son mouvement de la main habituel pour balayer ses hésitations.

— Bah ! Il attendait que Vivi soit cent pour cent rétablie et que toutes ces histoires criminelles soient réglées.

Vraiment ? Sam l'espérait parce que pour la première fois depuis longtemps elle n'avait absolument aucun doute quant à ce qu'elle faisait et savait qu'elle n'hésiterait pas sur la réponse à donner... s'il lui posait la question.

— J'ai dû lire la lettre, poursuivit Nino. Parce qu'elle est écrite en italien. Alors j'ai traduit son message pour toi.

— Que dit-elle ?

— Tu verras. Je te la donnerai dès l'instant où je serai sûr.

Il sourit, exposant ses dents un peu jaunies, des pattes d'oie aux coins des yeux.

— Dès le moment où nous saurons tous que tu vas faire partie de cette famille, ajouta-t-il.

Elle hocha la tête puis but une gorgée de vin pour dissimuler sa réaction. Jamais de toute sa vie elle n'avait autant désiré quelque chose. Mais il fallait que Zach aussi en ait envie.

— Tu veux faire partie de cette famille, n'est-ce pas ? demanda Nino avec un sourire rusé. Ta présence nous serait utile, tu sais.

Sam ne répondit pas mais regarda son reflet dans le verre sombre du vin artisanal.

— J'aime cette famille, déclara-t-elle avec sincérité. Autant que j'aime Zach.

Des bras fins venus de derrière elle se refermèrent autour de sa taille et des mèches de cheveux lui caressèrent la joue. La tignasse de Vivi avait poussé ; aller chez le coiffeur était moins important qu'aller mieux.

— Nous aussi on t'aime, Samantha Fairchild.

Sam pivota pour attirer Vivi contre elle.

— Je pensais que tu étais dehors pour écouter l'échange entre ces deux grandes gueules.

— C'est ce que je faisais, mais il vient un moment où ils doivent arranger ça entre eux. JP dit oui, Marc a dit oui il y a des semaines, Nicki dit oui, je dis oui.

— Nino dit oui, ajouta Nino.

— Bien sûr ! dit Vivi en riant. Mais Zach dit...

Les portes s'ouvrirent et Zach pénétra dans la pièce avec sur ses lèvres l'ombre d'un sourire.

— Et puis merde, c'est d'accord.

— Youpi !

Vivi tendit les bras vers son frère. Elle ne se déplaçait plus à la vitesse de la lumière comme auparavant, mais était encore assez rapide pour lui faire subir une étreinte surprise.

— Tante Fran ! Oncle Jim ! Où est passé Marc ? C'est le moment de rendre tout ça officiel.

— J'ai mis le champagne au frais, annonça Chessie en débarquant depuis la salle à manger avec sa sœur Nicki et ses parents. On était en train de prendre les paris. Trois contre un qu'il allait dire oui.

— Vous avez parié contre moi ?

Zach décocha une tape sur l'épaule de sa plus jeune cousine et contourna le comptoir pour rejoindre Sam. Son bandeau en cuir dissimulait son œil et l'essentiel de sa cicatrice mais elle le trouvait toujours aussi beau.

— Bienvenue chez les dingues, lui souffla-t-il à l'oreille.

La discussion avec Nino était encore si présente à son esprit qu'elle eut l'impression que Zach pourrait lire ses pensées sur son visage. La lettre de sa mère. Sa promise. *Faire partie de la famille.*

— Alors tu as donné ton accord ? demanda-t-elle en s'appuyant contre lui, réconfortée par son bras autour de sa taille.

— Apparemment, il est facile de m'acheter par la flatterie et la promesse que mon autorité ne sera jamais remise en question.

Chessie fit sauter le bouchon du champagne avec un cri aigu typique puis tante Fran aligna les flûtes sur le bar en granite et tous se réunirent autour de Sam et Zach.

— Il nous en faut dix, c'est ça ? demanda Fran. Toujours dix verres dans cette famille.

— Gabe n'est pas là, Maman, la reprit Chessie.
— Mais Sam oui, dit Zach. Et elle est plus jolie.
— Et elle jure moins, ajouta Fran. Même si je tolérerais avec joie toutes ses grossièretés rien que pour revoir la bouille de mon Gabe.
— Il reviendra, tante Fran, affirma Zach. Il est invincible.
— Tu dis toujours ça, répondit-elle en lui souriant. J'espère que tu as raison.
— Il a toujours raison, lui rappela Vivi. Demande-lui, tu verras. Bon, mais où est Marc ?
— Il avait rendez-vous avec Lang, dit Zach.
Le nom de Colton Lang, agent du FBI, était devenu familier à toute la famille dès que celui de Finn MacCauley avait été rattaché à l'affaire. Et cela même si tous les indices laissaient à penser qu'il n'était qu'un bouc émissaire. Le FBI s'en était néanmoins mêlé et avait interrogé Sam et Zach à de nombreuses reprises, de même que Marc et JP.
La porte d'entrée claqua et, un instant plus tard, Marc fit son apparition. Son regard passa des coupes pétillantes au visage de Zach.
— Ouais ? demanda-t-il.
— Ouais, confirma Zach avec un haussement d'épaules.
— Génial, dit Marc en tendant son poing pour heurter celui de Zach dans un geste de félicitations. Alors tu vas adorer les nouvelles que j'apporte !
— Pas encore.
Un immense sourire sur le visage, Vivi distribua le champagne et dix coupes s'élevèrent en même temps qu'une multitude de voix.
— Du calme ! lança-t-elle.
Ils se firent plus bruyants encore. Vivi porta deux doigts à sa bouche et siffla.
Silence.

— Merci, dit-elle, les yeux aussi brillants que le petit diamant sur sa narine. Levons nos verres à l'équipe de la toute nouvelle entreprise de sécurité, enquête, protection et lutte contre le crime de Boston.

Elle tendit sa coupe en direction de Chessie.

— À notre directrice des systèmes d'information, responsable de la technologie, du hacking, du vacarme ambiant et des fêtes du vendredi après-midi.

— Suuuuper ! gloussa Chessie en trinquant.

Vivi leva ensuite sa flûte vers Nicki.

— À notre psychologue et profileuse criminelle en chef.

— À mi-temps, précisa Nicki dont les yeux bruns pétillaient. J'ai un cabinet à faire tourner.

— On s'en contentera, affirma Vivi avant de se diriger vers JP. À un autre employé à mi-temps, notre consultant spécial de l'Ordre Fraternel de la police.

L'expression de JP restait tout à fait sérieuse.

— Chargé de m'assurer que vous autres renégats n'enfreignez pas trop de lois.

— Mais si on le fait, tu nous sauveras la mise, rétorqua Vivi avec un clin d'œil.

Marc fut le suivant.

— À notre spécialiste en armement et vice-président chargé des relations avec les Fédéraux, dit Vivi.

— De bonnes relations, promit-il en faisant tinter son verre contre le sien.

— Et, bien entendu, à notre incroyable équipe d'assistants, tante Fran et oncle Jim. Ainsi que notre chef cuisinier et expert de la bouteille, ajouta-t-elle en passant un bras autour du cou épais de Nino.

Il agita la main mais il était difficile de ne pas lire la fierté sur son visage.

— Je m'assurerai que vous ayez tout ce qu'il faut de ziti.

— Ne reste plus que toi et Zach, dit Chessie, coupe levée. Cofondateurs ?

Vivi acquiesça d'un petit mouvement de tête.

— Il s'agit d'une entreprise commune, en effet, mais j'adopte le titre de vice-présidente des enquêtes.

Puis elle se tourna vers Zach et leva son verre plus haut que jamais. Ce n'était pas la première fois qu'ils voyaient cette émotion dans ses yeux embués, depuis ces derniers jours.

— Et, mesdames et messieurs, je vous présente le directeur général des Gardiens Angelino !

Des hourras retentirent, suivis d'innombrables tintements de cristal, de rires et de gorgées de champagne.

— On a fini de distribuer les rôles ? demanda Marc. Parce qu'avant que vous ne soyez tous trop joyeux et imbibés, nous devons tenir notre réunion d'équipe inauguratrice pour discuter de notre première… (Tous le regardèrent, dans l'expectative, et il les récompensa par un sourire enjôleur :) … mission rémunérée.

— Quoi ? !

Trois d'entre eux au moins avaient posé la question au même moment.

— La veuve de Joshua Sterling a disparu. J'ai accepté d'être consultant auprès du FBI pour une mission consistant à la retrouver et à la leur livrer. Et il s'agira d'une mission officielle pour les Gardiens Angelino. Je serai sur le terrain et vous couvrirez mes arrières.

— Le FBI fait ce genre de choses ? s'étonna Chessie. Embaucher des consultants externes ?

— Tout le temps, lui assura Marc. Parfois pour des questions de budget, parfois par manque de personnel, parfois parce qu'ils veulent qu'une personne particulière s'occupe d'un travail. Ce qui est le cas ici. C'est moi qu'ils veulent et puisque je refuse de retourner travailler chez eux, ils sont obligés de *nous* embaucher.

— Ça me plaît, déclara Vivi. Avoir le FBI au sommet de notre liste de clients nous aidera largement à en attirer d'autres.

— Je ferais bien d'ajouter ça à notre site Web, dit Chessie.

— On a un site Web ?

Zach avait l'air incrédule.

— Tout ce qu'il nous faut, ce sont des bureaux, dit Nino. La maison de Jamaica Pain n'est plus sur le marché.

Jim reposa son verre avec un peu plus de force que nécessaire. Le patriarche était resté particulièrement silencieux jusque-là.

— Comme vous le savez, je dispose d'un cabinet d'avocat à Boston dont je ne me sers pas mais que je refuse de vendre parce que je n'arrive pas à me faire à l'idée d'être en retraite. J'en ferai don à l'entreprise.

Fran le regarda en souriant.

— C'est très généreux de ta part, chéri.

— Généreux ?

Vivi se précipita vers son oncle pour refermer ses bras autour de son cou.

— Ces bureaux sont carrément magnifiques ! Merci ! C'est pas parfait, Zach ?

Elle décocha un sourire ravi à son frère puis tourna son attention vers Sam.

— Mais, et Sam ? Il te faut un intitulé de poste et un boulot, même si tu vas à la fac de droit. Jusqu'à ce que tu deviennes notre première conseillère juridique, bien sûr.

— C'est moi le DG, dit Zach qui posait sur Sam un regard plein d'amour et d'affection. Je lui trouverai un poste.

— Je suis sûr que c'en sera un bon, dit Sam.

Elle se dressa sur la pointe des pieds pour l'embrasser et, du coin de l'œil, vit Nino glisser une fine enveloppe dans son sac à main posé sur le comptoir.

Un shrapnel chauffé au rouge trancha sa chair. Des lames de douleur s'enfoncèrent dans son œil. Son visage semblait irradié par un feu d'artifice de souffrance qui lui ouvrait le front jusqu'à l'os.

Zach lutta pour s'extraire du cauchemar et se tourna automatiquement pour chercher le réconfort de la chevelure soyeuse et du corps de Sam, le remède à sa peine.

Elle n'était plus là.

Il se redressa en clignant les yeux dans la pénombre de la chambre de la jeune femme. Il avait l'habitude de l'ambiance tamisée de son appartement, du parfum persistant de son shampoing aux fruits, la sensation bienvenue d'être là où il devait être. Surtout, il avait l'habitude de l'avoir dans ses bras à quatre heures du matin. Mais elle n'y était pas.

Le stress, se dit-il. C'était la dernière nuit avant le début des cours.

Il repoussa les couvertures, récupéra le boxer qu'elle lui avait retiré quand ils s'étaient glissés dans le lit et partit à sa recherche. Parcourant l'appartement, il finit dans la cuisine, où il entendit un bruit venu du balcon.

Zach entrouvrit la porte et la vit assise par terre, le dos appuyé contre le mur, des papiers à la main.

— Sammi ?

Elle se tourna vers lui et il fut stupéfait de voir des larmes sur son visage. Il la rejoignit immédiatement.

— Qu'est-ce qui se passe, ma chérie ?

— Ta mère…

Sa mère ? Il s'accroupit pour s'installer auprès d'elle.

— Quoi donc ?

— Elle a écrit cette lettre et je… (Elle posa une enveloppe sur ses lèvres et ferma les yeux.) Je veux la lire.

— Elle a écrit une lettre ?

Zach tendit la main pour la prendre mais Sam ne lâcha pas prise.

— Tu sais lire l'italien maintenant ?

— Oncle Nino l'a traduite.

— À qui est-elle destinée ?

Elle laissa échapper un léger soupir.

— Je crois que ça reste à déterminer.

— Je ne comprends pas, admit-il.

— C'est écrit par ta mère pour... (Elle leva l'enveloppe au niveau de ses yeux.) *La fidanzata*.

La prononciation était douteuse.

— Je ne parle plus beaucoup l'italien et ton accent ne m'aide pas. Qu'est-ce que ça veut dire, d'après Nino ?

— Ta... promise.

Il lui prit délicatement le menton et tourna son visage vers lui.

— Tu es ma promise, dit-il. Et moi je te promets de t'emporter loin de ce balcon pour te ramener au lit dans cinq minutes. Est-ce que ça compte ?

— Je ne crois pas que ce soit ce qu'elle a voulu dire, répondit Sam en souriant. Mais j'aime bien l'idée.

Il attira son visage à lui et l'embrassa, un baiser lent et doux, en profitant des sensations qui s'éveillaient toujours en lui quand leurs lèvres se rencontraient.

— Alors ne m'oblige pas à te tirer de force.

— Je veux lire cette lettre mais je ne sais pas si je dois.

Il l'embrassa de nouveau et glissa ses doigts dans ses boucles blondes.

— Je crois que tu devrais revenir au lit pour que je puisse passer une heure à te montrer précisément tout ce que tu m'inspires.

Elle haleta sous l'effet du baiser.

— Je sais ce que je t'inspire, Zach.

— Alors qu'est-ce que tu attends ? Lis la lettre.

Il passa sa main à travers sa longue chevelure puis la fit courir au bas de son épaule, jusqu'à caresser son sein.

— Puis reviens au lit, ajouta-t-il en taquinant son mamelon dressé. Mais quoi que tu fasses, n'essaie plus de parler italien.

Elle se mit à rire avant de l'embrasser de nouveau.

— Attends-moi.

Ces paroles murmurées eurent beaucoup plus d'effet sur lui qu'elles n'auraient dû. Il s'appuya dos au mur et lui caressa le visage, écartant ses cheveux pour pouvoir la contempler.

— Si je t'avais dit ça le matin où j'ai quitté ton lit pour partir au Koweït, tu m'aurais attendu.

— Oui, je t'aurais attendu, répondit-elle.

— J'en avais envie, dit-il à mi-voix. Mais je me suis dit qu'il était trop tôt pour te dire ce que je ressentais et puis… tout ça est arrivé.

Sam le dévisageait de ses yeux grands yeux bleus pleins de sincérité.

— C'est du passé, Zach. Les mêmes choses te seraient arrivées là-bas et tu ne sais pas ce que tu aurais fait. Ces mots n'ont plus d'importance.

Il lui releva le menton pour tenir son visage au creux de sa paume.

— Mais ceux-là, si, « je t'aime ». (Elle ne le quittait pas des yeux.) Je t'aime, Samantha Fairchild, dit-il. J'aime ton cerveau et ton corps et ton visage et ton cœur et ton âme. Je t'aime.

Il la vit déglutir avec difficulté tout en levant les mains pour lui caresser à son tour le visage.

— Moi aussi je t'aime. J'aime tout cela chez toi et encore beaucoup d'autres choses que je n'ai pas découvertes.

— Alors tu devrais lire cette lettre, *mia fidanzata*.

Il l'embrassa sur le front, le nez, la bouche. Puis enfouit sa joue dans sa chevelure.

— Ne sois pas trop longue, c'est tout.

De retour dans la chambre, il ouvrit le tiroir de la table de nuit et glissa ses doigts tout au fond, là où il avait rangé quelque chose de bien particulier le jour de son emménagement.

Quelques minutes plus tard, il entendit Sam refermer à clé la porte de la cuisine, puis le bruit de ses pieds nus dans le couloir et son léger soupir une fois arrivée sur le seuil.

— Qu'est-ce qu'elle disait ?

Sam s'approcha du lit et il vit que d'autres larmes avaient coulé sur ses joues.

— Elle demande simplement que je t'aime autant qu'elle t'a aimé… (Sa voix se brisa.) Et si je peux être comme une sœur pour Vivi.

— C'est fait. (Il sourit et tendit la main pour prendre la sienne.) C'est tout ?

— Il reste une chose.

Elle déplia l'unique feuillet de papier, laissant apparaître l'écriture irrégulière de la femme qui avait donné naissance à Zach. Il s'attendit à une soudaine émotion qui, étrangement, ne vint pas.

— Il y avait ça à l'intérieur.

Entre le pouce et l'index, Sam tenait une fine alliance en or.

Cette fois l'émotion survint.

— Son alliance, dit-il en lui prenant l'anneau dont l'or s'était réchauffé au contact de Sam. Je m'étais toujours demandé ce qu'elle était devenue. Elle avait aussi une bague en diamant.

— Elle dit que celle-ci est dans la lettre de Vivi.

Zach caressa du doigt l'anneau et convoqua mentalement l'image de la main fine à la peau mate auquel il était autrefois passé. Une image un peu floue.

— Tu sais, je ne me souviens pas de grand-chose à propos de Rossella Angelino, sauf que… (*La rose. Elle sentait toujours la rose.*) Ses mains étaient… douces. Comme les tiennes, ajouta-t-il en relevant les yeux vers Sam.

Il posa l'alliance sur la table de nuit et attira Sam contre lui, appuyé sur les coussins.

— Qu'est-ce qu'elle racontait d'autre, cette lettre ?

Sam posa la tête sur sa poitrine et s'y blottit.

— Que si un jour nous avons un petit garçon, nous devrons l'appeler Giovanni.

— Le nom de mon père.

Pourquoi cette idée le rendait-elle si heureux ?

— Tu serais d'accord ? demanda-t-il.

Elle releva la tête vers lui, souriante.

— C'est toujours mieux que Nino.

Alors qu'elle reposait contre lui, leurs battements de cœur synchronisés, leur souffle lent et paisible, il tendit le bras vers la table de chevet.

— J'ai un dernier petit courrier pour toi, chuchota-t-il.

Il lui tendit la carte postale, une photo des collines de l'ouest du Massachusetts et du réservoir de Wachusett. Sam sourit.

— S'agirait-il de la… hum… la carte postale que je me plaignais de ne pas avoir reçue ?

— Ouaip.

Elle se redressa et saisit la carte, se racla la gorge et prit tout son temps pour la retourner et examiner la photo.

— On a coulé au fond de ce réservoir. J'espère que tu n'as pas écrit « on se retrouve là-bas ! » au dos de la carte.

Cela le fit rire.

— Lis-la, dit-il.

— Je veux deviner, répondit-elle avec un sourire taquin. Tu as écrit que tu m'aimes.

— Lis-la.

— Que tu es désolé de m'avoir rendue si triste en partant à la guerre.

— Lis-la.

— Que tu veux… (Elle retourna la carte et lut ce qui y était écrit, puis laissa échapper un soupir tremblant.) Me donner mon intitulé de poste.

— Il te plaît ?

Elle se mordit la lèvre inférieure et hocha la tête.

— « Mme Angelino ». Oui, ça me plaît beaucoup.

Il tendit le bras et saisit l'anneau de sa mère. Refermant la main sur celle de Sam, il lui passa la bague au doigt.

— De la part d'une Mme Angelino à l'intention d'une autre.

Zach vit une larme rouler sur la joue de Sam. Ses propres yeux le piquaient.

— Je crois que cette bague t'était destinée, dit-il.

Elle embrassa l'alliance puis posa sa paume sur la joue balafrée de Zach ; un contact frais, apaisant.

— Je le crois aussi.

— Tu es sûre ? Pas de doute à craindre ?

— Jamais.

Elle posa sa tête contre sa poitrine et il lui caressa les cheveux. Enfin, il était chez lui.

Découvrez les prochaines nouveautés des différentes collections J'ai lu pour elle

Le 3 avril

Inédit

***Aimer encore* ☙ Carolyn Jewel**

Le scandaleux comte de Banallt est un séducteur né, qui attire toutes les femmes dans son lit. Toutes, hormis Sophie Evans. Mariée à un libertin notoire, désabusée, elle l'éconduit. Mais tenir tête à Banallt est un jeu dangereux... Quatre ans plus tard, quand Sophie devient veuve, Banallt se jure de conquérir celle qu'il désire depuis bien trop longtemps.

Inédit

***Les trois grâces - 2 -Possédé par la grâce* ☙ Jennifer Blake**

Angleterre, 1486. Victime d'une malédiction qui causerait la mort de son futur époux, lady Catherine Milton a abandonné l'espoir de se marier. Le roi, lui, en a décidé autrement et lui intime l'ordre de séduire l'Écossais Ross Dunbar. De fait, Ross tombe aussitôt sous le charme de la belle. Et réciproquement. Mais Catherine doit se rendre à l'évidence : si elle succombe à son amour pour Ross, il en mourra...

Inédit

***Pacte sensuel* ☙ Cecilia Grant**

Veuve depuis peu, Martha Russell doit à tout prix protéger son domaine des griffes de son détestable beau-frère. Et pour garder ses terres, il lui faut un héritier. Forte de cette idée lumineuse, elle propose un marché à son voisin, le scandaleux et débauché Theophilus Mirkwood : un mois de passion en échange d'une rémunération...

La fiancée offerte ☙ **Julie Garwood**
Au vainqueur du tournoi, le roi a promis la main de lady Nicholaa. Alors que la belle captive s'avance parmi la foule, elle commet un acte de bravoure en sauvant des flammes une enfant. Devant l'assemblée pétrifiée, le roi, ému par un tel courage, propose alors à la jeune femme de choisir elle-même un prétendant. Voilà pour elle l'occasion idéale de se venger de Royce, de ses humiliations et de ses caresses osées...

Le 17 avril

Inédit ***Les McCabe - 2 -La séduction du Highlander***
☙ **Maya Banks**
Dans l'Écosse du Moyen Âge, les mœurs sont parfois impitoyables. Rejetée par les membres de son clan, Keeley McDonald a été trahie par tous ceux qu'elle aimait. Pourtant, son cœur est pur et noble. Aussi, quand elle aperçoit un guerrier entre la vie et la mort, elle le recueille, le soigne, puis succombe à la tentation. Caresses exquises, étreintes passionnées, le bel Highlander l'ensorcèle. Et lui fait courir un immense danger…

Les Highlanders du Nouveau Monde - 2 -Fidèle à son clan
☙ **Pamela Clare**
1759. Quand Morgan McKinnon, le chef d'un bataillon de soldats sanguinaires, tombe aux mains des Français, il est voué à une mort atroce. Car ces derniers vont le livrer aux Abénaquis. Or, dans un premier temps, le prisonnier est confié à la pupille du commandant du fort. Contre toute attente, Amalie sent son cœur vaciller pour ce barbare sans foi ni loi...

Des roses pour le dire ☙ **Jacquie d'Alessandro**
Alors qu'il se rend à son pavillon de chasse pour quelques jours de repos, Stephen Barrett tombe dans un traquenard. Il parvient à échapper à ses agresseurs mais après une chute de cheval, il perd connaissance. À son réveil, une ravissante jeune femme est à son chevet. Troublé par la beauté de Hayley, Stephen, huitième marquis de Glenfield, préfère dissimuler son identité...

Le 3 avril

PROMESSES

Inédit

***Destiny* - 2 - *À l'ombre des pommiers* ☙ Toni Blake**

Rachel Farris revient à Destiny avec un objectif en tête : faire déguerpir Mike Romo qui veut s'approprier la pommeraie familiale. Or Mike est intraitable sur le sujet, persuadé que les terres lui ont été spoliées des années plus tôt. S'engage alors un bras de fer des plus intenses entre la jeune femme et le séduisant policier.

Inédit

***Toi, mon héros* ☙ Laura Kaye**

Quand Alyssa Scott comprend que Marco Vieri travaille dans le bar où elle vient d'accepter un job, elle manque défaillir. Le meilleur ami de son grand frère est encore plus beau qu'avant, mais bien plus sombre aussi. Et si par le passé l'ex-soldat l'a protégée d'un père violent, c'est à elle aujourd'hui de délivrer Marco de ses démons...

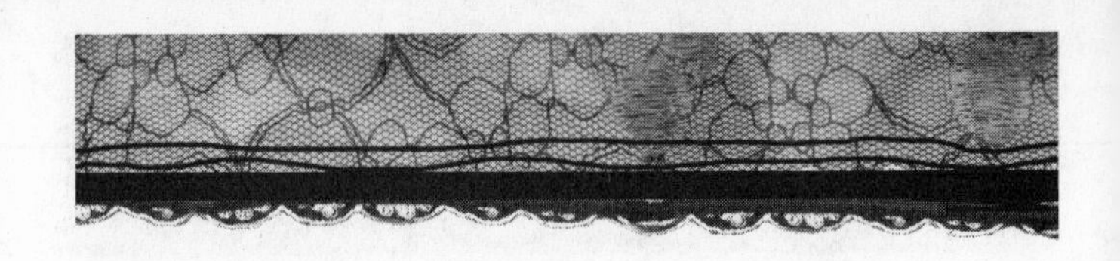

Passion intense

Des romans légers et coquins

Le 17 avril

Une lady nommée Passion ☙ **Lisa Valdez**
Quel est cet inconnu qui, profitant d'une bousculade au Crystal Palace, a enlacé audacieusement Passion et réveillé la sensualité de cette veuve respectable ? Comment ose-t-il, ici, au beau milieu d'honnêtes gens ? Tourmentée par le désir, persuadée qu'elle ne le reverra jamais, Passion se donne à lui. Et bientôt, elle se découvre esclave de celui dont elle ne connaît que le prénom. Mark...

Inédit ***Carrément dingue de toi*** ☙ **Erin McCarthy**
Quand le coureur automobile Ryder Jefferson réalise qu'il est encore marié à Suzanne, il est à la fois fou de rage... et de joie. Cela fait deux ans qu'ils sont séparés mais le divorce n'a jamais été effectif ! Ce malentendu ne serait-il pas l'occasion pour Ryder de reconquérir celle qu'il aime toujours ? En employant, par exemple, leur plus grand point commun : le sexe...

Et toujours la reine du roman sentimental :

Barbara Cartland

« Les romans de Barbara Cartland nous transportent dans un monde passé, mais si proche de nous en ce qui concerne les sentiments. L'amour y est un protagoniste à part entière : un amour parfois contrarié, qui souvent arrive de façon imprévue.
Grâce à son style, Barbara Cartland nous apprend que les rêves peuvent toujours se réaliser et qu'il ne faut jamais désespérer. »

Angela Fracchiolla, lectrice, Italie

Le 3 avril
Le prince russe

10315

Composition
FACOMPO

Achevé d'imprimer en Italie
par GRAFICA VENETA
le 20 février 2013.

Dépôt légal : février 2013.
EAN9782290069820
L21EPSN000177N001

ÉDITIONS J'AI LU
87, quai Panhard-et-Levassor, 75013 Paris

Diffusion France et étranger : Flammarion